EEUWIG VERBOND

Eeuwi
Ver

VAMPIRE QUEEN

REBECCA
MAIZEL

g
oond

GOTTMER • HAARLEM

Voor het Nederlandse taalgebied:

© 2010 Uitgeverij J.H. Gottmer / H.J.W. Becht BV,

Postbus 317, 2000 AH Haarlem

e-mail: post@gottmer.nl

Uitgeverij J.H. Gottmer / H.J.W. Becht BV maakt

deel uit van de Gottmer Uitgevers Groep BV

Vertaling: Sofia Engelsman

Omslagontwerp en vormgeving: Studio Ron van Roon

ISBN 978 90 257 4819 7

NUR 285

www.gottmer.nl

Voor pap en mam: elk woord.
Elk woord behoort jullie toe.
Jullie verlichten altijd mijn pad.

En voor mijn zus, Jennie,
die altijd de juiste woorden kent.

D

eel 1

'Neem deze rozemarijn, om mij te gedenken.
Ik bid, mijn geliefde, dat je mij gedenkt.'
– OPHELIA, *HAMLET*, VIERDE BEDRIJF, SCÈNE VIJF

1

Ik verlos je...
Ik verlos je, Lenah Beaudonte.
Heb vertrouwen... en wees vrij.

Dat waren de laatste woorden die ik me kon herinneren. Maar ze waren vormloos, uitgesproken door iemand wiens stem ik niet herkende. Het kon eeuwen geleden zijn geweest.
Toen ik wakker werd, voelde ik meteen een koud, hard oppervlak tegen mijn linkerwang. Een ijzige huivering liep over mijn rug. Zelfs met mijn ogen dicht wist ik dat ik naakt was, dat ik op mijn buik op een houten vloer lag.
Ik hapte naar adem, maar mijn keel was zo droog dat ik een onaards, dierlijk geluid voortbracht. Drie raspende ademhalingen en toen bonk-bonk-bonk – een hartslag. Mijn hartslag? Het hadden ook tienduizenden fladderende vleugels kunnen zijn. Ik probeerde mijn ogen te openen, maar als ik knipperde, zag ik een verblindende lichtflits. En nog een. En nog een.
'Rhode!' schreeuwde ik. Hij moest er zijn. Zonder Rhode was er geen wereld meer.
Ik lag te kronkelen op de vloer, bedekte mijn lichaam met mijn handen. Besef wel dat het bepaald mijn gewoonte niet is om in mijn eentje bloot op de grond te liggen, vooral niet op een plek waar de zon op mijn lichaam kan schijnen. Maar toch lag ik daar, badend in het zonlicht, ervan overtuigd dat ik binnen luttele seconden een pijnlijke, vurige dood zou sterven. Dat moest wel. Nog even en de vlammen zouden oplaaien vanuit mijn ziel en me tot as doen vergaan.
Maar er gebeurde niets. Geen vlammen, geen dreigende dood.

Alleen de geur van de eikenhouten vloer. Ik slikte, en de spieren in mijn keel trokken samen. Mijn mond was vochtig van het... speeksel! Mijn borstkas drukte tegen de vloer. Ik duwde mezelf een stukje omhoog op mijn handpalmen en legde mijn hoofd in mijn nek om de bron van mijn marteling te bekijken. Stralend daglicht stroomde een slaapkamer binnen door een groot erkerraam. De hemel was diepblauw, geen wolk te zien. 'Rhode!' Mijn stem klonk vreemd, alsof hij niet bij me hoorde. Ik had krankzinnige dorst. 'Waar ben je?' gilde ik.

Ergens vlakbij ging een deur open en weer dicht. Ik hoorde een wankele stap, moeizaam geschuifel, en toen zag ik Rhodes zwarte laarzen met zilveren gespen in mijn gezichtsveld verschijnen. Ik rolde me op mijn rug en keek naar het plafond. Happend naar adem. Mijn hemel – ademde ik echt?

Rhode boog zich over me heen, maar ik kon hem niet goed zien. Hij kwam nog verder omlaag, zodat zijn gelaatstrekken zich op slechts enkele centimeters van mijn gezicht bevonden, maar ze waren nog steeds wazig. En plotseling was hij daar, alsof hij opdook uit de mist. Zo had ik hem nog nooit eerder gezien. Zijn huid spande zo strak over zijn jukbeenderen dat het leek alsof de botten er bijna doorheen prikten. Zijn normaal gesproken stevige, trotse kin was nu niet meer dan een dun puntje. Maar zijn blauwe ogen – die waren hetzelfde. Zelfs in mijn verwarde toestand raakten ze me tot diep in mijn ziel.

'Goh, dat ik jou hier tegenkom,' zei Rhode. Hij had donkere kringen onder zijn ogen, maar er lag een twinkeling in zijn blik, die ergens diep vanbinnen kwam. 'Gefeliciteerd met je zestiende verjaardag,' zei hij, en hij stak zijn hand uit.

Rhode hield een glas water in zijn hand geklemd. Ik ging over-

10

eind zitten, nam het glas aan en dronk het in drie gretige slokken leeg. Het koude water stroomde door mijn keel omlaag, vloeide door mijn slokdarm mijn maag in. Bloed, een substantie waaraan ik gewend was, sijpelde meer naar binnen en werd dan door het hele vampierlichaam opgezogen, als een spons die vloeistof opneemt. Het was zo lang geleden dat ik water had gedronken...

In zijn andere hand had Rhode een stuk zwarte stof. Toen ik het van hem aannam, ontvouwde het zich tot een zwarte jurk. Hij was van dunne katoen. Ik drukte mezelf omhoog van de vloer en ging overeind staan. Mijn knieën knikten. Snel stak ik mijn armen uit om mijn evenwicht te bewaren. Even bleef ik zo staan, totdat ik mijn voeten goed op de grond had. Toen ik probeerde te lopen, ging er zo'n hevige huivering door me heen dat mijn knieën elkaar raakten.

'Trek dat aan en kom naar de andere kamer,' zei Rhode, en hij wankelde de slaapkamer uit. Ik had moeten opmerken dat hij zich moest vasthouden aan de deurpost, maar mijn knieën en dijen trilden zo hevig dat ik zelf maar net mijn evenwicht kon bewaren. Ik liet mijn handen langs mijn lichaam vallen. Mijn bruine haar kleefde in lange slierten aan mijn naakte lijf, als zeewier. De langste lokken kwamen tot mijn borsten. Ik had op dat moment alles gegeven voor een spiegel. Ik haalde een paar keer adem, en weer knikten mijn knieën. Ik keek om me heen, op zoek naar een korset, maar zag niets. Wat merkwaardig! Moest ik hier gaan rondlopen zonder iets om de boel bij elkaar te houden? Ik liet de jurk over mijn hoofd glijden, en die viel tot vlak boven mijn knieën.

Ik zag er geen dag ouder uit dan zestien. Maar als iemand het op die dag had berekend, zou ik officieel 592 jaar oud zijn.

Alles was zo fris en licht – te licht. Hoewel ik was ontwaakt op de vloer, lag er op het ijzeren bed een matras, met daarop een zwart dekbed. Aan de andere kant van de kamer bood het erkerraam uitzicht op groene bladeren en zwiepende takken. In de vensterbank was een zitje met blauwe pluchen kussens. Ik liet mijn vingers over de nerven in het hout op de wanden glijden en kon niet geloven dat ik ze daadwerkelijk voelde. Het hout was hobbelig, en ik voelde de oneffenheden onder mijn gladde vingertoppen. Mijn bestaan als vampier betekende dat al mijn zenuwuiteinden dood waren. Alleen door me te herinneren hoe dingen hadden gevoeld als mens, kon mijn vampierbrein inschatten of ik iets hards of iets zachts aanraakte. Een vampier behield alleen de zintuigen die hem in staat stelden nog beter te kunnen doden: de reukzin was verbonden aan vlees en bloed en het zicht was superzicht, waarmee de allerkleinste details werden waargenomen, alleen maar om zo snel mogelijk een prooi te kunnen vinden.

Mijn vingers dwaalden nogmaals over de wand – en weer vlogen de rillingen over mijn armen.

'Daar heb je later nog genoeg tijd voor,' zei Rhode vanuit de andere kamer.

Mijn hartslag galmde in mijn oren. Ik kon de lucht proeven. Terwijl ik liep, leken de spieren in mijn kuiten en dijen te branden, te verkrampen en vervolgens te ontspannen. Om het trillen te onderdrukken, leunde ik tegen de deurpost en kruiste mijn armen voor mijn borst.

'Welke eeuw is dit?' vroeg ik, terwijl ik mijn ogen sloot en diep ademhaalde.

'De eenentwintigste,' zei Rhode. Zijn zwarte haar, dat de laatste keer dat ik hem zag tot halverwege zijn rug had gereikt, was nu kortgeknipt en stond in stekeltjes overeind. Om zijn rechterpols zat een wit verband. Rhode zocht steun op een bijzettafeltje en liet zich in een donkerrode leunstoel zakken. 'Ga zitten,' fluisterde hij.

Ik ging op een lichtblauwe bank tegenover hem zitten. 'Je ziet er vreselijk uit,' fluisterde ik.

'Dank je,' zei hij, met de schim van een glimlach.

Rhodes wangen waren zo ingevallen dat zijn eens zo mannelijke, gebeeldhouwde trekken nu aan zijn botten kleefden. Zijn gebronsde huid had een gelige kleur. Zijn armen trilden terwijl hij zich in de stoel liet zakken, en hij bleef zich vasthouden aan de leuningen tot hij helemaal zat.

'Vertel me alles,' commandeerde ik.

'Wacht even,' zei hij.

'Waar zijn we?'

'In je nieuwe huis.' Hij sloot zijn ogen en leunde achterover in de stoel. Hij greep de armleuningen beet, en ik zag dat de ringen die zijn vingers hadden gesierd, verdwenen waren. De kronkelende zwarte slang met smaragden als ogen en de noodring met het geheime vakje (dat dus altijd gevuld was met bloed) ontbraken. Nog slechts één ring droeg hij, aan zijn pink. Mijn ring. De ring die ik meer dan 500 jaar gedragen had. Pas toen zag ik dat mijn eigen handen ringloos waren. Het was een dun zilveren ringetje met een diepzwarte steen – onyx. 'Draag nooit onyx tenzij je de dood wenst of kent,' had hij ooit tegen me gezegd. Ik had hem geloofd. En trouwens, tot op dat moment was ik ervan overtuigd geweest dat er geen vampier bestond die er zo van genoot om te doden als ik.

Ik probeerde zijn blik te vermijden. Ik had Rhode nog nooit zo zwak gezien.

'Je bent menselijk, Lenah,' zei hij.

Ik knikte, maar bleef naar de lijnen in de houten vloer staren. Ik kon niet antwoorden. Nog niet. Ik wilde het te graag. Het laatste gesprek dat ik met Rhode had gevoerd, voordat ik in die slaapkamer wakker was geworden, was gegaan over mijn verlangen om menselijk te worden. We hadden ruzie gehad, en ik had gedacht dat die ruzie nog eeuwen zou voortduren. En dat was eigenlijk ook zo, want die ruzie had een eeuw eerder plaatsgevonden.

'Je hebt nu eindelijk wat je wilde,' fluisterde hij.

Ik moest mijn blik weer afwenden. Ik kon niet verdragen hoe zijn koele blauwe ogen me onderzoekend opnamen. Rhodes uiterlijk was zo veranderd; het leek alsof hij aan het wegkwijnen was. Toen hij nog kerngezond was geweest, hadden zijn vierkante kaak en zijn blauwe ogen hem gemaakt tot een van de mooiste mannen die ik ooit had gezien. Ik zeg nu wel man, maar ik weet eigenlijk niet hoe oud Rhode is. Misschien was hij nog maar een jongen geweest toen hij tot vampier werd gemaakt, maar door de jaren heen had hij zo veel gedaan en gezien dat het hem getekend had. Als vampiers ouder worden, en rijper, wordt hun uiterlijk zo ongrijpbaar dat het bijna onmogelijk is hun leeftijd te schatten.

Ik zorgde ervoor dat ik mijn blik afgewend hield en bestudeerde de woonkamer. Het leek alsof hij er net was ingetrokken, hoewel er wel al een typische Rhode-sfeer hing. Behalve een paar kartonnen dozen bij de deur leek alles al op zijn plek te staan. Vele bezittingen uit mijn vampierleven sierden het appartement. Met name voorwerpen uit mijn slaapvertrek. Aan de muur hing een antiek zwaard dat met gouden klemmen vastzat aan een metalen schild. Dat was een van Rhodes favoriete voorwerpen, zijn zwaard uit zijn tijd bij de Orde van de Kousenband, een ridderkring onder Edward de Derde. Het was een speciaal zwaard, een dat met magie was gesmeed, buiten de broederschap. Het had een zwartleren greep en een brede basis die zich versmalde tot een dodelijk scherpe punt. De degenknop, het wielvormige tegengewicht boven aan het zwaard, was rondom gegraveerd met de volgende woorden: *Ita fert corde voluntas*, het hart wil het.

Aan weerskanten van het zwaard hingen twee ijzeren wandkandelaars die waren vormgegeven als rozen, verbonden door doornachtige ranken, met daarin witte kaarsen die niet brandden. In huis moesten altijd witte kaarsen branden als je boze geesten of slechte energie wilde verjagen. Elke vampier had ze, als bescherming tegen andere, nog duisterder magie. Ja, er bestonden nog ergere dingen dan vampiers.

'Ik was je menselijke schoonheid vergeten.'

Ik keek naar Rhode. Hij glimlachte niet, maar aan de schittering in zijn ogen zag ik dat hij het meende. Dat hij mij nu in mijn menselijke gedaante zag, was een persoonlijke prestatie van hem. Hij had gedaan wat hij zich honderden jaren eerder had voorgenomen.

2

Hathersage, Engeland – The Peaks
31 oktober 1910, avond

Mijn huis was een kasteel. Een stenen kasteel met lange gangen, marmeren vloeren en beschilderde plafonds. Ik woonde in Hathersage, een plaatsje in een streek die bekendstond om zijn glooiende heuvels en donkere ravijnen. Mijn kasteel stond een eindje van de weg af en keek uit over eindeloze velden. Die avond was het *Nuit Rouge*, oftewel Rode Nacht. Eens per jaar verzamelden vampiers van over de hele wereld zich een maandlang in mijn huis. Tijdens die eenendertig dagen van oktober lokte Nuit Rouge vampiers van allerlei rassen naar mijn kasteel. Eenendertig dagen van overvloed. Eenendertig dagen van pure verschrikking. Dit was de laatste avond, de avond voordat iedereen weer naar zijn eigen jachtgebied vertrok.

De schemering was net ingevallen. Boven ons glansden de sterren in het duister. Ze wierpen een gouden gloed op de wijnbokalen. Ik baande me een weg door de menigte gasten die aan bloed nipten en dansten op de muziek van het strijkkwartet. Rhode volgde me naar buiten, het stenen terras op, aan de achterkant van het kasteel. Mannen en vrouwen, gekleed in hoge hoeden, korsetten en prachtige gewaden van de mooiste Chinese zijde, lachten luid en vertraagden Rhodes gang naar buiten. Aan de achterkant van het huis leidde een stenen trap naar beneden, de tuin in. Aan weerszijden van de trap stonden hoge, witte kaarsen. Druppels kaarsvet vormden kleine eilandenrijkjes op de stenen treden. De tuin waaierde breed uit en liep naar beneden af, de glooiende heuvels tegemoet. Ik droeg

16

een jurk van diepgroene zijde, afgezet met een gouden bies en daaronder een bijpassend korset.

'Lenah!' Rhode riep me, maar ik bleef snel mijn weg zoeken tussen de menigte door. Ik liep zo hard dat ik even vreesde dat mijn korset mijn borsten niet in bedwang zou kunnen houden.

'Lenah, stop!' riep Rhode weer.

Ik rende de schemerige tuin in, de heuvel af, naar het begin van de velden die zich mijlenver om mijn kasteel heen uitstrekten. In die tijd zag ik er anders uit. Mijn huid was bleek, en ik had geen kringen onder mijn ogen of rimpels in mijn gezicht. Alleen een witte, volkomen gave huid, alsof mijn poriën waren uitgegumd.

Boven op de heuvel bleef Rhode staan en keek naar me. Hij was gekleed in avondkostuum, met zwartzijden revers en een hoge hoed. In zijn rechterhand hield hij een wandelstok. Toen hij de heuvel afdaalde, boog het ritselende gras onder zijn voeten. Ik draaide me om en staarde naar de velden.

'Je hebt de hele avond nog geen woord tegen me gezegd,' zei Rhode. 'Geen woord. En nu ren je naar buiten? Mag ik misschien weten wat er verdomme aan de hand is?'

'Begrijp je het dan niet? Als ik ook maar één woord uit, kan ik mijn intenties niet langer verhullen. Vicken heeft een bovennatuurlijk talent. Hij kan van kilometers afstand mijn lippen lezen.'

Vicken was mijn meest recente creatie; dat wil zeggen, de laatste man die ik tot vampier had gemaakt. Met zijn vijftig jaar was hij ook de jongste vampier in mijn coven, mijn vampierkring, hoewel hij er geen dag ouder uitzag dan negentien.

'Mag ik hopen dat je een moment van helderheid beleeft?'

17

vroeg Rhode. 'Dat je eindelijk beseft dat Vicken en de rest van die bende ondankbaren gevaarlijker zijn dan je had voorzien?'

Ik zei niets en keek slechts naar de patronen die de wind in het gras maakte.

'Weet je waarom ik je verlaten heb? Ik vreesde,' beet Rhode me toe, 'dat je werkelijk je verstand had verloren. Dat het vooruitzicht van een eeuwig leven bezig was je tot waanzin te drijven. Je was roekeloos.'

Ik draaide me met een ruk om, en onze blikken haakten in elkaar.

'Ik wil van jou geen verwijten omdat ik een coven heb gecreeerd van de sterkste, meest getalenteerde vampiers die er bestaan. Je zei dat ik mezelf moest beschermen, en ik heb gedaan wat ik moest doen.'

'Je ziet helemaal niet wat je gedaan hebt,' zei Rhode. Hij klemde zijn krachtige kaken op elkaar.

'Wat ík heb gedaan?' Ik deed een stap in zijn richting. 'Ik voel de last van dit bestaan tot in mijn botten. Alsof duizenden parasieten mijn gezond verstand aanvreten. Jij hebt me ooit verteld dat het dankzij mij was dat jij je verstand niet verloor. Dat die vervloekte emotionele pijn je eindelijk even met rust liet, als je met mij samen was. Wat denk je dat er met mij gebeurd is, die 170 jaren dat je afwezig was?'

Rhodes schouders zakten omlaag. Zijn ogen waren van een ongelooflijk intense kleur blauw – zulke ogen had ik in al die 500 jaar nooit bij een ander gezien. De schoonheid van zijn smalle neus en donkere haar shockeerde me elke keer weer. Het bestaan als vampier vergrootte de schoonheid van elke persoon, maar bij Rhode straalde de schoonheid van binnenuit en verlichtte zijn ziel – en deed mijn hart branden.

'De magie die jouw coven van vampiers bindt is gevaarlijker dan ik me ooit had kunnen voorstellen. Wat had je dan verwacht dat ik zou voelen?'

'Jij voelt niets. We zijn vampiers, weet je nog?' antwoordde ik. Hij greep mijn arm zo stevig beet dat ik dacht dat hij hem zou breken. Ik zou bang zijn geweest als ik niet meer van hem had gehouden dan woorden ooit konden uitdrukken. Rhode en ik waren zielsverwanten. Verbonden door een gepassioneerde liefde, de honger naar bloed, de dood en een onwrikbaar besef van de eeuwigheid. Waren we minnaars? Soms. In sommige eeuwen meer dan in andere. Waren we elkaars beste vriend? Altijd. We waren onlosmakelijk met elkaar verbonden.

'Je hebt me 170 jaar lang in de kou laten staan,' zei ik, tussen opeengeklemde tanden door. Rhode was pas een week eerder teruggekeerd van zijn 'pauze' van mij. Sinds zijn terugkeer waren we onafscheidelijk geweest. 'Snap je dan niet waarom ik je hierheen heb laten komen?' vroeg ik. 'Jij bent de enige die ik de waarheid kan vertellen.'

Rhode liet mijn arm los. Ik draaide me om en keek hem aan.

'Ik heb niets meer over. Het laat me allemaal koud.' Ik fluisterde de woorden, maar mijn stem had een hysterisch randje. Ik zag mijn spiegelbeeld in Rhodes ogen. Zijn groot geworden pupillen overheersten het blauw, en ik staarde in die zwarte gaten. Mijn stem trilde. 'Nu ik weet dat jij het ritueel kent... Rhode, het is het enige waaraan ik nog kan denken. Dat mijn menselijkheid – dat dat een mogelijkheid is.'

'Je hebt geen idee hoe gevaarlijk het ritueel is.'

'Dat kan me niet schelen! Ik wil het zand onder mijn voeten voelen. Ik wil wakker worden terwijl het zonlicht door mijn raam naar binnen stroomt. Ik wil de lucht ruiken. Alles. Alles

wat ik maar kan voelen. Mijn god, Rhode, ik wil kunnen glimlachen – en het menen.'

'Die dingen willen we allemaal,' zei hij op kalme toon.

'Jij ook? Want ik denk van niet,' zei ik.

'Natuurlijk wel. Ik wil wakker worden bij het blauwe water en
de zon op mijn gezicht voelen.'

'De pijn is te hevig,' zei ik.

'Je zou het nog eens kunnen proberen. Je moet je op mij concentreren – op van mij houden,' zei Rhode op zachte toon.

'Van jou? Degene die toch weer vertrekt?'

'Dat is niet eerlijk,' zei Rhode, en hij reikte naar mijn handen.

'Zelfs van jou houden is een kwelling. Ik kan je niet echt voelen of aanraken. Ik kijk naar de mensen die wij tot ons nemen,
en zij kunnen wél voelen. Zelfs in de laatste minuten van hun
leven hebben ze adem in hun longen en smaak in hun mond.'

Rhode nam mijn hand in de zijne, en de warmte, zijn passie
voor mij, golfde mijn lichaam binnen. Ik sloot mijn ogen, blij
dat ik even respijt had van de talloze tragedies die mij zo kwel-
den. Ik opende mijn ogen weer en deed een stap bij hem vandaan.

'Ik begin mijn verstand te verliezen, en ik weet niet hoeveel
langer ik het nog kan verdragen.' Ik pauzeerde even, op zoek
naar de juiste woorden. 'Sinds jij het ritueel hebt ontdekt, kan
ik aan niets anders meer denken. Dat is mijn uitweg.' Er lag
een verwilderde blik in mijn ogen, dat wist ik zeker. 'Ik heb
dit nodig. Ik heb dit zo nodig. God sta me bij, Rhode, want
als jij het niet doet, loop ik het zonlicht in totdat het me verschroeit.'

Rhode raakte bijna zijn hoge hoed kwijt aan een windvlaag. Hij
rukte zijn hand los uit de mijne. Hij had toen nog lang haar, en

het viel tot over zijn schouders op de kraag van zijn jas.

'Waag je het mij te dreigen met jouw zelfmoord? Doe niet zo kinderachtig, Lenah. Niemand heeft het ritueel ooit overleefd. Duizenden vampiers hebben het geprobeerd. En ze zijn allemaal gestorven, stuk voor stuk. Denk je dat ik het kan verdragen als ik jou verlies? Dat ik afscheid van jou zou kunnen nemen?'

'Dat heb je al gedaan,' fluisterde ik woedend.

Rhode trok me naar zich toe, zo snel dat ik niet was voorbereid op de krachtige druk van zijn mond op de mijne. Een diepe grom van Rhode, en mijn onderlip barstte open – Rhode beet me. Ik voelde hem ritmisch zuigen terwijl hij het bloed uit mijn mond dronk. Een moment later stapte hij achteruit en veegde zijn bebloede lip af aan de mouw van zijn jas.

'Ja, ik heb je verlaten. Ik moest de kennis en de magie zoeken die ik nodig had. Als we dat ritueel ooit proberen – ik moest het zeker weten... Ik had niet verwacht dat je verliefd zou worden in mijn afwezigheid.'

Even bleef het stil. Rhode wist net zo goed als ik dat ik niet meer had geloofd in zijn terugkeer.

'Ik houd niet van Vicken zoals ik van jou houd.' Ik articuleerde elk woord duidelijk. Na een moment voegde ik eraan toe: 'Ik wil eruit stappen.'

'Je weet wat je te wachten staat, als je kiest voor het menselijk bestaan.'

'De lucht? Echt adem kunnen halen? Geluk?'

'Dood, ziekte, de menselijke natuur?'

'Ik begrijp het niet,' zei ik, en liep bij hem vandaan. 'Je hebt zelf gezegd dat alle vampiers snakken naar menselijkheid. Naar de vrijheid om meer te voelen dan alleen maar pijn en lijden.

Heb jij dat dan niet?'

'Het vreet aan me,' zei Rhode. Hij nam zijn hoge hoed af en staarde over de velden. 'Er lopen daar herten,' zei hij, wijzend. Dat klopte. Ongeveer vijftien kilometer verderop stonden een paar herten geruisloos te grazen. We hadden ons kunnen voeden met hun bloed, maar ik was dol op mijn jurk, en het rode bloed zou vloeken bij de groene zijde. En trouwens, ik had een hekel aan de smaak van dierenbloed en nam het alleen als er werkelijk niets anders voorhanden was. Door de coven te creëren, had ik ervoor gezorgd dat dat nooit het geval was.

Rhode liet zijn hand om mijn middel glijden en trok me dichter naar zich toe.

'Jouw schoonheid zal je veel macht geven in de mensenwereld. Je menselijke gezicht zal je bedoelingen verraden, ook je beste bedoelingen.'

'Dat kan me niet schelen,' zei ik. Ik begreep hem niet echt, en het liet me ook eigenlijk koud.

Rhode strekte zijn hand uit en liet zijn wijsvinger over mijn neus omlaag glijden. Toen wreef hij zachtjes met zijn duim over mijn lippen. Hij had een frons op zijn voorhoofd, een priemende blik in zijn ogen. Ik had mijn blik niet kunnen afwenden als ik had gewild.

'Toen ik je in de 15de eeuw ontvoerde uit de boomgaard van je vader zag ik je toekomst helder voor me,' zei hij. 'Een onverschrokken vampier die tot in de eeuwigheid aan mijn zijde zou blijven.' Even zweeg hij. De muziek van het feest galmde over de weilanden. 'Ik zag mijn eigen dromen.'

'Geef me dan wat ik wil.'

Rhodes mond was niet meer dan een smalle streep. Hij fronste zijn wenkbrauwen weer en keek naar de herten. Die renden nu nog dieper de groene heuvels in. Aan zijn roerloze mond en duistere uitdrukking zag ik dat hij een plan aan het bedenken was.

'Honderd jaar,' fluisterde hij, maar hij keek nog steeds naar de herten.

Mijn ogen werden groot.

'Vanaf vanavond zul je honderd jaar in een winterslaap blijven.' Rhode keek me weer aan en wees omhoog naar de heuvel. Ik wist dat hij naar het kerkhof gebaarde. Dat bevond zich rechts van het terras en werd afgeschermd door een smeedijzeren hek met scherpe punten.

Winterslaap, dat gebeurde alleen als een vampier in de aarde rustte. De vampier slaapt dan en onthoudt zich van bloed. Er zijn allerlei spreuken om ervoor te zorgen dat de vampier in een meditatieve staat blijft, eigenlijk bijna dood is. Op een vooraf bepaalde dag wordt hij weer gewekt door een mede-vampier. Maar dat is alleen mogelijk met magie. Alleen zeer moedige – en volgens sommigen zeer domme – vampiers hebben het geprobeerd.

'De nacht voordat je weer moet ontwaken,' vervolgde Rhode, 'zal ik je opgraven en je naar een veilige plek brengen, ergens waar niemand je kan vinden. Ergens waar je als mens je leven kunt leiden.'

'En mijn coven?' vroeg ik.

'Die moet je achterlaten.'

Mijn hart bonkte, een vertrouwde pijn die ik onmiddellijk herkende. De magische band tussen mijzelf en de coven zou ze dwingen naar me op zoek te gaan. Zoals ik zeker wist dat ik van Rhode zou houden tot het einde der tijden, zo wist ik dat de coven naar me zou gaan zoeken. Ik knikte één keer, maar zei niets. Ik keek hoe de herten in de verte aan het gras knabbelden en hun vacht likten.

'Ben je niet bang te sterven?' vroeg hij.

Ik schudde mijn hoofd. Rhode draaide zich om en keek naar mijn huis. Toen hij de heuvel weer op wilde lopen, hield ik hem tegen door zachtjes zijn vingers te pakken. Hij wendde zich weer naar me toe.

'Zul jij er zijn?' vroeg ik. 'Als ik sterf en wij falen, ben jij er dan?' Rhodes vingers raakten vluchtig de rug van mijn hand. Hij draaide hem om, aaide mijn handpalm en fluisterde: 'Altijd.'

'Hoe heb je het gedaan?' Ik was gefascineerd. Ik was weer in het donkere appartement, met mijn rug in de kussens gedrukt. Mijn vingers dwaalden over het fluweel. Mijn vingertoppen voelden de zachte textuur van de bank, wat me kippenvel op mijn benen bezorgde. Vroeger zou ik hebben geweten dat de bank zacht was, maar dan alleen in die zin dat de stof zacht was. Ik zou niets hebben beseft van het comfort, het veilige gevoel.

'Die avond. Die laatste avond van Nuit Rouge. Jij ging naar bed...' begon Rhode.

'Nadat ik een van de dienstmeisjes had gedood,' gaf ik toe, terugdenkend aan het jonge blonde meisje dat ik verrast had op zolder.

Rhode praatte verder, met een vage glimlach. 'Ik vertelde Vicken dat je had besloten een winterslaap te houden. Dat je honderd jaar zou slapen en dat ik je wakker zou maken op de laatste nacht van de volgende Nuit Rouge.'

'Waarom moest het eigenlijk honderd jaar zijn? Dat heb ik je nooit gevraagd,' zei ik.

'Simpelweg omdat ik die tijd nodig had. Na honderd jaar zou Vicken genoeg afgeleid zijn, zodat ik je weg zou kunnen halen uit je winterslaapgraf op het kerkhof. Ik hoefde alleen maar te wachten op een nacht waarin hij niet waakte bij je graf. Toen die nacht zich aandiende, niet lang geleden, haalde ik je weg.'

'Dus het is honderd jaar geleden?' vroeg ik, omdat ik zo graag weer een gevoel van tijd en plaats wilde hebben. 'Dat ik voor het laatst boven de grond was?'

'Bijna. Het is nu september. Ik heb je een maand onder de grond bespaard.'

'En je hebt het ritueel twee dagen geleden uitgevoerd?' vroeg ik.

'Ja, twee dagen,' zei Rhode.

'En de coven? Weten ze eigenlijk dat ik verdwenen ben?'

'Dat denk ik niet. Vicken denkt dat je nog steeds begraven bent. Vergeet niet, ik heb hem verteld dat je begraven wilde worden – om het officieel te maken. Hij vond het een prachtig plan. Hij wilde graag een kans om jouw coven te leiden.'

'Daar zou ik anders geen bezwaar tegen hebben gehad,' zei ik.

'En daarom geloofde hij me ook meteen. Het was een leugen, Lenah. Toen je me in mijn ogen keek, daar in de velden, en me smeekte om menselijk leven besefte ik dat mijn zoektocht, mijn vampierleven, jouw vampierleven, alles wat ik je had aangedaan, dat daar een einde aan ging komen.'

'Ik had niet mogen smeken, ik had je niet zo mogen manipuleren.'

Rhode lachte, maar hapte algauw naar adem.

'Zo ben je nu eenmaal.'

Ik keek naar het verband om zijn pols en de donkere kringen onder zijn ogen. Schuldgevoel welde in me op. In mijn menselijke staat kon ik me niet voorstellen dat ik Rhode zou chanteren of hem zou dreigen met zelfmoord. Maar vroeger was dat zo makkelijk voor me geweest. Makkelijk omdat de emotionele pijn, die elk vampierleven overschaduwt, me niet toestond rationeel te denken.

'Vertel me over het ritueel,' zei ik.

Rhode wikkelde het witte verband los en rolde het op, tot zijn pols zichtbaar was. Daar waren tandafdrukken te zien, mijn tandafdrukken – twee kleine gaatjes aan de binnenkant van Rhodes pols. De afdruk zat links iets hoger dan rechts – ik had het altijd vreselijk gevonden dat mijn beet ongelijk was. Ik zou mijn tandafdrukken overal herkennen.

'Het belangrijkste is de intentie. Het succes van het offer dat je brengt, en het is een offer, hangt helemaal af van de vampier die het ritueel voltrekt. Zoals ik al zei, het duurt twee dagen.'

Rhode kwam overeind. Hij ging altijd ijsberen als hij me iets lastigs moest vertellen. Ergens in de 16de eeuw had ik hem gevraagd waarom. Hij zei dat het was omdat hij me dan niet aan hoefde te kijken.

'De intentie, dat is het punt waarop bijna alle vampiers falen,' vervolgde Rhode. 'Je moet echt willen dat de vampier in kwestie blijft leven. En je moet zelf willen sterven. Het moet het meest onzelfzuchtige zijn dat je ooit hebt gedaan. En je weet dat zoiets volledig tegen de natuur van de vampier in gaat.'

'Wie heeft je dit allemaal verteld?' vroeg ik.

'Toen ik bij je weg was, al die jaren, ben ik in Frankrijk geweest. Ik ging op zoek naar…'

'Suleen,' zei ik, en plotseling kon ik bijna niet meer ademen. Rhode had Suleen ontmoet... in levenden lijve.

'Ja. Hij had net een winterslaap van vijftig jaar achter de rug.

Toen ik jou beschreef en hem vertelde wat ik van plan was, troostte hij me met een compliment. Hij zei dat ik waarschijnlijk de enige vampier was met genoeg bezieling om te slagen.' Verbaasd trok ik mijn wenkbrauwen op. Dat moest een bijzonder moment in Rhodes leven zijn geweest. Ik wenste dat ik erbij was geweest, zodat ik had kunnen zien hoe Rhode reageerde toen Suleen zoiets belangrijks zei.

Ik probeerde me Suleen voor te stellen. Hij was een Oost-Indische man, althans, dat was hij een tijd geleden geweest – wanneer, dat weet ik niet. Hij is de oudste vampier die nog leeft. Er is niets in het leven met al zijn grillen dat hem van de wijs kan brengen. Suleen heeft geen problemen met de dood en verlangt ook geen menselijk bestaan. Hij wil alleen het einde van de wereld meemaken.

'Er zijn nog een paar regels,' legde Rhode uit. 'De vampier die het ritueel uitvoert moet meer dan 500 jaar oud zijn. Suleen zei iets over de speciale chemie van een vampier van die leeftijd. Dat is blijkbaar een essentiële factor. Maar vooral bleef hij benadrukken: "De intentie, Rhode, het gaat om de intentie." De wil en het verlangen om je leven te geven zodat een ander kan leven. En vampiers zijn egocentrisch, Lenah. Van nature. Ik moest die wil en dat verlangen in mezelf zoeken.'

'Heb je je opgeofferd?' fluisterde ik. Ik was niet in staat hem aan te kijken. Rhode zweeg. Hij wachtte tot ik mijn blik zou opslaan. Vreselijk vond ik dat. Ten slotte ontmoetten onze ogen elkaar.

'Ik heb je al mijn bloed gegeven, voor het ritueel. Na twee dagen werd je wakker, nou ja, zo'n beetje dan, en zette je tanden in me. Ik moest toelaten dat je al mijn bloed dronk. Althans, bijna al mijn bloed. Maar het belangrijkste waren de intentie, de chemie van mijn bloed en mijn liefde voor jou.'

'Ik zou nooit akkoord zijn gegaan met die voorwaarden.'

Tot mijn grote verrassing verscheen er op Rhodes onbewogen gelaat nu een lach. Een vrolijke grijns, zelfs. 'En daarom heb ik het dus ook gedaan toen je verzwakt was en diep in winterslaap.'

Ik stond op. Nu was het mijn beurt om te ijsberen. 'Waar is Vicken nu dan?' vroeg ik, terwijl ik probeerde als een vampier te denken. Probeerde alles op een rijtje te zetten. Ik had immers honderd jaar geslapen.

'Hij woont in jouw huis in Hathersage met de anderen van de coven. Ik vermoed dat hij op jouw terugkeer wacht.'

'Heb je hem gezien, sinds mijn winterslaap?'

'Hij is nog zo jong dat ik minder vaak met hem praat dan hij zou willen. Zijn energie vermoeit me. Maar toen ik daar verbleef, was hij vol respect. Hij is een strijder, een uitstekend zwaardvechter. Ik snap waarom je van hem hield.'

Mijn wangen begonnen te gloeien, en dat verbaasde me. Toen besefte ik dat ik schaamte voelde. Ik keek even naar Rhodes vingers, die de armleuning van de stoel omklemden. Ze waren verschrompeld en rimpelig, alsof alle vocht uit hem was gezogen.

'Ik neem je niet kwalijk dat je van een ander hield,' zei Rhode.

'Denk je dat Vicken van me houdt? Zoals ik van jou houd?'

Rhode schudde zijn hoofd. 'Vicken houdt van je uiterlijke verschijning en van je verlangen naar dik, stroperig bloed. Ik houd van je ziel. Jij bent mijn zielsverwant, naar wie ik zo eindeloos gezocht heb. Jij bent – was – de wreedste vampier die ik ooit heb gekend. En daarom houd ik van je.'

Ik kon niet antwoorden. Ik dacht aan Hathersage, de velden, Rhode met zijn hoge hoed en de herten die graasden in de verte.

'Vicken zal me gaan zoeken,' zei ik. 'Wij zijn verbonden, zoals je weet. En als hij me vindt, zal de coven me vernietigen. Daarom heb ik hem ook gecreëerd, dat was ons doel. Vinden, vangen, vernietigen.'

'En precies daarom heb ik deze plek uitgekozen.'

'Ja. Waar zijn we eigenlijk?' Ik keek het appartement rond.

'Dit is je nieuwe school.'

'Moet ik van jou naar school?' Met een ruk draaide ik mijn hoofd naar hem toe.

'Het is heel belangrijk dat je dit begrijpt.' Zelfs in zijn verzwakte staat kwam Rhode overeind en ging voor me staan. Hij torende boven me uit. Hij staarde me zo fel en gepassioneerd aan dat ik er bang van had moeten worden. 'Vicken zal je opgraven op het kerkhof. Ik heb beloofd dat je zou terugkeren op de laatste nacht van Nuit Rouge. Het feest is op 31 oktober afgelopen.'

'Dan vindt hij op de 31ste een lege kist. Einde verhaal.'

'Zo simpel is het niet. Dat is al over een maand. Je was een vampier, Lenah. Een van de oudste in jouw soort.'

'Ik weet wat ik was.'

'Doe dan niet alsof ik je nog moet uitleggen hoe ernstig deze situatie is!' snauwde Rhode, terwijl hij bleef ijsberen, wankel en traag. Ik zweeg. Rhode vond zijn zelfbeheersing terug en nam het woord weer, zachter deze keer. 'Als Vicken dat graf opent en de lege kist ontdekt, zal hij de hele wereld naar je afspeuren. Zoals je zelf al zei, vanwege de magie die de coven bindt kan het niet anders. Dat heb je zelf zo bepaald. Hij en de anderen uit jouw coven zullen niet rusten voor ze je hebben opgespoord en thuisgebracht.'

'Ik had niet verwacht dat ik in deze situatie zou belanden.'

'Gelukkig heb je dankzij de magie die je beschermt nog een paar handige attributen. Je vampierblik en je buitenzintuiglijke waarneming.'

'Dus die heb ik behouden,' zei ik, en ik stond op. Ik keek nog eens de kamer rond. Ja, zoals Rhode al had gezegd, kon ik alle details van de kamer zien, tot aan de knoesten in de houten vloer en elke perfecte kwaststreek in de verf op de muren.

'Die eigenschappen zullen verdwijnen, naarmate je meer opgaat in dit menselijk bestaan.'

Hoe moest ik hiermee omgaan? Ik was geen vampier meer, maar ik had nog wel vampiereigenschappen. Kon ik in de zon komen? Ging ik nu weer voedsel eten? Deze vragen tolden door mijn hoofd, en ik stampvoette van frustratie. Rhode legde zijn hand op mijn wang, en ik schrok ervan hoe koud die aanvoelde. Ik stopte met mijn driftige gedoe.

'Je moet verdwijnen in het menselijk bestaan, Lenah. Je moet naar school gaan en weer een zestienjarig meisje worden.'

Ik kon niet huilen, al wilde ik het nog zo graag – ik was te geshockeerd. Vampiers kunnen niet huilen. Aan een vampier is niets natuurlijks. Geen tranen, geen water – alleen bloed en zwarte magie. In plaats van de tranen die bij een normaal persoon over de wangen zouden lopen, ervaart de vampier een hevige, vlijmscherpe pijn die de traanbuizen verschroeit.

Ik wilde vluchten of mezelf binnenstebuiten keren, iets, wat dan ook, om dat gevoel dat in mijn maag brandde te verdrijven. Ik balde mijn handen tot vuisten en probeerde die angstige leegte te vullen met een flinke ademteug, maar die stokte in mijn keel. Mijn blik viel op een foto op het bureau. Hij zag er oud en verfomfaaid uit, hoewel ik de foto voor het laatst had gezien toen ik er net voor had geposeerd. 1910, de laatste nacht van Nuit Rouge. Op de foto stonden Rhode en ik met de armen om elkaars middel op het achterterras van mijn huis. Rhode was gekleed in zijn zwarte pak en hoge hoed, en ik had een japon aan en mijn lange bruine haar was samengebonden in een vlecht die over mijn linkerborst viel. We waren meer dan menselijk. We waren angstaanjagend mooi.

'Hoe moet ik dat dan doen?' Ik wendde me van de foto af en keek Rhode aan. 'Moet ik me verstoppen?'

'O, ik denk dat het makkelijker zal zijn dan je denkt. Je bent nog nooit eerder zestien geweest. Die mogelijkheid heb ik je ontnomen.'

Hij kwam dicht bij me staan en kuste mijn voorhoofd.

'Waarom heb je dit voor me gedaan?' vroeg ik. Hij trok zich terug, en de lucht roerde zich in de lege ruimte die nu weer tussen ons was.

'Dat weet je natuurlijk zelf wel,' zei Rhode, en hij hield zijn hoofd schuin.

Ik schudde mijn hoofd, om te zeggen dat ik niet begreep en ook nooit zou begrijpen wat hij voor me had gedaan.

'Omdat ik in al mijn geschiedenissen van niemand meer heb gehouden dan van jou. Niemand.'

'Maar nu raak ik je kwijt,' zei ik, en mijn stem brak.

Rhode omhelsde me, zodat mijn wang tegen zijn borstkas werd gedrukt. Even bleef ik zo staan, mijn hartslag galmend tussen onze lichamen.

'En je denkt dat Vicken me niet zal kunnen vinden?' vroeg ik.

'In zijn wildste dromen zal hij niet begrijpen wat ik heb gedaan. Het zal de inspanning van de hele coven vergen om ons hier op te sporen, en ik geloof dat ik erin geslaagd ben om onze verblijfplaats verborgen te houden. En trouwens, waarom zou hij ooit denken dat je menselijk bent geworden?'

Ik stapte achteruit en bekeek het portret van Rhode en mij. 'Wanneer zul je sterven?' vroeg ik, terwijl ik mijn blik van de foto losrukte, naar de bank liep en ging zitten. Ik trok mijn knieën op naar mijn kin en sloeg mijn armen om mijn onderbenen.

'In de ochtend.'

We zaten daar tegenover elkaar, en ik staarde zo lang mogelijk in Rhodes ogen. Hij vertelde me over alle veranderingen in de maatschappij. Auto's, televisies, wetenschap, oorlogen die we geen van beiden konden begrijpen, zelfs niet met onze vampiergeest. Hij zei dat de mensen praktische dingen heel belangrijk vonden. Dat ik nu ziek zou kunnen worden. Dat hij me had ingeschreven op de beste kostschool in New England. Dat er een paar gebouwen verderop een dokter was gehuisvest. Hij smeekte me om mijn school af te maken en volwassen te worden, iets wat ik door zijn toedoen nooit had kunnen doen.

We praatten eindeloos door, en zonder het te beseffen viel ik in slaap. Het laatste wat ik me herinnerde waren zijn ogen die me aankeken. Ik geloof dat hij ook mijn lippen kuste, maar dat voelde alsof het een droom was.

Toen ik wakker werd, waren de gordijnen dicht en was de hele woonkamer in duisternis gehuld. Tegenover me gloeiden lichtgevende rode cijfers in het duister. Een digitale klok vertelde me dat het acht uur 's morgens was. Ik lag op de bank, en Rhode zat niet langer in de donkerrode leunstoel tegenover me. Ik schoot overeind. Omdat mijn spieren stijf waren geworden, struikelde ik en moest ik me vastgrijpen aan de armleuning.

'Rhode?' riep ik.

Maar ik wist het al.

'Nee...' fluisterde ik. Ik draaide me om. Er waren maar vier vertrekken: een slaapkamer, een badkamer, een woonkamer en een keuken. Aan de woonkamer grensde een balkon. De gordijnen waren gesloten, maar ze bolden naar binnen op, door de wind. Achter de gordijnen stonden de deuren open. Ik schoof ze opzij en stapte het houten balkon op. Ik schermde mijn ogen af met mijn hand, als een zonneklep. Mijn ogen pasten zich onmiddellijk aan terwijl ik het balkon afspeurde, nog eventjes hoopvol.

Rhode was verdwenen. Uit mijn leven. Uit mijn bestaan.

Ik zag de onyxring midden op een van de tegels liggen. Toen ik ernaartoe liep, besefte ik dat hij in een klein hoopje glinsterende as lag. Het leek op zand, vermengd met mica of kleine diamantjes. Mijn Rhode, mijn gezel tijdens bijna 600 jaren, was verdampt in de zon, verzwakt als hij was door de transformatie en het offer dat hij had gebracht. Ik stak mijn duim en wijsvinger in Rhodes overblijfselen. De as voelde koel en korrelig aan. Ik trok de ring uit het hoopje en liet het gladde metaal over mijn nieuwe, gevoelige huid glijden.

Ik was alleen.

3

Verdriet is een emotie waarmee vampiers niet geheel onbekend zijn. Maar het voelt meer als een zachte windvlaag, een stil ruisen, een vage echo van de vele soorten pijn die het vampierbestaan kenmerken.

Dit was iets heel anders.

Op de ochtend van Rhodes dood schepte ik de glinsterende as in een urn en zette die op het bureau. Rhode had ook mijn juwelenkistje meegenomen van Hathersage, en daarin had ik al snel een flesje gevonden waarin ooit bloed had gezeten. Ik vulde het flesje met een handvol van zijn overblijfselen en hing het aan een gevlochten koord om mijn hals.

Ik wendde me af van mijn bureau en zag een envelop liggen op de salontafel. Met een zilveren briefopener sneed ik de envelop open, haalde de brief eruit en begon te lezen. Het was al bijna middag toen ik opkeek van de vellen papier. In de brief stonden instructies voor mijn nieuwe leven, wat er in de 21ste eeuw van je verwacht werd op sociaal gebied en wat ik moest doen met mijn tijd voordat de school begon. In het begin van de brief stond een waarschuwing: ik moest rustig aan doen met voedsel omdat mijn lichaam niet gewend was aan eten verteren. Ik legde de brief in mijn schoot en pakte hem toen weer op. De laatste alinea van Rhodes brief bleef mijn aandacht trekken, en ik bleef hem steeds opnieuw lezen:

Was het het allemaal waard? We hebben toch mooie momenten gekend? Niet langer ben je onderworpen aan onvrijwillig lijden. Vind rust in mijn dood. Laat je tranen vloeien. Nu is er alleen nog

vrijheid. Als Vicken en anderen van je coven terugkeren, weet je
wat je te doen staat. Vergeet het nooit, Lenah.
Kwaadaardig is alleen hij die kwaadaardig denkt.

Houd moed,
Rhode

Ik voelde een gapende krater van pijn, diep vanbinnen. Zo diep
dat ik hem niet kon vullen. Ik probeerde mezelf af te leiden
door naar buiten te kijken, naar de campus van Wickham. Vanaf
mijn balkon zag ik een stenen gebouw waarop LEERLINGENCEN-
TRUM stond. Rechts daarvan, schuin erachter, stond een ander
gebouw, met een hoge stenen toren. Maar het hielp niet om
mijn aandacht af te leiden. Ik keek weer naar de papieren die
Rhode me had nagelaten.
Eén ding was zeker, het spaargeld van Rhode was meer dan
genoeg om in de huidige maatschappij te overleven. Het probleem? Dat ik er niet bij kon. Mijn eigen geld was in handen
van Vicken en de coven. Beide fondsen kon ik niet aanspreken, want dan zouden ze mijn precieze locatie kunnen natrekken. Het was me niet helemaal duidelijk hoe de banken en
'geldstromen' werkten, hoewel Rhode het in zijn brief had
uitgelegd. Maar ik wist dat ik uitsluitend contant geld moest
gebruiken, tenzij er een noodgeval was. Hij had me een hele
lading contanten nagelaten.
Rhodes instructies waren duidelijk. Ik moest een baantje zoeken en zijn geld zo min mogelijk gebruiken. 'Dat kun je nog een
keer hard nodig hebben,' schreef hij. In zijn brief stond ook:
'onderdompeling is cruciaal om te overleven'. De gedachte aan
wat Vicken zou of kon doen als hij mij – zijn voormalige min-

nares, zijn koningin – zag in zo'n kwetsbare staat deed me de rillingen over mijn rug lopen. Vicken had, zoals alle vampiers, een hang naar drama en tragedie, een verlangen naar tranen, bloed en moord. De meeste vampiers willen anderen de pijn aandoen die henzelf constant achtervolgt, die pijn overhevelen naar hun slachtoffers. Hoewel ik er liever niet aan dacht, zag ik het hele scenario zo voor me. Wat Vicken me nu aan zou kunnen doen, nu ik mens was... Ik schudde mijn hoofd om die gedachte te verdrijven.

Ik wilde net een handleiding voor een laptop pakken, toen een klop op de deur me deed opschrikken uit mijn gedachten. Over de armleuning van de luie stoel hing een eenvoudige zwarte trui die ooit Rhode had toebehoord. Ik trok hem aan over het hemdje dat ik droeg en liep naar de deur.

'Zeg me wie je bent,' zei ik tegen de gesloten deur.

'Eh...' klonk een timide mannenstem, ten antwoord.

'O, ik bedoel, wie is daar?' zei ik, nu iets vriendelijker. Ik was tenslotte niet langer de leider van een coven.

'Ik kom een auto afleveren voor Lenah Beaudonte.'

Ik rukte de deur open.

'Een auto?'

De jongen achter de deur was lang, slungelig en gekleed in een T-shirt met daarop de tekst Grand Car Service. De gang achter hem was spaarzaam verlicht, en het behang had een soort maritiem dessin met zeilbootjes en ankers.

'Ik kom hem alleen maar brengen,' zei de slungelige jongen, met het enthousiasme van iemand die kwam vertellen dat er een familielid was overleden.

Ik griste een zeer donkere zonnebril van de salontafel (ik kon alleen maar aannemen dat Rhode die voor me had neergelegd),

36

zette een zwarte, breedgerande hoed op en volgde de jongen het appartement uit, de trap af, de hal in. Eenmaal in de hal bleef ik aarzelend in de deuropening staan. Buiten tjilpten de vogels en klonken uit alle richtingen de schelle stemmen van de leerlingen. De felle zon brandde op het betonnen voetpad dat van de ingang van Seeker, het gebouw waarin mijn appartement was, naar het groene gazon leidde. Hoe zou het gesteld zijn met mijn gevoeligheid voor zonlicht? Zou ik er nog steeds kwetsbaar voor zijn?

Zonlicht breekt de magie af die vampiers onaantastbaar maakt, hoewel het zonlicht minder gevaarlijk wordt naarmate ze ouder worden. Hoe verder je komt in je vampierleven, hoe beter de magie in staat is om het zonlicht te weerstaan. Ik heb gehoord dat dood door zonlicht een bijna ondraaglijke ervaring is. Het schijnt een vreselijke pijn te veroorzaken, alsof je uit elkaar wordt gerukt en tot as wordt verschroeid terwijl je volledig bij bewustzijn bent. Dus hoe oud ik ook was, ik stapte nooit zonder bescherming het zonlicht in.

Voorzichtig stak ik een voet en onderbeen buiten de deur en liet het zonlicht erop schijnen. Ik trok me razendsnel weer terug en wachtte even af. Ik draaide mijn been zodat ik mijn kuit kon zien. Ook controleerde ik mijn scheenbeen. Geen rode plekken. Geen verbranding.

'Ga je nog naar buiten of hoe zit dat?' klonk een stem rechts van mij. De bewaker, een stevige vrouw met een zwaar brilmontuur, stond naar me te kijken. Het was zo vreemd, hoe ze praatte. 'Hoe zit dat...' Haar woordkeuze was... *interessant*. 'Hoe zit dat...' Hoe zat wat? Waar kon ze het in godsnaam over hebben? Ik wachtte tot ze nog iets zou zeggen, maar ze keek me alleen maar aan. Verscholen achter mijn zonnebril verplaatste ik mijn blik naar de man van de autoservice. Vanaf de zonovergoten drempel keek hij me met opgetrokken wenkbrauwen aan. Ik droeg een paar sandalen met dunne zolen, Rhodes veel te ruime trui en een korte broek. Ik was er klaar voor. Ik haalde diep adem en liep naar buiten.

Het eerste wat ik voelde, was de zomerse hitte. Wat geweldig! Zonlicht voelde als een warm bad vlak voor een laaiend haardvuur, alsof ik van top tot teen werd overspoeld door gelukzaligheid. Vrolijk liet ik mijn adem ontsnappen.

De campus van Wickham was enorm. Het zag er op het eerste gezicht landelijk uit, hoewel de gebouwen van baksteen waren, met strakke gevels van staal en glas. Er waren groene grasvelden en slingerende paden die een netwerk vormden over de campus. In de verte was tussen de zacht deinende takken vol groene bladeren door een witte kapel in koloniale stijl zichtbaar die schitterde in de ochtendzon.

Seeker was het studentenhuis dat het dichtst bij de toegangspoort van deze privéschool stond. Er hoorde ook het grootste grasveld bij. Vlak voor de ingang lag een verzameling meisjes op dekens in de zon. Ze leken niet meer dan hun ondergoed aan te hebben. Maar nadat ik ze even had bestudeerd, begreep ik dat hun kleding bedoeld was voor dit soort activiteiten. Dat kwam me heel merkwaardig voor, want ik had nog nooit iemand zien zonnebaden.

Ik zag dat de meisjes witte lotion op hun huid smeerden, hun deken recht legden en weer gingen liggen.

'Daar staat hij,' zei de slungelige jongen van de autoservice. Hij wees voorbij de zonnebaadsters, naar een plek op de parkeerplaats die grensde aan het grasveld. In de dichtstbijzijnde rij geparkeerde auto's stond een lichtblauwe auto. Mijn auto. Op dat moment had ik je de naam of het merk niet kunnen vertellen, maar alleen al het idee dat ik er een had was fantastisch.

'Je hebt wel heel aardige ouders,' zei de jongen.

Ik begon naar de auto toe te lopen, toen een groepje leerlingen van mijn leeftijd (relatief gesproken dan) langs kwam rennen en in de verte wees, voorbij Seeker. Links van mijn studentenhuis was een voetpad met bomen erlangs dat naar de rest van de campus van Wickham leidde. Later ontdekte ik dat er nog veel meer van zulke paden waren, die over de hele campus kronkelden. Een van de meisjes gilde naar een ander groepje leerlingen achter ze.

'Het is bijna 2 uur. Kom op, ze beginnen zo! '

'Wat is er aan de hand?' vroeg ik de slungelige jongen van de auto.

'O, de broertjes Enos. Een stel waaghalzen. In het weekend van Labor Day racen ze met hun boten in de haven, pal voor het privéstrand van Wickham. Dat doen ze sinds twee jaar. De jongste Enos moest eerst veertien worden, voordat ze het met zijn allen konden doen.'

Ik tekende het ontvangstbewijs van de auto, nam de sleutels aan en besloot dat ik me later zorgen zou gaan maken over mijn gebrek aan rijervaring. Ik wilde de bootrace van de gebroeders Enos zien.

Ik liet de leerlingen voor me uit rennen; ik was er nog niet bepaald aan toe om me in de groep te mengen. Aan weerskanten van de Wickham-paden stonden hoge eikenbomen. Zelfs met de breedgerande hoed en de zonnebril probeerde ik toch in de schaduw te blijven. Aan beide kanten van het voetpad stonden gebouwen die in dezelfde stijl waren gebouwd als Seeker. De meeste waren van grijze steen met enorme ramen en glazen deuren. Voor sommige gebouwen stonden rode borden op het gazon met hun naam en functie. Het was allemaal nogal chic, eigenlijk. Bijna alle leerlingen liepen het voetpad helemaal af, langs een kas (die mijn belangstelling wekte) en dan naar beneden over een stenen trap die uitkwam op het strand.

Daar was hij. De zee, bij daglicht. Talloze nachten had ik gekeken hoe de maan een melkwit spoor trok over het wateroppervlak. Talloze malen had ik gewenst dat het de zon was. Uiteindelijk was ik oud genoeg geweest om het daglicht te weerstaan, hoewel het strand een plek was waar ik me nooit had gewaagd. Het is niet dat vampiers niets te maken willen hebben met de natuurlijke elementen. Maar de zee, het zonlicht en al die vrolijkheid overdag op het strand maakten het tot de zoveelste plek waar ik gewoon niet kon zijn. De zoveelste bron van kwelling.

Het rook er naar zout, aarde en frisse lucht. De manier waarop het zonlicht op het water glinsterde, maakte dat ik het licht wilde aanraken, in mijn handen wilde nemen. Het zag eruit zoals ik me voelde – gelukkig. Op het strand van Wickham lagen grote zwerfkeien in allerlei vormen verspreid over het lichte zand. De golven waren niet meer dan een halve meter hoog en rolden lui het strand op. Enige tientallen mensen stonden langs de vloedlijn. Zoals Rhode had gezegd, was mijn vampierblik nog net zo scherp als altijd, dus verkende ik snel het strand en ontdekte dat er om precies te zijn 73 mensen stonden.

Dat was niet het enige wat ik zag. Ik zag ook dat het zand bestond uit duizenden kleuren: koraalrood, geel- en bruintinten en honderden soorten grijs. Donkerblauwe parasols lagen opgestapeld tegen de stormkering die het strand van de campus scheidde. Ik zag de glasvezels in de kunststof stokken van de

40

parasols en elk draadje van de donkerblauwe stof. Een houten steiger stak zo'n twintig meter de zee in.

Midden in de baai lag een eiland, een nogal kaal landschap: alleen een paar hoge eikenbomen en een zandstrandje.

Ik wendde me af van het water en liep naar de stenen muur. Die was niet erg hoog, misschien een meter tachtig. Ik stak een voet in een van de gaten tussen de stenen en klom met gemak naar boven. Met mijn benen over elkaar ging ik boven op de muur zitten. Ik had mijn zonnebril nog steeds op en voelde me iets beter beschermd omdat de tak van een hoge eik wat schaduw wierp over mijn plekje. Ik leunde achterover op mijn handen en keek uit over de zee.

Terwijl ik naar het eiland keek, naar de boomtakken die zachtjes bewogen in de wind, kreeg ik plotseling het gevoel... wist ik gewoon zeker dat iemand naar me keek. Ik dacht meteen dat het Vicken was, hoewel dat eigenlijk onmogelijk was. In deze eeuw zou Vicken 160 zijn. Op die leeftijd kunnen de meeste vampiers overdag nog niet eens in een kamer zijn met de gordijnen dicht, maar Vicken was anders. Hij kon al op heel jonge leeftijd het zonlicht verdragen. Maar hij dacht dat ik nog steeds mijn winterslaap hield. Hij had geen reden me hier in Wickham te zoeken. Hoewel Vicken mijn eigen creatie was, was hij de meest voorlijke vampier die ik ooit had ontmoet.

Ik geef toe dat ik opgelucht was toen ik naar rechts keek en alleen een groep meisjes naar me zag staren, vanaf de vloedlijn. Ze bekeken me van top tot teen, wat ik vreemd vond. Ik had vrouwelijke vampiers als vriendin gehad, maar die hadden me nooit zo onderzoekend aangestaard, alsof er iets mis was met mijn verschijning. Een van de meisjes was opvallend mooi. Ze was kleiner dan ik en had lang, lichtblond haar. Zij was degene die het meest intens naar me staarde.

'Mag ik bij je komen zitten?'

Voor me op het zand stond een Aziatische jongen. In zijn spijkerbroek zat een scheur van boven naar beneden, waardoor je zijn hele rechterdij zag. Hij droeg sandalen in twee verschillende kleuren, een rode en een gele, en een blauw shirt met knoopjes. Aan zijn gelaatstrekken zag ik dat hij Japans was. Ik sprak tegen hem in zijn moedertaal.

Waarom wil je bij me komen zitten?

Hij perste zijn lippen op elkaar en trok zijn wenkbrauwen op. Toen haalde hij een hand door zijn stekelige zwarte haar.

'Ik spreek geen Japans,' zei hij. 'Maar mijn ouders wel.'

'Vreemd,' zei ik. 'Een Japanse jongen die geen Japans spreekt?'

Ik deed mijn zonnebril af zodat hij me kon aankijken.

'Hoe kan het dat jij Japans spreekt?' Hij leunde met zijn rechterhand tegen de stenen muur en bleef me aankijken.

'Ik ken veel talen,' zei ik. Ik staarde dwars door het bruin van zijn irissen, om een band met hem te smeden. Vampiers gebruiken zo'n starende blik om te zien wat je bedoelingen zijn. Als de ander terugstaart, kun je hem vertrouwen. Soms werkte het niet, en bleek dat iemand toch tegen me had gelogen. Als ik ontdekte dat iemand me op die manier had verraden, had ik geen enkele scrupule om zijn hals open te rijten met mijn tanden. Maar deze jongen had een helderwit aura en onschuld in zijn ziel.

'Hoeveel talen spreek je dan?' vroeg hij.

'Vijfentwintig,' zei ik, naar waarheid.

Hij lachte, kennelijk geloofde hij me niet. Toen ik niet reageerde, maar hem serieus in zijn bruine ogen bleef kijken, viel zijn mond open.

42

'Je zou voor de CIA moeten gaan werken.' Hij stak zijn hand uit. 'Ik ben Tony,' zei hij, en ik schudde hem de hand. Terloops keek ik naar de binnenkant van zijn pols. De aderen lagen mooi aan de oppervlakte – hij zou een makkelijke prooi zijn geweest.

'Lenah Beaudonte,' zei ik.

'Beaudonte,' herhaalde hij, en hij sprak de laatste 'e' uit als 'ee'. 'Chic hoor. Dus ik mag naast je komen zitten?' Hij gebaarde naar het plekje naast me op de muur.

'Waarom wil je dat?' vroeg ik. Ik vroeg het niet op een onaardige of verwijtende manier. Ik wilde oprecht weten waarom zo'n ogenschijnlijk normale jongen naast iemand als ik zou willen zitten.

'Omdat al die anderen allemaal zuigen?' suggereerde hij. Hij knikte in de richting van de mooie meisjes die me nog steeds in de gaten hielden. Ze stonden nu nog dichter bij elkaar en wierpen af en toe blikken mijn kant op. Ik lachte wrang, als antwoord. Zijn oprechtheid beviel me. Net als het gebruik van zuigen in een niet-vampierachtige situatie.

De communicatie was fascinerend, in deze eeuw. Zo vrij, zo informeel, zo anders dan wat ik gewend was geweest te horen aan het begin van de 20ste eeuw. Nu zou ik me moeten aanpassen, zoals zo vele malen eerder. Honderden jaren had ik geluisterd naar het openen en sluiten van lippen, de klanken van de tong. Van een afstand observeerde en studeerde ik, vertaalde, soms in vele dialecten om de beste manier te vinden om me aan te passen aan mijn omgeving. Als ik begreep hoe de mensen met elkaar praatten, kon ik me zonder op te vallen in de samenleving bewegen – en dat maakte het makkelijker om te doden.

Ik rukte me los van deze gedachten. Tony trok zich op aan de muur en liet zijn benen over de rand bungelen. Met zijn hielen schopte hij tegen de stenen, zodat zijn voeten naar voren stuiterden. Even bleven we zo zitten, en de stilte beviel me. Het gaf me de gelegenheid hem eens goed te bekijken. Hij was iets groter dan ik en stevig gebouwd, als een worstelaar. Nu hij zo dichtbij zat, zag ik de kleine adertjes door zijn nek lopen. Maar dat was niet wat mijn aandacht trok. In elk oor droeg hij minsten tien oorringen! Sommige waren zo dik dat zijn oorlel erdoor werd uitgerekt en ik er zo doorheen kon kijken.

'En waarom zit jij hier helemaal in je eentje?' vroeg hij.

Ik leunde een beetje achterover en deed mijn zonnebril weer op. Ik dacht er even over na. Over hoe ik zou praten. Ik herinnerde me de manier waarop de jongen van de auto had gepraat en de nonchalante intonatie van Tony, en allebei waren ze makkelijk te begrijpen. In deze eeuw waren woorden lui, en in de formulering lagen weinig sociale verwachtingen besloten. Iedereen leek op die manier te praten, zonder zich om formaliteiten te bekommeren. Dit kan ik wel, dacht ik. Ik zou nog wel allerlei culturele kennis uit deze tijd in me op moeten nemen, maar dat zou weinig tijd kosten. Ik ademde uit en een glimlach verscheen op mijn gezicht. 'Omdat de anderen hier allemaal nogal zuigen,' zei ik.

Tony beantwoordde mijn lach. 'Hoe oud ben je?' vroeg hij.

'Zestien, sinds gisteren.' (Was dat een leugen?)

'Cool. Gefeliciteerd.' Tony's glimlach verbreedde zich en zijn ogen glommen. 'Ik ook. Dus dan ben je een junior, toch?'

Ik dacht terug aan de papieren die ik die ochtend had bestudeerd. Ik herinnerde me een officiële brief waarin stond dat ik een junior was. Ik knikte. We zaten daar maar zo'n beetje en luisterden naar de vrolijke geluiden om ons heen. Sommige mensen kletsten over het begin van het schooljaar, en ik concentreerde me op de manier waarop er in deze eeuw gesproken werd.

Ik ga zo ontzettend niet met hem praten, dit jaar.

Justin Enos is echt wel de lekkerste jongen van de campus.

Waarom heeft die miep een zonnebril en een hoed op? Is ze een spion of zo? Lekker belangrijk.

Opeens veranderden de gesprekken radicaal van toon. Sommige mensen op het strand wezen naar de haven. Ik wierp nog een blik op de blondine die steeds zo naar me staarde. Ze wendde haar ogen van me af en begon enthousiast op en neer te springen. Ik keek weer naar het water. Daarom was ik tenslotte hier: om naar de bootrace te kijken. Niet om kritisch bekeken te worden door een blondje dat normaal gesproken niet meer dan een tussendoortje voor me zou zijn geweest.

'Kijk!' wees Tony. 'Daar komen ze!'

Ik zag twee boten de haven in varen, vanuit verschillende richtingen. Het waren rare boten, gemaakt van wit metaal en met een scherpe, puntige boeg. Op de ene boot waren op de zijkant rode vlammen geschilderd, op de andere blauwe. In mijn bestaan waren alle boten altijd van hout geweest. Dit was iets nieuws. Hoewel Rhode in het kort iets had uitgelegd over auto's en motoren was ik niet voorbereid op het oorverdovende gebulder dat deze machines voortbrachten. Zelfs helemaal hier op het strand galmde het in mijn oren.

'Wat doen ze?' vroeg ik. De boten kwamen onder luid gebrul aanstuiven aan weerskanten van de haven. Ze bewogen zo snel naar elkaar toe dat achter ze enorme waterfonteinen omhoog spoten.

'Ze racen twee keer om het eiland. Degene die het eerste bij de steiger is, wint. Twee jaar terug knalden ze ertegenaan,' zei Tony.

'Wat krijgt de winnaar?' vroeg ik.

'Respect,' antwoordde Tony.

De boten gingen zo hard dat ik niet kon zien wie er aan het roer stond. Dit was toch zeker een zieke grap, dacht ik. De boten kwamen steeds dichterbij, met de puntige boeg precies op de ander gericht. Op het strand gilde een meisje. Het volgende moment verlegden de boten hun koers, op luttele centimeters afstand van elkaar. Water spoot omhoog. Ik zag de gewelfde onderkant van de boot met de blauwe vlammen. Ze raceten weg van het strand, kozen elk een kant en scheurden om het eiland heen.

Op het strand stond iedereen te gillen, te schreeuwen en te juichen, zo hard dat het geluid in mijn oren gonsde.

Iedereen was gaan staan, springend en zwaaiend, behalve Tony en ik. Sommigen riepen in koor 'Justin', telkens weer. Anderen riepen 'Curtis'.

De boten kwamen weer langs en passeerden elkaar voor het eiland. Ik hield mijn adem in omdat ze slingerend vlak langs elkaar scheerden en bijna botsten. De boegen raakten elkaar zelfs heel even. Op het strand klonken geschokte geluiden, terwijl de boten weer achter het eiland verdwenen.

'Moet ik dit leuk vinden?' vroeg ik. Mijn hart ging als een razende tekeer, door alle adrenaline die rond klotste in mijn borstkas.

'Dit is nog niets, voor hun doen,' zei Tony. 'Die hele familie is getikt. Stelletje sensatiezoekers.'

'Het zijn toch broers?' vroeg ik, en een herinnering aan mijn coven drong zich op. 'Dan moeten ze een sterke band hebben,' zei ik. 'Elkaar vertrouwen.'

Tony gaf antwoord, maar ik luisterde nauwelijks. Ik zag Heath, Gavin, Song en Vicken voor me, die bij een vuur zaten. We waren in mijn huis in Hathersage, ergens rond 1890. Rhode was toen nog verdwenen, kwaad op mij, zwervend door Europa, en ik zat daar met mijn broederschap. Ze omringden me, en we zaten op onze zwarte houten stoelen. Elke stoel was versierd met houtsnijwerk dat bij de persoonlijkheid van de eigenaar paste. Die van Gavin toonde allerlei soorten zwaarden, omdat hij een briljante zwaardvechter was. Vickens stoel was bedekt met globes en oude symbolen. Hij was de strateeg. Mijn favoriete stoel was die van Heath, gedecoreerd met woorden in het Latijn. Songs stoel viel op omdat er louter Chinese karakters op stonden. Mijn stoel was glad, van prachtig hout, met slechts één ornament: de woorden van onze coven. *Kwaadaardig is alleen hij die kwaadaardig denkt.* Die lyrische gedachte die ik had omgevormd tot een verwerpelijk motto van pijn.

Ik droeg een auberginekleurige japon. We waren hysterisch aan het lachen om iets wat ik me nu niet meer kan herinneren. Wat ik nog wel weet, is dat achter ons, bewusteloos en aan de muur geketend, een boer zat die ik voor mijn avondmaal had bestemd.

'Daar komen ze,' zei Tony. Ik knipperde met mijn ogen, terugkerend naar het heden.

'Wauw, het spant erom,' zei hij, en hij leunde naar voren om het beter te kunnen zien.

Ze hadden het gas nu helemaal opengedraaid. De krachtige motoren joegen de boten zo snel naar de steiger dat ik de instinctieve neiging voelde om op te staan en achteruit te deinzen. Maar Tony ging niet achteruit, dus bleef ik ook zitten. De rode en de blauwe boot lagen nu nek aan nek. De puntige boegen waren recht op de houten steiger gericht.

'Ze gaan hem rammen!' zei ik.

'Misschien,' zei Tony nonchalant.

'Ze zullen sterven!' zei ik, half ontzet en half opgewonden. Ze waren nu zo dichtbij dat ik zelfs zonder mijn vampierzicht kon zien dat een lange blonde jongen achter het roer stond van de boot met de blauwe vlam, en dat de boot met de rode vlam bestuurd werd door een vadsige blonde jongen. Ik zoomde in, en de roodgevlamde boot kwam dichterbij. De vadsige jongen droeg een ketting met een zilveren hanger. Hij had zilveren ringen in zijn oren en een litteken links boven zijn lip. Op het allerlaatste moment vloog de boot met de lange jongen aan het roer toch als eerste voorbij de steiger. Hij wendde zijn boot zo snel in de richting van de haven dat een grote waterboog oprees en weer omlaag klaterde, precies over de mensen heen die aan de vloedlijn stonden.

De menigte schreeuwde het uit van vreugde, en bijna iedereen rende naar de steiger. De vadsige jongen was, samen met een kleinere versie van hemzelf, bezig de verliezende boot vast te leggen. In de haven lag de andere boot te deinen op de golven, met daarin de winnaar, de lange jongen. De motoren van zijn boot verstomden, en toen klonk een plons. Hij zwom naar het strand.

Tony boog zich naar me toe en wees op de kleinste broer.

'Dat is Roy Enos. Eerstejaars.' Hij wees naar de vadsige. 'En dat is Curtis Enos. Hij zit in het laatste jaar. De clown van de klas,' zei Tony. Hij was een stuk molliger dan de twee anderen. Zijn vlezige buik puilde over de rand van zijn zwembroek.

Eindelijk verscheen de bijna één meter negentig lange, blonde, onweerstaanbare jongen aan de vloedlijn. Hij trappelde met zijn benen in het ondiepe water. Hij was langer dan Rhode. Tot op dat moment kende ik niemand die langer was dan hij. 'En dat is Justin Enos,' bromde Tony. 'Hij zit bij ons in het jaar.'

Justin had een lang gezicht met scherpe jukbeenderen en diepgroene ogen. Hij had een brede borstkas en een gebeeldhouwd bovenlichaam. Het waren de schouders die mijn blik vasthielden – vierkante, brede schouders die de indruk wekten dat hij alles kon: een huis bouwen, het Kanaal overzwemmen, mij optillen met zijn blote handen. Elke jongen op dat strand was jaloers op hem. Elk meisje op het strand stond watertandend naar hem te kijken.

'Dus je hebt de pest aan hem?' vroeg ik, en ik onderbrak mijn gestaar om te genieten van Tony's jaloezie – een klein beetje dan.

Tony glimlachte. 'Alle jongens op Wickham hebben de pest aan hem.'

Zonder nog een woord te zeggen, sprong ik van de stenen muur en liep naar de trap om terug te gaan naar de campus. De race was voorbij, en ik wilde Rhodes brief nog een keer lezen.

'Loop je nou zomaar weg?' riep Tony me na. Ik draaide me om. Hij zat nog steeds op de stenen muur.

'Ik ga naar huis.'

'De meeste mensen zeggen even dag, als ze weggaan.'

Ik liep terug naar Tony, en hij sprong ondertussen van de stenen muur.

'Ik geef toe dat ik nog wat aan mijn sociale vaardigheden moet doen,' legde ik uit.

Tony onderdrukte een lach en zei: 'Waar kom je vandaan?'
Voordat ik kon antwoorden, klonk plotseling een mannenstem
vlak bij het water.
'Ik wilde tot 120 gaan, maar dat hoefde niet! 90 was genoeg.'
Tony en ik stonden naast elkaar, vlak bij de trap. We konden
allebei onze ogen niet van Justin afhouden. Hij nam een plunjezak aan van een andere jongen van zijn leeftijd, liep onze
kant op en stopte toen bij het groepje meisjes dat me zo kritisch had staan bekijken. Hij zwaaide de plunjezak over zijn
schouder (zijn biceps waren enorm) en liet toen zijn arm om
het middel van het opvallend mooie blonde meisje glijden. Ze
begon te stralen, klampte zich vast aan Justins arm en wiegde
met haar heupen terwijl ze samen verder liepen.
Ze kwamen naar de trap toe. Toen Justin Tony en mij zag, bleef
hij staan. Hij staarde me recht aan. Niet alsof hij met stomheid
was geslagen, maar alsof hij iets op de grond gevonden had wat
hij wilde onderzoeken, onder een microscoop wilde leggen om
het eens uitgebreid te bestuderen. Ik keek naar Tony en toen
weer naar Justin. Justin staarde nog steeds, maar nu glimlachte
hij erbij. Zijn lippen waren vol, hij had bijna een pruilmond. Ik
wist niet wat ik moest zeggen. Gelukkig zei Tony iets.
'Wat is er, Enos?'
Misschien wachtte Justin tot ik me zou aansluiten bij het
groepje meisjes, maar ik bleef staan waar ik stond. Het blonde
meisje keek me aan met trillende neusvleugels en een rode
blos op haar hoge jukbeenderen. Zag jaloezie er zo uit, bij een
sterfelijke tiener? Wat geweldig! Ik kon het niet helpen dat
ik me triomfantelijk voelde door haar woede en pijn. Dat was
een instinctieve reactie. Als vampier was ik dol geweest op andermans pijn, omdat die mijn eigen pijn verzachtte. Maar nu

50

ik als mens die pijn bij haar herkende, ebde het meteen weg. Dat onmiddellijke verlangen om uit te halen, om pijn te doen – het was verdwenen. In plaats daarvan concentreerde ik me op Justins groene ogen die mijn hoed, mijn zonnebril en mijzelf bestudeerden. Ik wist dat het vampieraura in staat was om mensen te betoveren, ze zo in vervoering te brengen dat ze geloofden dat ze verliefd waren, of dat ze hun bestemming hadden gevonden. Was Justin Enos meteen verliefd op me, hoewel hij beter zou moeten weten? Was dit een van de vampiereigenschappen die ik had behouden ondanks de transformatie? Ik keek Justin aan, nieuwsgierig naar wat hij zou gaan zeggen. Eindelijk deed hij zijn mond open.

'De volgende keer dat je naar buiten gaat, moet je misschien een broek aantrekken,' zei Justin. Hij knipoogde en liep naar de trap.

Ik keek omlaag. Rhodes sweater was zo groot dat het leek alsof ik er niets onder aan had. De meisjes lachten spottend terwijl ze wegliepen, vooral het blonde meisje. Ze richtte haar bruine ogen op mij. Een brandend gevoel verspreidde zich in mijn borstkas. Ik kende woede. Die emotie had me mijn hele leven achtervolgd. Maar dit was iets anders, schaamte misschien? Nooit eerder had iemand het gewaagd me voor schut te zetten.

Snel liep ik het pad af, in de richting van Seeker. Het enige wat ik wilde was in mijn kamer zijn, de deur dichtdoen en slapen. Ik wilde Vicken, ik wilde Heath, ik wilde de vertrouwdheid van een donkere kamer.

'Hé, wacht even!'

Ik liep door.

'Lenah!'

Ik stopte. Het was de eerste keer in honderden jaren dat iemand die geen vampier was mijn naam had uitgesproken. Tony holde vanaf het strand naar me toe.

'Weet je nog, van dat dag zeggen?' vroeg hij, zodra hij voor me stond.

'Ik haat die meisjes.' Ik sloeg mijn armen over elkaar. Mijn wangen brandden.

'Iedereen haat ze. Kom mee. Laten we iets gaan doen.'

4

Iets doen? Wat betekende dat precies?

'Het is drie uur, oké? De Union is open. Heb je je boeken al?' vroeg Tony. 'Ik ga er nu heen, ga je mee?'

Al die vragen! Had ik mijn boeken al? 'Nee,' zei ik, 'ik heb mijn boeken nog niet.'

Tony liep met me mee naar Seeker, zodat ik het ding kon pakken dat Rhode voor me had achtergelaten om mijn geld in op te bergen. Ik had ook nog wat officiële papieren nodig, zodat ik zou weten welke boeken ik moest kopen. De leerlingen van Wickham hadden nog twee dagen de tijd voor de lessen begonnen. Rhode had ook wat moderne kleren voor me achtergelaten, die bijna allemaal lelijk waren (en veel te bloot). Ik trok snel een spijkerbroek aan, en nam me voor te gaan winkelen zodra ik erachter was hoe ik moest autorijden.

Ik keek naar de blauwe auto toen ik weer uit Seeker naar buiten kwam. Tony zat op een van de houten bankjes die aan weerszijden van de ingang stonden. Hij had zijn handen achter zijn hoofd en zijn benen voor zich uitgestrekt.

'Die is van mij,' zei ik. Ik ging naast het bankje staan en wees naar de auto.

'Wauw,' zei Tony. Ik zag dat hij de glanzende lak bewonderde. 'Wat een mazzel. Dan kun je van de campus af. Naar restaurants, het winkelcentrum, Boston.' Hij kwam overeind en we liepen in de richting van de Union.

'Misschien kun jij me laten zien hoe ik moet rijden?' stelde ik voor.

'Weet je dat dan niet?' Tony bleef staan.

Ik schudde mijn hoofd.

Tony lachte. 'Je ouders kopen een mooie auto voor je, maar ze hebben je niet geleerd te rijden? En ik dacht dat míjn ouders vreemd waren. We doen het binnenkort, Lenah. Zo snel mogelijk.'

'Geweldig!'

Terwijl we langs Seeker liepen, keek ik achterom naar mijn balkon, waar de deur nog openstond. Heel even vroeg ik me af of er nog overblijfselen van Rhode over de tegels dwarrelden.

'Heb je honger?' vroeg Tony.

Treurig dacht ik aan de theezakjes en de havermout waaraan ik nu moest gaan wennen. Ik dacht ook aan de belofte die ik Rhode had gedaan. Ik wilde niet zo vroeg in mijn menselijk bestaan al met een dokter te maken krijgen.

'Een beetje,' zei ik. In mijn maag had ik dat tintelende, golvende gevoel dat betekende dat ik wat moest eten.

De Wickham Union was net zo gebouwd als de andere gebouwen op de campus: opgetrokken uit steen met dubbele glazen voordeuren voorzien van zilveren deurknoppen. Alleen de vorm van de Union was anders dan die van de andere gebouwen: een grote cirkel. Vanuit de centrale ruimte leidden een stuk of vijf gangen naar rechthoekige vertrekken. Tony deed de voordeur van de Union open en heerlijke geuren kwamen me tegemoet, die ik niet meer had geroken sinds mijn moeder voor me had gekookt in de 15de eeuw.

Het cirkelvormige deel van het gebouw was een kantine. Er waren vijf loketten waar de leerlingen konden kiezen wat ze wilden eten. Ze boden allemaal wat anders. Midden in de ruimte, onder een rond daklicht, stonden met linoleum bedekte kantinetafels.

'Kunnen we eten wat we willen?' vroeg ik. Er was een loket met Italiaans eten, een met hamburgers, met pizza, met vegetarische gerechten en salades en een met sandwiches. Achter elke toonbank stond een leerling of Union-medewerker, gekleed in een wit schort, de bestellingen op te nemen. Mijn ogen werden groot van verbazing.

'Even wat bikken, en dan gaan we onze boeken halen,' zei Tony. Net toen de deur achter ons dichtviel, voegde hij eraan toe: 'Je doet alsof je nog nooit gegeten hebt.'

Hamburgers. Frietjes. Snijbonen. Limonade. Chocolade. Pizza met ananas. Biefstuk. Hoe kon een mens daaruit kiezen? Ik nam uiteindelijk maar wat simpele kippensoep.

'Denk je dat we ook samen les hebben?' vroeg Tony. Ik kon het niet helpen, ik móést gewoon kijken hoe hij het vlees in zijn mond tot kleine stukjes vermaalde. Het bloed van de biefstuk die hij at liep over zijn tanden, en werd vermengd met spuug.

'Je zit naar me te staren,' zei Tony, en hij slikte zijn hap door.

'Er komt bloed uit die biefstuk. Het zit in je mond.'

Tony knikte. 'Hoe bloederiger, hoe beter. Ik eet mijn biefstuk het liefst bijna rauw.'

Als vampier had ik nooit verlangd naar dierenbloed, dus het bloed in Tony's mond trok me niet aan. Maar het was wel vreemd dat ik het niet kon ruiken. Ik snoof een paar keer, zoekend naar die roestige geur waar ik altijd zo van had gehouden. Ik snoof nog een keer, maar er drongen te veel verschillende geuren mijn neus binnen: parfum, kippenbouillon, frisdrank. De reukzin van vampiers was beperkt tot bloed, vlees en lichaamswarmte. Soms kon ik kruiden of bloemen ruiken, maar dat was steeds zeldzamer geworden, naarmate de jaren verstreken. Als er iets verbrand was, zoals een roos of een lichaam, bleef de geur heel even hangen en verdween dan samen met de rook. Dierenbloed kon ik op kilometers afstand ruiken, al vond ik de smaak ervan verschrikkelijk. De waarheid was dat ik het haatte omdat het onrein was. Het deed af aan mijn status van puurste, machtigste vampier in de recente geschiedenis. Na ons vroege avondmaal haalde Tony me over om nog een ijsje te eten. Het eten was zo anders; alles was verpakt en het was kennelijk heel makkelijk klaar te maken. Toen ik voor het eerst een sterveling was geweest had ik veel werk moeten steken in de boomgaard van mijn familie. Hoewel het zelfs in de 15de eeuw makkelijker was geweest om aan voedsel te komen dan aan bloed. Tijdens mijn vampierjaren had ik soms dwang moeten gebruiken om mensen mee te lokken, mijn huis of een donker steegje in, om daar het bloed uit ze te zuigen en ze voor dood achter te laten.

'Ik wil graag een *rocky road*, drie bolletjes, met spikkeltjes,' zei Tony.

Terwijl ik keek hoe Tony zijn ijsje zat te eten kreeg ik steeds meer zin hem te vertellen dat ik een vampier was. Vol smaak begroef hij zijn tong in de romige massa en hij genoot zichtbaar van elke hap. Elke keer sloot hij zijn ogen en glimlachte hij – heel eventjes, maar toch. Daarmee nam hij me meteen voor zich in. Ondertussen werkte ik met een lepel mijn ene bolletje aardbeienroomijs in vier narrige happen naar binnen.

Mijn vampierverleden was een geheim dat zwaar op mijn gemoed drukte. Ik wilde het aan Tony vertellen, zodat iemand me werkelijk zou begrijpen, in mijn ziel zou kunnen kijken. Vampiers worden gekweld door pijn, verlangen en woede. Alle denkbare droefenis en ellende rust op hun schouders. Hun bestaan is een marteling waaraan ze niet kunnen ontsnappen. Liefde is, merkwaardig genoeg, het enige wat verlichting biedt in die chaos van misère. Maar er zit een addertje onder het gras: als vampiers van iemand houden, zijn ze gebonden aan die liefde. Ze zullen altijd van die persoon blijven houden, wat er ook gebeurt. Ze kunnen telkens opnieuw verliefd worden, maar ze geven daarbij elke keer een stukje van hun ziel weg. Ik was twee keer verliefd geworden. Eén keer op Rhode en de tweede keer op Vicken. Het waren twee verschillende liefdes. Met Vicken was het minder allesomvattend geweest dan met Rhode. Hoe dan ook, ik was gebonden. Vampierliefde is als een pijnlijk verlangen, een hopeloze hunkering. Hoeveel Rhode en Vicken ook van me hadden gehouden, het was nooit genoeg geweest. Wat er ook gebeurt, het zit in de aard van de vampier om zich altijd volkomen onbevredigd te voelen. En aan dergelijke kwellingen was ik dagelijks onderhevig geweest.

Net toen ik de kom waarin mijn ijs had gezeten neerzette, hoorde ik een paar dienbladen neer kletteren op de tafel naast ons. Een van de broertjes Enos en een paar van zijn vrienden gingen zitten. Het was Roy, de jongste, in gezelschap van een paar leerlingen die er wat jonger uitzagen dan Tony. Hij keek steeds naar me en fluisterde dan iets tegen zijn vrienden.

'Je bent een hit,' zei Tony, zijn lepel aflikkend.

'Een hit?' vroeg ik. We stonden op, zetten onze kommen weg en liepen naar de boekwinkel, waar Tony het uitlegde.

'Alle jongens kijken naar je.'

'Is dat gunstig?'

'Ik denk het wel, als je het leuk vindt als jongens met je willen daten.'

Daar kon ik geen antwoord op geven, want ik had nog nooit een date gehad. Niet in de menselijke betekenis, althans.

'Wil je de kunsttoren zien voor je naar je kamer gaat?' vroeg Tony. 'Daar zit ik altijd. Hij is in het Hopper-gebouw. Je weet wel, van die schilder? Op de begane grond zitten de sportschool, een paar zitkamers, studiezalen en wat tv-kamers. Iedereen komt daar. De kans is groot dat je naar Hopper moet, als iemand zegt dat je iets moet doen.'

Ik bleef blikken werpen in mijn tas vol aankopen uit de boekwinkel, tot we de Union uitliepen. Tony en ik stapten het voetpad weer op, en hij wees op het grote stenen gebouw dat een beetje links achter de Union stond. Naast de hoofdingang zag ik een toren in middeleeuwse stijl. Hij stond pal naast het gebouw, aan de rechterkant, en priemde de hemel in. Hij was naar het noorden gericht, naar de hoofdingang van Wickham, maar ik wist dat ik in de toren over de hele campus zou kunnen uitkijken.

We staken een langgerekt grasveld over. Terwijl we Hopper naderden, keek ik naar links, naar een ander studentenhuis. Geen van de gebouwen die ik tot nu toe had gezien was hoger dan drie of vier verdiepingen. Het was etenstijd, dus de meeste leerlingen zaten buiten te picknicken.

Eenmaal bij het Hopper-gebouw hield Tony de glazen deur voor me open. Vanuit de hal kon je óf meteen het gebouw zelf in lopen, óf de toren in. Er was een wenteltrap rechts van de ingang. We begonnen de vier trappen te beklimmen die naar de bovenste etage van de toren leidden.

'Wickham is zo anders dan wat ik gewend ben,' zei ik, terwijl ik me met mijn rechterhand vasthield aan de trapleuning en met mijn linkerhand mijn tasje van de boekwinkel droeg. 'Er zijn overal mensen.'

Tony keek om en glimlachte. Hij liep voor me uit de wenteltrap op. 'Mooi, dat Britse accent van je,' zei hij. Ik antwoordde niet, maar er kroop een tinteling door mijn borstkas en ik besefte dat ik het compliment leuk vond.

Boven in de toren kwamen we bij het atelier.

'Zoals ik al zei, meestal kun je me hier vinden,' zei Tony, en hij zette zijn tas met boeken op de vloer.

In de ronde stenen muren zaten kleine, rechthoekige raampjes, als van een kasteel. Overal stonden schildersezels. Zonder kunstwerken erop, want het schooljaar was nog niet begonnen. Maskers van papier-maché bungelden aan het plafond, aan dunne draden. Sommige zagen eruit als gehoornde stieren, andere als mensengezichten. In metalen en plastic bakken lagen penselen en stukjes houtskool, en er stonden tien houten bureaus in een cirkel, elk tafelblad bezaaid met zijn eigen unieke patroon van verfspetters. Er hing een levendige atmosfeer, van belofte en creativiteit. Ik wist, nee, ik *voelde*, dat er vele mooie momenten waren beleefd in die ruimte. Als vampier zou dat me woedend hebben gemaakt.

Wat vreemd, dacht ik.

'Ik ben niet langer een toeschouwer van geluk,' zei ik hardop, terwijl ik mijn hand over de bovenkant van een schildersezel liet glijden.

'Wat zeg je?' vroeg Tony.

'O, niets.' Ik draaide me naar hem om.

'Vind je Wickham leuk?' Tony pauzeerde even. 'Ik ben hier gekomen met een kunstbeurs.'

'Wat betekent dat?' Ik bekeek een schilderij van een vaas met bloemen dat naast een raam hing.

'Dat betekent dat ik te arm ben om deze school zelf te betalen, en dus mag ik hier gratis naartoe. Zolang ik maar kunst produceer van goede kwaliteit. En jij?'

'Ik heb geen beurs,' zei ik, Tony scherp in de gaten houdend om te zien of hij dat erg vond.

Hij haalde zijn schouders op. 'Maakt niet uit. Als je maar belooft dat je niet zo'n rijk meisje bent dat alleen date met jongens die lacrosse of football spelen en die in heel dure auto's rijden.'

Ik begreep de helft van wat hij zei niet eens.

'Dat kan ik wel beloven, denk ik.'

'Ik woon in Quartz. We kwamen er net langs, het is een van de studentenhuizen voor jongens,' zei Tony. 'Ik zit daar tussen al die popi's.'

'Zoals Justin Enos?' vroeg ik met een sluw lachje.

'Precies,' zei Tony, rollend met zijn ogen.

Maar ik zag voor me hoe Justin uit de zee was opgerezen, gebronsd en adembenemend mooi.

Ik draaide me om naar Tony. 'Maak je geen zorgen, ik word heus niet een van die meisjes die om Justin heen hangen, als je daar bang voor bent.'

'Die vriendin van hem, Tracy Sutton, die vormt met haar twee vriendinnen een soort groepje. Ze noemen zichzelf de Three Piece.'

'De Three Piece?'

'Ja, net zo stom als het klinkt. Ze hebben alle drie iets met een van de broertjes Enos en ze klitten voortdurend bij elkaar in dat irritante groepje. Ze zijn echt altijd samen en zorgen ervoor dat alle anderen hun ogen willen uitsteken.'

'De ogen van de Three Piece?'

'Nee, hun eigen.'

Eerst lachte ik. Maar toen besefte ik dat wat Tony had gezegd me wel erg bekend voorkwam. Er was een soort echo in mijn hoofd. Mijn vingers streken over de harde, gedroogde haren van de penselen terwijl mijn blik op oneindig ging. Het klonk bekend – te bekend.

'Zo was ik ook. Op mijn oude school.' Ik keek op naar Tony, die beleefd luisterde. 'Ik was geen deel van de groep, ik *was* de groep.' Snel schudde ik mijn hoofd, om die idiote gedachten te verdrijven. 'Hoe dan ook,' zei ik, 'zo ga ik me hier niet gedragen.'

'Mag ik je een keer schilderen?' vroeg Tony.

Dit was een onverwachte wending. 'Mij... schilderen?'

Ergens rond 1700 had ik mijn portret laten schilderen, maar daarna niet meer, alleen foto's laten maken.

'Ja,' zei hij, en hij leunde tegen de houten plank die langs de muur van het atelier liep. Boven zijn hoofd bevond zich een van de kleine, smalle ramen. Ik zag de wolken buiten donker worden.

'Portretten zijn echt mijn ding. Ik ben er goed in. Volgend jaar ga ik me inschrijven bij de Rhode Island School of Design.'

Tony was een knappe Japanse jongen, maar het enige gezicht dat ik voor me kon zien was dat van Song, een vampier uit mijn coven. Er waren in totaal vijf leden, inclusief ikzelf, en Song was de op een na jongste man die ik tot vampier had gemaakt. Hij was achttien toen ik hem vond, een Chinese krijger die ik had ontdekt in de 18de eeuw. Hij was me opgevallen in de menigte, en ik besloot hem te verleiden. Als ik iemand selecteer voor mijn coven baseer ik mijn keus op slinksheid, doorzettingsvermogen en de capaciteit om te doden. Song was de meest dodelijke vechtsporter van China. Ik koos hem omdat ik mezelf dan nooit meer zou hoeven te beschermen.

Mijn ogen focusten weer op Tony's scherpe jukbeenderen en gladde huid. Achter hem zag ik door het raampje dat de regen inmiddels gestaag viel. Zelfs hier, boven in de toren, kon ik de vochtige aarde ruiken. Niet dankzij mijn vampierzintuigen, maar omdat het zo lang geleden was dat ik iets anders had geroken dan bloed en lichaamswarmte.

'En trouwens,' zei Tony, die het nog steeds over het portret had, 'jij ziet er bijzonder uit. En ik hou van bijzonder. Ik doe niet zo mee aan het groepsgebeuren hier.'

'En dat ben ik ook niet van plan,' zei ik. 'Ik ben bekeerd,' verzekerde ik hem met een glimlach.

Tony lachte. 'Mooi,' zei hij, en hij sloeg zijn armen over elkaar.

'Ik moet gaan,' zei ik. Ik liep naar de deur, maar draaide me op het laatste moment weer om naar Tony. 'En ja, het is goed, van dat portret. Maar ik wil wel een eerlijke ruil. Als jij me leert autorijden, ben ik je model.'

Tony glimlachte, en opeens zag ik dat zijn tanden erg wit waren. Een duidelijk bewijs van een goede gezondheid en verantwoorde voeding. Zijn bloed smaakte waarschijnlijk zoet en aards.

'Afgesproken.'

Ik begon de bochtige wenteltrap af te dalen.

'Verdomme, verdomme, verdomme,' zei Tony, en hij rende langs me heen de trap af.

'Waar ga je heen?' vroeg ik.

'Ik zie nu pas dat het regent!' zei hij. 'En ik heb mijn raam open laten staan.'

Tony sprong met twee treden tegelijk de trap af, waarbij zijn tas met boeken vervaarlijk door de lucht slingerde. Zijn sandalen kletterden over de treden, helemaal omlaag tot aan de begane grond. Toen hoorde ik een klap op de tegels en het opengaan van een deur.

Op de tweede etage zag ik een raam, net zo'n raam als in het atelier. Het was klein en rechthoekig, maar ik had een goed uitzicht op het grasveld en de Union. Ik zette mijn tas neer op een traptrede en liet mijn handpalm tegen de koele stenen muur rusten. Ik bracht mijn gezicht dicht bij het raam en keek hoe de regendruppels op het beton van de voetpaden roffelden. Toen beseftc ik het – sinds 1417 had ik niet meer in de regen gestaan en de druppels op mijn huid laten vallen. De laatste keer dat ik de regendruppels had gevoeld, was op de avond geweest waarop ik de oorbel van mijn moeder in onze appelboomgaard ging zoeken. De avond waarop ik Rhode ontmoette en halsoverkop verliefd werd.

De avond waarop ik stierf.

Hampstead, Engeland - appelboomgaard
1418

De regen kletterde op het dak van mijn vaders huis. We woonden in een klein landhuis met één verdieping achter het terrein van een klooster. De monniken bevonden zich op flinke afstand van de boomgaard, van ons huis gescheiden door twee grote velden vol appelbomen. Mijn vader was een wees, als kind aan de zorgen van de monniken toevertrouwd. Ze hadden hem alles geleerd over het telen van appels.

Het was middernacht en de regen viel in een rustgevend ritme op het dak van het huis. Ik zat in een schommelstoel en keek naar onze boomgaard. Het was stil in huis, op het geluid van de regen en het gesnurk van mijn vader dat langs de trap omlaag galmde na. De as van het haardvuur gloeide nog na, en mijn voeten waren warm. Het was het begin van de herfst en het was warmer dan verwacht. Hoewel het pas begin september was, kon mijn familie het nu wat rustiger aan doen. We hadden onze eerste lading onvolprezen appels al naar de koninklijke familie de Medici gestuurd, in Italië.

Ik was gekleed in een witte nachtjapon. In die tijd waren nachtgewaden wijd en doorschijnend. Als iemand had gewild, had hij mijn hele 15-jarige persoontje kunnen zien. Mijn bruine haar was nog lang. Het hing in een losse vlecht over mijn linkerborst en eindigde ergens bij mijn navel.

Door het vochtige raam zag ik lange rijen appelbomen zich uitstrekken in het schemerduister, en in de verte blonk het kleine oranje vlammetje van een kaars, achter een van de rechthoekige ramen van het klooster. Ik schommelde heen en weer in de stoel en keek op mijn gemakje naar de regen. Ondertussen wilde ik de gouden oorbellen uitdoen die mijn moeder me die ochtend had geleend. Maar toen ik mijn rechteroor aanraakte, voelde ik dat één oorbel was verdwenen. Ik stond op. Wanneer had ik hem voor het laatst nog gehad... waar was dat geweest? Mijn vader had opgemerkt hoe mooi het goud glansde in de zon in... de achterste bomenrij van de boomgaard!

Zonder erbij na te denken rende ik naar buiten. Ik holde langs de rijen bomen en liet me op mijn knieën vallen. Zo kroop ik op en neer in de achterste rij. Het kon me niet schelen dat het al zo laat was en dat mijn nachtjapon smerig en modderig

64

werd van de rijke, vruchtbare aarde. Ik zou mijn moeder niet aan kunnen kijken als ik haar zou moeten vertellen dat ik een van haar lievelingsoorbellen was kwijtgeraakt. Ze zou me over mijn wang aaien en zeggen dat het maar een oorbel was en haar teleurstelling verhullen.

Doorweekt, met natgeregend gezicht kroop ik van het ene uiteinde van de rij naar het andere toen opeens een paar zwarte laarzen met zilveren gespen in mijn blikveld verscheen. Niet van die laarzen met hoge hakken die gebruikelijk zijn in de moderne wereld. Deze hadden lage hakken, ze waren gemaakt van dik, stug leer en bedekten de benen van de man die ze droeg tot aan zijn knieën. Mijn blik ging langs zijn benen omhoog, tot aan zijn lichaam, zijn gezicht, en ik keek in de meest doordringende blauwe ogen die ik ooit zou zien. De donkere wenkbrauwen benadrukten de mannelijke kaak en smalle neus van de onbekende die voor me stond.

'Zijn we op avontuur?' vroeg hij luchtig, alsof hij het over het weer had.

Rhode Lewin ging op zijn hurken zitten. Hij had toen slordige, lange haren. Zoals altijd had hij een trotse mond en een continu gefronst voorhoofd. Ik was bijna 16, was nog nooit buiten de boomgaard van mijn ouders geweest en opeens stond de mooiste man van de wereld voor me. Nou ja, hij zag eruit als een man, maar hij kon ook jong zijn geweest – van mijn eigen leeftijd. Hoewel… iets in de manier waarop hij naar me keek, vertelde me dat deze jongen, ondanks zijn gladde wangen en jeugdige uitdrukking, veel ouder was dan ik. Alsof hij de hele wereld had gezien en alle geheimen kende. Rhode droeg zwarte kleren, waardoor zijn helblauwe ogen oplichtten in het schemerduister.

Ik zonk neer op de grond, nat en doorweekt. De modder voelde zompig onder mijn hielen, die ik in de grond drukte om weg te schuiven van de man die voor me stond.

'Dit is privéterrein,' zei ik.

Rhode rechtte zijn rug, zette zijn handen in zijn zij en keek om zich heen.

'Je meent het,' zei hij, alsof hij geen idee had waar hij was.

'Wat wil je?' vroeg ik. Ik leunde achterover op mijn handen en keek op naar Rhode.

Hij kwam wat dichterbij, zodat er nog maar een paar decimeter afstand tussen ons was. Hij stak zijn hand uit. Ik zag dat hij een ring met een onyx aan zijn middelvinger droeg. De steen was anders dan de edelstenen die ik tot dan toe had gezien. Hij was zwart en solide, vlak, zonder glans of glinstering. Hij opende zijn hand en midden op zijn handpalm lag de gouden oorring van mijn moeder. Ik keek naar de oorring, en toen keek ik in Rhodes ogen. Hij glimlachte naar me op een manier die mij een volkomen nieuw gevoel bezorgde. Er begon iets te tintelen bij mijn hart.

Snel stond ik op, terwijl ik mijn ogen strak gericht hield op de man voor me. De regen kletterde op de natte grond. Met trillende vingers reikte ik naar de oorring. Toen ik het goud bijna kon aanraken, verwachtte ik dat hij zijn vingers rond de mijne zou sluiten. De regen viel op zijn hand, op mij, en zijn hand was glad van de druppels. Ik keek op naar Rhode en griste met een razendsnelle beweging van mijn pols de oorring weg en liet mijn hand weer naast mijn lichaam vallen.

'Dank je,' fluisterde ik, nauwelijks hoorbaar, en ik draaide me weer om naar ons huis. In de verte kon ik het platte dak onderscheiden in de donkere, regenachtige nacht. 'Ik moet gaan. En jij ook,' zei ik, terwijl ik van hem weg liep.

Rhode legde een hand op mijn linkerschouder en draaide me weer naar zich toe.

'Ik hou je al een tijdje in de gaten,' zei hij.

'Ik heb je nog nooit gezien,' zei ik, en uitdagend stak ik mijn kin omhoog. Ik was me er niet van bewust dat ik hem mijn hals toonde.

'Het probleem is, voor jou... dat ik verliefd op je ben,' zei Rhode. Het klonk meer als een schuldbekentenis.

'Je kunt niet verliefd op me zijn,' zei ik onnozel. 'Je kent me niet.'

'O nee? Ik zie met hoeveel zorg je de boomgaard van je vader onderhoudt. Ik zie hoe je je haren vlecht, bij je slaapkamerraam. En als je loopt, dan straal je, als de vlam van een kaars. Ik weet al een tijdje dat ik je bij me wil hebben. Ik ken je, Lenah. Ik weet hoe je ademhaalt.'

'Ik hou niet van jou,' zei ik. Ik had geen idee waarom ik dat zei. Bij elke ademhaling fladderde mijn hart in mijn borstkas.

'O, hou toch op,' zei Rhode, en hij hield zijn hoofd schuin. 'Echt niet?'

Ja, toch wel. Ik hield van zijn ruige uiterlijk, hoewel zijn huid gaaf was en helemaal glad. Als hij me had verteld dat hij een draak had gedood met twee handen op zijn rug gebonden had ik het voor mogelijk gehouden. Misschien was dat de aantrekkingskracht van de vampier. Op dat moment wist ik niet dat Rhode een vampier was, maar hoe meer tijd er verstrijkt, hoe meer ik ervan overtuigd raak dat ik op dat moment voor hem viel.

Rhode bekeek me van top tot teen en ik besefte dat hij door mijn nachtjapon heen kon kijken. Hij liet zijn vinger van mijn hals tussen mijn borsten door glijden en eindigde bij mijn navel. Ik huiverde. Plotseling legde hij een arm om mijn middel en trok me tegen zich aan. Het gebeurde allemaal zo traag dat het een ingestudeerde dans leek. Het kletsende geluid van onze twee natte lichamen die elkaar raakten toen Rhode me tegen zich aantrok, het gevoel van zijn handpalm op mijn voorhoofd toen hij een sliert haar uit mijn ogen veegde. Hij kreunde, keek me diep in mijn ogen. En toen zette Rhode zo snel zijn tanden in mijn hals dat ik niet eens hoorde hoe mijn huid openbarstte.

De regen viel nu in prachtige patronen, buiten het raam van de kunsttoren. De campus was doorweekt, en toen mijn ogen weer gefocust waren zag ik leerlingen wegrennen en over plassen springen, op zoek naar een schuilplek. Er waren tientallen leerlingen buiten. Maar degenen die het dichtstbij stonden, twee meisjes en een jongen van mijn leeftijd, glimlachten en hielden hun handen boven hun hoofd. De jongen legde zijn arm om het middel van een van de meisjes en samen renden ze naar de beschutting van Quartz, het jongenshuis. Ik stapte weg bij het raam, het duister van het trappenhuis in en keek naar de binnenkant van mijn pols.

Op hartstochtelijke momenten begroef Rhode zijn tanden in mijn huid. 'Alleen even proeven,' zei hij dan. Het was nu alsof zijn lippen mijn oor raakten. Alsof ik hem weer hoorde kreunen. Ik zuchtte en wreef onbewust over mijn pols. Mijn borstkas deed pijn, mijn spieren brandden door de transformatie en ik wilde met mijn hand op de stenen muur van de toren rammen tot mijn knokkels bloedden.

'O...' zei ik, en mijn knieën begaven het. Ik ging op een van de traptreden zitten.

Dit was verdriet.

Het was vreemd hoe deze emotie me veel meer aangreep in mijn menselijke staat. Menselijk verdriet werd niet verdoofd door andere pijn, zoals in mijn vampierbestaan het geval was. Bij vampiers werd verdriet altijd overschaduwd door alle denkbare soorten droefheid en ellende. Ik haalde diep adem tot de adrenaline die door mijn longen en maag stroomde een beetje afnam. Zou ik gaan huilen? Ik raakte mijn wangen aan; die waren droog.

Ik daalde de trap verder af, verliet de hal van Hopper en stapte het grasveld weer op. Ik liep weg van het gebouw, en al snel drupte de regen op mijn hoofd. Spoedig waren mijn armen doorweekt, net als Rhodes trui. Ik kon nauwelijks zien waar ik liep, maar ik wist dat ik op weg was naar het voetpad aan de andere kant van het grasveld. Ik veegde de regen uit mijn ogen.

Zijn we op avontuur?

Het probleem is dat ik verliefd op je ben...

Ik stopte midden op het gras. Ik schopte mijn sandalen uit en zette het tasje met boeken op de grond. Ik strekte mijn armen uit en liet de regen op me vallen. Ik dacht aan het gezicht van mijn moeder, de lach van mijn vader, Rhodes blauwe ogen en de troost van mijn coven.

De wil en het verlangen om je leven op te offeren, zodat een ander werkelijk kan leven.

Het gaat om de intentie, Lenah.

Kleine spetters raakten mijn gezicht en ik voelde de druppels over mijn wangen lopen. Een rilling trok door mijn lichaam. Als vampier zou ik niets anders hebben gevoeld dan de druppels die mijn lichaam raakten, alsof het verdoofd was. Ik zou hebben geweten dat ik doorweekt was, maar het niet hebben gevoeld.

Deze keer stak ik mijn handen nog hoger in de lucht en sloot mijn ogen, terwijl ik de regen tussen mijn vingers door langs mijn armen liet lopen. Het water drong door mijn spijkerbroek en uiteindelijk was ik doorweekt. Ik krulde mijn tenen in de modder en haalde diep adem.

'Doe je dit wel vaker?' hoorde ik een jongensstem roepen, van een afstandje. Ik veegde het water uit mijn ogen met de rug van mijn hand. Op de bovenste etage van het studentenhuis vlak voor me hing Justin Enos lachend uit een raam. Ik had me niet gerealiseerd dat ik vlak naast Quartz stond, het jongenshuis. Ik moest even nadenken over een antwoord.

'Misschien,' riep ik terug.

'Ik ben blij dat je je broek gevonden hebt,' zei hij, en hij leunde met zijn armen op de vensterbank. 'Wat ben je aan het doen?'

'Wat denk je zelf?' Kippenvel kroop over mijn armen. Ik zag nu dat ook bij een paar andere ramen jongens naar me stonden te kijken.

'Dat je je verstand hebt verloren.'

'Het is niet hetzelfde als krankzinnig hard rond racen in een boot, maar het is toch best opwindend,' zei ik glimlachend, terwijl boven me de donder rolde in de duistere hemel. Ik vertrok geen spier bij die plotselinge klap. Justin grijnsde.

'Oké, ik begrijp het,' zei hij, en hij sloot het raam.

Was hij beledigd? Ik keek even achterom. Een meter of dertig verderop was de Union. Ik keek weer naar Quartz. Een stenen boog omlijstte een donker poortje dat naar de hal leidde. Een moment later kwam Justin door het poortje naar buiten, zonder shirt en in een korte broek waarop WICKHAM stond in witte letters. Hij was op blote voeten en kwam naast me staan, midden op het gras.

Met mijn armen langs mijn lichaam hief ik mijn kin naar de hemel. Justin lachte naar me en deed toen hetzelfde. De regen roffelde op het betonnen voetpad en tikte lichtjes op het gras onder onze voeten.

'Heel anders dan racen in een boot,' zei hij even later. Ik opende mijn ogen. Zijn borstkas glom van het water, we waren allebei doorweekt. We glimlachten naar de hemel, en toen naar elkaar, en heel even vergat ik dat ik ruim vijfhonderd jaar ouder was dan hij.

'Hoe heet je?' vroeg hij, zijn groene ogen afgeschermd door de lange, natte wimpers.

'Lenah Beaudonte.'

Hij stak zijn hand uit. 'Justin Enos.'

We schudden elkaar de hand, en ik hield de zijne iets langer vast dan ik had verwacht. Zijn huid voelde ruw aan bij de handpalm, maar zacht bovenop. Hij liet als eerste los.

'Dank je, Lenah Beaudonte,' zei hij, en hij liet zijn hand weer naast zijn lichaam vallen voordat ik een snelle blik kon werpen op de binnenkant van zijn pols.

We bleven naar elkaar kijken. Ik wendde mijn blik niet af. Ik probeerde de nieuwe emotie te ontcijferen die opsteeg in mijn lichaam. Het was – merkwaardig. Deze jongen was Rhode niet, maar toch betekende hij – *iets* voor me. Ik bestudeerde de welving van zijn bovenlip, de manier waarop die omlaag krulde en daar een trotse, volle onderlip ontmoette. Zijn neus was smal en zijn ogen waren groen, en ze stonden verder uit elkaar dan die van Rhode. Hij had dikke, donkerblonde wenkbrauwen. Het groen van zijn ogen was zo anders dan het blauw van Rhode. Mijn Rhode. Die voor altijd weg was.

'Je kijkt heel verdrietig,' zei hij, mijn gedachten onderbrekend.

Dat was niet wat ik had verwacht.

'Echt?'

Justin hief zijn gezicht naar de hemel zodat de regen hem nog voller kon raken.

'Ben je verdrietig?' vroeg hij, nog steeds omhoogkijkend.

Ik knikte, toen hij weer naar me keek. 'Een beetje.'

'Mis je je ouders?'

Ik schudde mijn hoofd. 'Broer,' zei ik. Dichter bij de waarheid zou ik niet komen. Vriendje was verkeerd. Minnaar was verkeerd. Zielsverwant was een beetje dramatisch.

'En waar zou je weer blij van worden?' Hij keek me aan met een scheef lachje. 'Behalve van in de regen staan.'

Dit helpt, was de gedachte die bij me opkwam. Gelukkig werd het al donker. Hij kon me niet zien blozen.

'Dat weet ik niet.'

'Daar moet ik dan maar iets aan doen,' zei hij. Ik kon zijn energie voelen. Hij was ondeugend, maar ongevaarlijk. De combinatie beviel me.

Hij begon achteruit terug te lopen naar zijn studentenhuis. Bewonderend keek hij me aan, met een ontspannen, voldane blik, en hij zei: 'Ik zie je in de aula.'

Ik pakte mijn tas met boeken op en liep naar het pad dat naar Seeker leidde. Eenmaal op het pad keek ik achterom naar zijn studentenhuis. Hij stond in het poortje van het gebouw met zijn schouder tegen het steen geleund, zijn ene enkel over zijn andere geslagen. Het regende nog steeds, en toen onze blikken elkaar ontmoetten tussen de druppels door, lachte hij even, draaide zich om en verdween in de duisternis van het poortje.

5

Pieeeep, pieeeep. Ik gaf de wekker een klap met mijn vlakke hand.
Zaterdagochtend, vandaag moest ik de plaatsingstoets maken.
Aangezien ik eerder niet... bovengronds was geweest moest ik
de toets nu alsnog maken, nu ik op de campus was gearriveerd.
De avond ervoor had ik de handleidingen van diverse elektro-
nische apparaten doorgenomen en gerommeld met knopjes en
wijzertjes. Het werkte allemaal, ook de wekker, en dus was ik
om zeven uur wakker, zodat ik genoeg tijd had om me aan te
kleden en naar Hopper te lopen. Tony bleek gelijk te hebben.
Volgens het schema voor mijn eerste dagen op Wickham, voordat de school begon, moest ik voor alles wat ik te doen had in
dat gebouw zijn.

Met mijn rugzak over mijn schouder liep ik naar Hopper en
vervolgens door de gang op de begane grond naar de admini-
stratie. Onder het lopen zag ik advertenties en posters hangen. Op een opvallende poster stond KOM BIJ DE BIOLOGIECLUB,
WE ZIJN GEK OP BLOED! Ik glimlachte, maar tegelijk verlangde
ik ernaar het aan Rhode te vertellen. Ik vroeg me af of hij had
gezien wat ik nu zag.

Ik liep naar de deur van het schoolhoofd aan het einde van de
gang. MRS. WILLIAMS stond er in gouden letters op het glas. Ik
opende de deur en zag Mrs. Williams naast haar bureau staan.
'Kom maar mee, Miss Beaudonte,' zei Mrs. Williams en ze gebaarde naar de open deur. Ik volgde haar.

Ze lieten me vijf toetsen maken. Ja, vijf. Het schoolhoofd zelf
stond naast mijn rechterschouder en keek toe terwijl ik de Japanse toets maakte. Ze geloofde niet dat ik elke taal die je op

Wickham kon leren al kon lezen en schrijven. In deze wereld, de moderne, menselijke wereld, zijn er overal klokken. Stervelingen leiden hun leven volgens de klok. Vampiers brengen vaak dagen of weken achter elkaar wakend door. We leven niet echt. We lijken levend, maar er is geen bloedsomloop, geen kloppend hart, er zijn geen vruchtbare voortplantingsorganen. Onze borstkas gaat niet op en neer omdat er geen zuurstof in het bloed zit dat door onze aderen vloeit. Op momenten waarop ik graag had willen ontsnappen aan de pijn en verschrikkingen verlangde ik vooral naar ademhalen. Als ik de lucht achter in mijn keel zou voelen, zou ik kunnen doen alsof ik leefde. Maar ik voelde het nooit. Er was alleen die eeuwige pijn – die me constant deed beseffen dat ik verdoofd was, uitgeschakeld, niet langer deel van de levende wereld. Een vampier ben je bij de gratie van oeroude magische krachten. Er bestaat niets meer voor vampiers... niets behalve onze geest.

Ik heb meer dan eens de hele wereld bereisd, vele talen geleerd, zelfs talen die nu niet meer bestaan. Heath, een lid van mijn coven, leerde zichzelf in drie maanden Latijn en toen hij het eenmaal kon, sprak hij niets anders meer. Hij was lang en blond met krachtige botten, als een zwemmer. Hij was zo mooi dat geen enkele vrouw het aan zag komen als hij Latijn in haar oor fluisterde en vervolgens haar strot afbeet.

De geur van mierzoete parfum haalde me terug naar het heden. Mrs. Williams keerde terug naar haar kantoor. Ik zat op een bruine leren stoel tegenover het bureau van de secretaresse.

'Wat zullen we doen?' hoorde ik het schoolhoofd vragen aan een van haar collega's, een saaie oudere vrouw die een klembord vasthield. 'Ze is te goed voor de gevorderde lessen,' fluisterde Mrs. Williams.

74

'Is een baantje misschien een idee?' vroeg ik. Ik kon best wat bijdragen aan de school. En bovendien moest ik mijn belofte aan Rhode houden en zo min mogelijk aan mijn geld komen. 'Wat zijn je sterke punten, behalve talen?' vroeg Mrs. Williams.

'Wat dacht je van de bibliotheek?' vroeg de saaie collega. Ze praatten over me alsof ik er niet bij was. Woede laaide in me op, wat me in eerste instantie verbaasde. Ik wilde ze allebei vermoorden, maar iets vertelde me dat dat niet zo'n goed idee was. In mijn vampierleven zou ik hun bloed hebben opgezogen en ze vermoord hebben om de chronische woede die me beheerste af te reageren. Even stelde ik me voor hoe ik mijn handen op de leuningen van de stoel zou zetten, op zou staan en het hoofd van Mrs. Williams vast zou grijpen. Met niet meer dan een simpele polsbeweging zou ik haar hoofd achterover kunnen knakken, haar bloed drinken en haar vermoorden. Maar in plaats daarvan keek ik op en glimlachte ik mat.

'De bibliotheek, dat is een uitstekend idee,' zei Mrs. Williams, en ze haalde wat formulieren uit een la van haar bureau. Bibliotheek? Dat klonk redelijk. Terwijl ik me voorstelde hoe ik mijn dagen zou doorbrengen omringd door boeken gebeurde er iets wonderbaarlijks. Mijn woede ebde weg. Hij ebde weg terwijl gedachten aan boeken, bladzijden en troost mijn hoofd binnenkwamen. Terwijl de twee vrouwen verder praatten, besefte ik dat ik tegelijkertijd verschillende emoties voelde. Voelde ik werkelijk vreugde, hoop en woede op hetzelfde moment? Dat was genoeg om mijn woede meteen te doen verdwijnen. Ik keek op toen de saaie secretaresse me een pen gaf. Nu ik er nog eens over nadacht, ik zou ze toch niet hebben leeggezogen

– zelfs niet als ik nog vampier was geweest. Ik had een hekel aan de smaak van mensen die ouder waren dan dertig.

Hathersage, Engeland
31 oktober 1602

De woonkamer was leeg. Tegenover een laaiend haardvuur stond een leren bank. Aan de muren hingen schilderijen en een paar portretten van Christus – voor de lol. Gepraat, stemmen en flarden van zinnen echoden door de gang. Ik liet de lange nagel van mijn wijsvinger over de bovenkant van de bank glijden. Mijn nagel was zo scherp dat de kleine vezeltjes in de zachte bekleding rafelig omhoogkwamen. De vlammen brulden. De haard was anderhalve meter hoog en ruim een meter breed en had een mantel van zwarte onyx. Ik drentelde erlangs. Het was het jaar 1602, de nadagen van de heerschappij van koningin Elizabeth. Ik droeg japonnen gemaakt van de fijnste Perzische zijde en korsetten die mijn borsten zo dicht tegen elkaar persten dat ik verbaasd was dat een ademend mens die druk kon weerstaan.

Ik zwaaide met mijn heupen toen ik me omdraaide en door een lange gang slenterde die slechts verlicht werd door wandkandelaars in de vorm van opgeheven handpalmen. In de handen stonden kaarsen die bijna opgebrand waren. Het glazige kaarsvet viel in dikke sappige druppels op de vloer. De sleep van mijn japon verspreidde ze over het hout in een weelderig zigzagpatroon terwijl ik naar een deur aan het einde van de gang liep. Toen ik omkeek, zag ik dat de enorme haard fel opgloeide aan het eind van de donkere gang. Het dansende licht van de vlammen maakte van mij een donkeromlijnd silhouet. Ik stopte voor de deur en luisterde. Ik hoorde orkestmuziek en gelach. Ik wist het nog niet, maar die nacht, 31 oktober 1602, was de laatste avond van de allereerste Nuit Rouge-viering. Ik pakte de deurknop beet, die de vorm had van een omlaag wijzende dolk. Ik trok de deur open. Ouderwetse begroetingen zoals 'gegroet' en 'goedenavond samen' klonken in mijn oren. Midden in de balzaal zat een gezette vrouw op haar hurken op de vloer. Ze droeg een witte wollen jurk die haar bedekte tot aan haar borsten en ze had een wit kapje op. Haar blonde haar viel over haar gezicht, en ze mompelde iets in het Nederlands. Ik vermoedde dat ze iemands bediende was, maar ik herkende haar niet. Waarschijnlijk had ze geen idee dat haar meester een vampier was. En nu was ze hier, in mijn huis.

De balzaal was trouwens prachtig. Het plompe achterwerk van de bediende rustte op een van de mooiste parketvloeren van Engeland. Hoog aan de vier ronde stenen pilaren die de ruimte ondersteunden waren grote fakkels geplaatst. Hun flakkerende vlammen verlichtten de dansvloer, in de hoek speelden de muzikanten en tweehonderd vampiers stonden in een kring om de dikke vrouw heen.

Rhode stond tegen een pilaar geleund naar me te kijken. Glimlachend, zijn armen over elkaar geslagen. Zijn kleding was eenvoudig. Hij droeg een nauwsluitende zwarte broek en stevige zwarte schoenen met een dunne leren zool, zonder hak. In die periode werden kleren gemaakt van de rijkste stoffen, en welgestelde vampiers pronkten er graag mee. Rhode droeg een zwart linnen jasje dat was dichtgeknoopt met een dik zwart lint. Zijn armspieren tekenden zich duidelijk af in de strakke mouwen van het jasje. Hij had zich kennelijk net gevoed, want zijn tanden waren witter dan ik ze in tijden had gezien. Op mijn gemak liep ik langs de binnenkant van de cirkel van vampiers. Ik hield mijn blik op Rhode gericht tot ik weer bij de deur van de balzaal kwam, die nog openstond en uitzicht bood op de lange gang en het dansende vuur in de open haard aan het andere uiteinde.

De vrouw in het midden van de kamer keek steeds naar de gang. Ik voelde, zoals altijd met de buitenzintuiglijke waarneming waarover ik als vampier beschikte, wat deze vrouw wilde. Ze wilde ervandoor gaan.

'Weet je waarom je hier bent?' vroeg ik de vrouw, in haar eigen taal. Heel langzaam cirkelde ik om haar heen, met mijn handen op mijn rug.

Op haar hurken zittend keek ze me aan. Ze schudde haar hoofd, nee.

'Weet je wat ik ben?' vroeg ik.

Weer schudde ze haar hoofd. 'Ik wil... ik wil weg,' zei ze met bibberende stem. 'Naar mijn vader en moeder.'

Ik hief mijn wijsvinger en legde die tegen mijn lippen. Voor mijn geestesoog zag ik beelden opdoemen uit mijn menselijk bestaan. Het stenen landhuis van mijn ouders. De vochtige aarde. Een oorring in een handpalm. Ik focuste me weer op de gelaatstrekken van de bediende. Haar schrandere blauwe ogen, hun ronde vorm, de korte blonde wimpers. Ik hield op met om haar heen draaien en keek op haar neer.

'Je weet het wel,' zei ik met een glimlach. Vlak voor de vampier iemand doodt, komen de hoektanden omlaag. Eerst lijken het gewone tanden, maar als de vampier toeslaat worden de hoektanden ontbloot, net als bij een dier. En nu kwamen mijn tanden omlaag, ik voelde het gebeuren, als een knipmes dat langzaam werd uitgeklapt. Ik bukte me voorover en keek haar diep in haar ogen. Ik fluisterde in haar rechteroor: 'Je smaakt vast afschuwelijk, gezien je conditie.'

Ik trok me terug en keek haar weer aan. 'Ik zou mijn ingewanden niet willen bezoedelen met wat jij bent.' Ik rechtte mijn rug. Eventjes zag ik opluchting op haar gezicht.

Ik liep langs haar heen, waarbij de lage hakken van mijn zwarte leren schoenen op de parketvloer tikten. De sleep van mijn japon kronkelde als een slang achter me aan. Ik wierp Rhode nog een lange blik toe en glimlachte. Het was stil in de balzaal. De muzikanten waren gestopt met spelen. Ik was alweer halverwege de gang toen ik mijn hand in de lucht stak, mijn pols boog en in mijn vingers knipte.

Tweehonderd vampiers stortten zich onmiddellijk op de mollige vrouw. Ik bleef glimlachen tot ik bij mijn slaapkamer was.

De bibliotheek van Wickham was een gotisch meesterwerk, met ramen die een weids uitzicht boden. Ik kwam binnen door de dubbele deuren en keek naar de pluchen stoelen, de eindeloze rijen boeken, de leerlingen die speurend langs de kasten liepen. Het plafond werd gesierd door driedimensionale, achthoekige tegels gemaakt van zwart hout.

'Het is jouw taak, Miss Beaudonte, om hier achter het bureau te zitten. Als mensen je vragen stellen, dan beantwoord je die zo goed mogelijk. Je kunt ze altijd doorverwijzen naar de dienstdoende bibliothecaresse als je iets niet weet.' Deze bibliothecaresse, degene die me de rondleiding gaf, was een lange vrouw met katachtige ogen en een smalle neus.

Die moderne mensen begrepen er echt niets van. Ik was een voormalige vampier die minstens honderd jaar had geslapen.

En nu verwachtten ze dat ik hier een beetje vragen ging zitten beantwoorden?

'Elke vrijdag word je betaald. Aan het einde van je dienst, om zeven uur vanavond, krijg je van mij je werkrooster. Mrs. Williams suggereerde ook nog dat je de andere leerlingen kunt helpen hun taalvaardigheid te verbeteren, aangezien je daar zo goed in bent. Ik zal een kaartje voor je maken dat je straks kunt ophangen op het prikbord in de Union.'

Zodra ze was weggelopen plofte ik neer op een stoel achter de halvemaanvormige balie. Ik zou het absoluut druk krijgen, hier op Wickham. Voor me stond een computer, die me zo'n beetje verblindde met zijn blauwe licht. Er lagen allerlei apparaten die ik nog nooit had gezien: nietmachines, ballpoints, paperclips, printers en stekkerdozen. Toetsenborden, virtuele bureaubladen, zoekmachines, dat waren nog maar een paar van de honderden woorden die ik moest leren om erbij te kunnen horen – en snel ook. Om op te gaan in Wickham, of zoals Rhode zou zeggen, om weer een tienermeisje te worden, moest ik echt mijn uiterste best doen. Deze maatschappij was wel bijzonder gecompliceerd.

Rond half vijf keek ik naar de klok en ik besefte dat ik nog ruim twee uur te gaan had. Ik besloot de bibliotheek te verkennen. Ik passeerde gangpad na gangpad, drong diep door in het doolhof van boekenkasten, genietend van de schoonheid van de Wickham-bibliotheek. Toen ik het achterste gangpad in liep klonk ergens vlakbij het gelach van een meisje. Het was een soort gnuivend gegrinnik dat diep van binnen kwam en weerkaatste tegen haar ribben. Een pure lach. Ik wilde zien wie ze was. Ik ging op mijn tenen staan en keek over de boeken heen. Parallel aan de rijen boeken was een zaal met studenissen met glazen wanden en grote ramen. In het midden van de ruimte stonden blauwe banken met zachte kussens en een paar bureaus.

De rij boeken was een goede schuilplek, want ik kon achter de planken wegduiken als dat nodig was. Ik keek nog een keer over de rij boeken heen en bleef doorlopen, in de richting van het gelach.

Plotseling bleef ik staan, toen ik besefte wie het lachende meisje was – Tracy Sutton, Justins vriendin. Ze zaten in de achterste nis. Justin hing achterover in een leunstoel en Tracy zat op zijn schoot. In stoelen aan weerskanten zaten zijn broers Curtis en Roy. Weer lachte Tracy die vrolijke lach. Het viel me op hoe makkelijk de mensen lachten, in dit tijdperk. Hoe makkelijk ze hun geluk konden uiten. Ik was vergeten hoe dat was. Justin was lang, heel lang, dus Tracy zag er klein en tenger uit, op zijn schoot. Als ik daar had gezeten in plaats van Tracy, zouden mijn benen over Justins knieën hebben gebungeld als de poten van een spin.

Tracy stond op en riep iets onverstaanbaars. De andere leden van de Three Piece, Kate en Claudia, gingen naast haar staan en trokken de zijkant van hun spijkerbroek omlaag, precies dezelfde als die van Tracy, en ontblootten hun heupen. Ik ging nog hoger op mijn tenen staan en staarde ernaar. Ze droegen ook alle drie dezelfde onderbroek, van stof die eruitzag als luipaardhuid. Claudia sloeg een arm om Kates schouder en Tracy kroop weer bij Justin op schoot. Ik kon het niet laten, het staren. Ik was volkomen gefascineerd door hun vrolijkheid.

Ik voelde me vooral aangetrokken door Justin. Hij had een bepaald... aura. Er is geen andere manier om zijn levenskracht te omschrijven. Het beeld van zijn borstkas, druipend van de regen, flitste door mijn hoofd. En hoe zijn lippen eruitzagen als hij woorden vormde. Vooral toen hij me had gevraagd of ik verdrietig was. Ik wilde dat hij vaker tegen me praatte.

'Ik heb helemaal geen zin in die bijeenkomst straks,' zei Tracy, en ze kuste Justin op zijn wang. Ze keek mijn kant uit. Ik hapte naar adem en dook snel weg. Ik wilde niet dat iemand me zou zien. Niet iemand uit dat groepje, in elk geval. Ik tuurde door het kiertje tussen de bovenkant van de boeken en de plank. Ik had een *menselijke* reactie gehad op Justin Enos. Dat rare gefladder van mijn hart, de manier waarop mijn adem in mijn keel stokte. Zou het ook zo zijn geweest voor Rhode? Zou Vicken, als hij weer mens was, misschien ook vlinders hebben als hij naar me keek?

Justin reikte om Tracy heen en liet zijn handen op haar dijbenen rusten. Terwijl ik hem bestudeerde, fronste Justin, die naar een van zijn broers keek, opeens zijn wenkbrauwen en stopte met praten. Zijn glimlach verdween en hij draaide zijn hoofd om, zodat ik niet alleen zijn profiel zag, maar zijn hele mond. Toen de spitse punt van zijn neus en zijn ogen, die recht in de mijne keken.

'Miss Beaudonte.'

Ik draaide me met een ruk om. De bibliothecaresse met de katachtige ogen stond voor me. Ze droeg een zwart krat gevuld met platte plastic doosjes. 'Wil je deze cd's alsjeblieft op volgorde zetten in de luisterkamer.'

'Luisterkamer?' vroeg ik, me afvragend wat een luisterkamer in vredesnaam kon zijn. Was de moderne wereld zo ver ontwikkeld dat mensen in een kamer zaten en simpelweg... *luisterden*?

De bibliothecaresse gaf me het krat aan en wees langs de studienissen naar een ruimte aan het einde. Toen ik me niet verroerde, zuchtte ze.

82

'Kom maar mee...'

Ik volgde haar. Ze schuifelde terwijl ze liep – alsof haar heupen en achterwerk zo zwaar waren dat ze haar voeten niet behoorlijk kon optillen. Als vampier had ik haar binnen tien seconden kunnen doden. Ze keek om en gebaarde dat ik door moest lopen. Ik besloot niet langer te denken aan haar merkwaardige tred of aan mijn enorme vaardigheid in het lokken van prooi. Ik wierp een blik in het krat. Op de platte doosjes stonden namen – sommige herkende ik. Ik haalde er een doosje uit en las de naam: Georg Friedrich Händel. Wat was dit? Händel was een musicus, een componist – wat konden die doosjes met hem te maken hebben? Ik draaide het doosje om. Op het plaatje stond een man met een witte pruik, een pruik die ik talloze malen had gezien op het hoofd van mannen in de 18de en 19de eeuw. De pruik krulde aan weerskanten van het gezicht van de man en was in een paardenstaart bijeengebonden. Hij hield een klein dirigeerstokje omhoog voor een groot orkest.

Pas toen het geklos van de bibliothecaresse verstomde, besefte ik dat we waren aangekomen bij de luisterkamer. Justin en zijn vrienden zaten aan de andere kant van de gang. De bibliothecaresse opende een zwarte deur met een ruitje in het midden. Ze wees de kamer in; de wanden waren bedekt met dik grijs spul dat er heel stevig uitzag, maar zacht aanvoelde. Ik liet mijn vingers over het weelderige materiaal glijden. Tegenover me stond een hoge, zwarte machine die de hele wand in beslag nam. De bibliothecaresse wees naar de kastenwand.

'Zet ze daar maar in de rekken, op achternaam.'

De planken waren gevuld met dezelfde soort doosjes als in het krat.

'Kunt u me misschien laten zien hoe die machine werkt?' vroeg ik, wijzend naar het monsterlijke zwarte apparaat aan de rechterkant van de kast met doosjes. Op een tafel ervoor stonden drie computers.

'Welke cd wil je horen?' vroeg ze.

Ik pakte de cd waarop in zwierige letters 'Händel – Opera' stond. De laatste opera die ik had gezien was in Parijs geweest, rond 1740. Ik schudde mijn hoofd – die avond herinnerde ik me nog goed. En het was geen avond waaraan ik graag terugdacht, terwijl ik daar met een vreemde stond.

Ze drukte op een knopje en een klein laatje schoof naar voren, helemaal vanzelf. Ik voelde mijn ogen groter worden. Alles met apparaten ging zo makkelijk, in deze eeuw. Je drukte ergens op en dan gebeurde er iets magisch.

Ze opende het doosje en haalde er een zilveren schijf uit.

'Je legt de cd in het laatje, drukt op de knop op de stereo en klaar ben je. Je kunt het volume zelfs op tien draaien, niemand hoort het. Deze kamer is geluiddicht. De muzikanten beluisteren hun muziek het liefst op een idioot hoog volume, vandaar.'

Ze draaide de knop op tien, sloot de deur achter zich en liet me daar achter in de stilte... heel even dan.

Ik stak net mijn hand in de doos met cd's die ik op volgorde moest terugzetten, toen er muziek uit de luidsprekers kwam. Ik schoot overeind en deinsde achteruit.

Het was Händels aria 'Se pietà' en de muziek golfde door de hele kamer, stroomde over de schuimrubberen muren en het tapijt op de vloer en drong bij me binnen. De langgerekte viooltonen, de vibraties van de cello's, vloeiden als bloed door mijn lichaam. Violen – heel veel violen – ik kon niet onderscheiden hoeveel. Ik voelde de strijkstok bijna over de snaren gaan. Mijn lippen gingen uiteen en mijn adem ontsnapte langzaam. Nu

84

kwamen de cello's – de lage, melancholieke tonen bezorgden me kippenvel op mijn armen. Ik stak mijn hand uit en raakte de kleine gaatjes aan op de plek waar de muziek eruitkwam. Ik voelde hoe de machine trilde door het geluid.

Hoe was dit toch mogelijk? Was er zo veel tijd verstreken dat mensen in staat waren om alle muziek op te slaan? Om die ergens te bewaren zodat ze er telkens weer naar konden luisteren?

Ik legde mijn hand op mijn borstkas toen een vrouw een aria begon te zingen. Haar stem klaterde als een waterval langs de noten, vloog omhoog met de violen en vibreerde mee met de harmonieën van de cello's. Ik kon er niets aan doen – ik zonk langzaam neer op de vloer en sloot mijn ogen. Het was van een soort schoonheid die ik me tot op dat moment niet had kunnen voorstellen – muziek die ik eindelijk kon voelen met mijn lichaam en mijn ziel.

In 1740 was opera populair geweest, maar je moest hele einden reizen om een voorstelling te kunnen bijwonen. Nu was er zomaar een opera in de luisterkamer van Wickham. Ik kneep mijn ogen stijf dicht en liet het geluid door me heen vloeien. Als een fluistering over een naakte huid gingen de kleine haartjes in mijn nek overeind staan. Ik voelde een paar handen op mijn schouders rusten. Ik hield mijn ogen gesloten.

'Heb je al Italiaans geleerd?' fluisterde een stem in mijn oor. Alleen zat die stem in mijn hoofd, en ik herinnerde me de laatste keer dat ik deze muziek had gehoord – in 1740, in Parijs, met Rhode.

'Je bent niet echt hier,' fluisterde ik.

'Ik heb het je toch gezegd? Overal waar jij gaat, ga ik ook,' fluisterde de stem.

Maar ik wist dat ik alleen was in de luisterkamer, in een eeuw waar ik niets vanaf wist... met de geest van Rhode als mijn enige gezelschap.

'Wat doe je?' vroeg een stem, die duidelijk niet van Rhode was.

Mijn ogen vlogen open. Ik keek naar rechts. Justin Enos hield de deur open en de leden van de Three Piece stonden achter hem en keken naar me door het glas. Plotseling besefte ik dat ik op mijn knieën zat en ik stond onmiddellijk op.

'Ik luister,' zei ik, maar het klonk meer als een schreeuw.

Justin gebaarde naar de stereo. 'Mag ik?'

Ik knikte, me afvragend wat hij hier deed. Doelloos rommelde ik wat tussen de cd's. Hij draaide het volume omlaag, zodat het lied niet luider klonk dan een gefluister.

'Wat doe je hier?' vroeg ik.

'Ik wilde weten waar je naar luisterde, want je keek alsof je pijn had. Maar het was gewoon klassieke muziek.'

'Het is niet gewoon klassiek.'

Hij fronste zijn wenkbrauwen, en ik keek weer naar de cd's. Maar mijn blik dwaalde weer terug.

Justins shirt stond net een knoopje te ver open – zo ver dat ik de geul tussen zijn borstspieren kon zien, een diep ravijn van gebronsde huid. Ik wilde mijn vinger eroverheen laten glijden. Het was maar een simpel klein knoopje, maar het leek of hij het vergeten was, alsof hij zich wel vaker zo haastig aankleedde.

Hij volgde mijn blik, keek naar zijn shirt en reikte meteen omhoog om met zijn lange vingers het knoopje dicht te doen. Ik griste een cd uit het krat – teleurgesteld.

'Je keek alsof je nog nooit muziek had gehoord,' zei hij.

'Dat heb ik ook niet,' zei ik. 'Niet op deze manier.' Ik richtte mijn aandacht op de achternaam die op een cd in het krat stond. Madonna, een componist die ik niet kende – ik zette de cd tussen de cd's van andere mensen wiens achternaam met een M begon.

'Heb je nooit eerder muziek gehoord uit een stereo?'

'Niet echt, nee.'

'En dan kies je een opera uit?'

Ik keek op – Justins gezicht drukte een mengeling van verbazing en oprechte verwarring uit. Misschien vond hij me vreemd, maar ik voelde dat hij op dat moment betoverd werd. Mijn blik ging over zijn schouder naar een van zijn broers die nu voor het glas van de luisterkamer naar binnen stond te kijken. De oudste broer, die met de oorringetjes. Achter hem waren de leden van de Three Piece met elkaar aan het giechelen, en ze verborgen hun mond door hun hoofd af te wenden toen ik hun blik opving.

'Ik moet gaan,' zei ik, terwijl ik de laatste cd's nonchalant aan het eind van een rij neerzette. Ik liep vlak langs hem heen, zodat mijn schouder langs zijn arm streek – hij voelde warm, alsof hij in de zon had gezeten. Ik passeerde het groepje zonder op of om te kijken. Terwijl ze me stonden uit te lachen voelde ik de trillingen van de vrouwelijke sopraan nog in mijn borstkas – ergens heel dicht bij mijn hart.

6

Eerste schooldag. Wat moest ik aan?

Wickham deed niet aan uniformen, dus het was een beetje een gok. Het was nog steeds warm, hoewel het al begin september was. Een spijkerbroek en een eenvoudig zwart hemdje, dat leek me een veilige keuze. Geen vreemde kleuren die uit de mode waren. Gewoon iets simpels. Tony had gezegd dat hij voor de deur van Seeker op me zou wachten zodat we samen naar de bijeenkomst konden gaan. Samen staan we sterk, dacht ik. Wel zo fijn, na mijn afgang in de luisterkamer met Justin.

Ik had nog een paar minuten voor ik naar Tony toe moest. Ik ging mijn keuken binnen, een kleine nis met eenvoudige houten kastjes en een krap aanrecht. Rhode had de kastjes gevuld met pannen, bestek en andere keukenspullen. Maar de belangrijkste zaken stonden op het aanrecht, naast de gootsteen. Kruiden en gedroogde bloemen, keurig opgeborgen in ronde zwarte blikjes. Op het kleinste zwarte blikje stond Paardenbloem. Natuurlijk, dacht ik. Gedroogde paardenbloemen. Zo'n bloemetje is niet groter dan een stuiver en je draagt het bij je omdat het geluk brengt. Als ik werkelijk moest opgaan in het menselijk bestaan, zoals Rhode me had aangeraden, kon ik alle geluk gebruiken. En bovendien leek er zich een klok in mijn hoofd te bevinden. Op stille momenten, als alle afleiding die deze nieuwe wereld bood even wegviel, kon ik de seconden horen wegtikken. En elke tik bracht me dichter bij de laatste nacht van Nuit Rouge. Ik schudde mijn hoofd alsof ik mezelf van die gedachte wilde verlossen, stak een gedroogde paardenbloem in mijn zak en greep een bosje rozemarijn.

Ik sloeg een spijkertje in de deur en hing daar de rozemarijn aan. Dat deed ik zodat ik elke keer als ik terugkwam bij mijn appartement, de veilige plek die voortaan mijn thuis zou zijn, weer zou beseffen waar ik vandaan kwam. En wat een lange weg ik nog had te gaan.

Met mijn rugzak om sloot ik de deur achter me. Ik stapte naar buiten en zag Tony op het grasveld, waar hij op zijn rug lag met zijn handen achter zijn hoofd, genietend van de ochtendzon. Ik trok de breedgerande hoed nog wat verder over mijn ogen.

Tony had zijn gescheurde spijkerbroek weer aan en een riem die was versierd met stalen noppen.

'Ben je niet bang dat je verbrandt?' vroeg ik, terwijl ik zelf een zonnebril opzette.

Tony sprong soepeltjes overeind. Hij wees naar me, waardoor zijn rugzak omlaag zakte en aan zijn rechterelleboog bleef bungelen.

'De bewaker zegt dat je in professor Bennetts appartement woont.'

'Als dat het appartement op de bovenste etage is, dan ja,' zei ik.

'Het appartement op de bovenste etage,' zei Tony spottend, en ik besefte dat hij mijn Britse accent nadeed. Hij knipperde twee keer met zijn ogen, en zijn mond viel open. 'Professor Bennett is in juli overleden,' lichtte hij toe. Zijn ogen waren groot en zijn dunne lippen weken uiteen. Hij wachtte op mijn reactie. Toen die niet kwam, vervolgde hij: 'Ze weten nog steeds niet hoe hij is gestorven. Alleen dat hij twee gaatjes in zijn hals had. Alle paranormalen en andere gekken van de stad beweren dat het een vampier is geweest.'

Ik rolde met mijn ogen... Rhode.

'En dus?' vroeg ik. 'Wat heeft dat te maken met het feit dat ik daar woon?'

'Het is september. Die vent is pas twee maanden dood. Vind je dat dan niet eng?'

Ik haalde mijn schouders op. 'Niet echt. Ik heb nooit zo'n moeite gehad met de dood.'

'Waarom verbaast dat me nou helemaal niets, Lenah?' vroeg Tony, en hij sloeg zijn arm om mijn schouder. 'Waarschijnlijk heb je ook geen moeite met vampiers.'

'Geloof jij dat ze bestaan?' vroeg ik hem.

'Alles is mogelijk.'

Nee, Tony, dacht ik. Niet alles. Maar sommige dingen zijn wel mogelijk. Gevaarlijke dingen. Het kon natuurlijk zijn dat er nog andere vampiers woonden, hier in Lovers Bay, maar ik had nooit iets vernomen over hun aanwezigheid in deze regio. Vampiers wisten over het algemeen van elkaars bestaan, in elk geval waar ze woonden. Maar goed, ik kon toch niets doen als ze er wel bleken te zijn.

'En jij?' vroeg hij. 'Geloof jij het?'

'Waarom niet?' antwoordde ik.

Tony trok me dicht tegen zich aan, zodat mijn linkerschouder tegen zijn ribbenkast drukte en ik zijn lichaamswarmte kon voelen. Die plotselinge nabijheid deed me het water in de mond lopen. Als vampier heb je ook een dergelijke respons. De hoektanden komen omlaag en de vampier voelt een instinctieve drang tot bijten. Ik trok me van Tony terug en deed alsof ik iets uit mijn rugzak wilde pakken.

Mijn hart klopte zo hevig dat het galmde in mijn borstkas, en ik drukte mijn hand ertegenaan – alsof het daardoor zou kalmeren. Ik haalde een officieel document onder uit mijn rugzak en deed net of ik ernaar keek. Liep het water me in de mond door Tony's lichaamswarmte? Wilde ik zijn bloed? Ik richtte mijn aandacht op een paar wuivende grasprieten. Ik slikte, om er zeker van te zijn dat het kwijlen was gestopt.

Ik keek op naar Tony. Hij was het voetpad al op gelopen. De manier waarop hij liep was nogal opvallend: een lange stap met een klein sprongetje. Ook waren zijn voeten een beetje te groot voor zijn lichaam. Die dag droeg hij zwarte laarzen die niet hetzelfde waren. Ik weet niet of iemand met een normaal gezichtsvermogen het zou hebben gezien, maar het stiksel van de rechterlaars was anders dan dat van de linker.

'Kom je nog?' riep Tony. 'Anders beginnen ze zonder ons.'

Nee, besloot ik. Zijn bloed was zeker niet wat ik wilde.

Ik kwam overeind en rende een paar passen om hem in te halen. Toen ik weer naast hem liep, lachte hij naar me, en samen volgden we het voetpad. Tony's luchtige houding maakte het makkelijk voor me om mijn vampierinstincten te verbergen. Hij leek het niet erg te vinden als ik me raar gedroeg. Ik likte met mijn tong langs mijn voortanden, voordat ik iets zei. Voor de zekerheid...

'Kom jij oorspronkelijk uit Lovers Bay?' vroeg ik, in een poging mezelf af te leiden van wat er zojuist was gebeurd.

'Ja.' Tony zuchtte. 'Mijn ouders wonen aan de rand van Lovers Bay in een eh... zeer boeiend gedeelte van de stad.'

'Boeiend?' vroeg ik.

'Laat ik het zo zeggen, je wordt al bang als je de straat in kijkt.'

Ik lachte spottend. Tuurlijk...

'Hoe kom je eigenlijk aan zo'n groot appartement?' vroeg Tony. 'De anderen moeten allemaal genoegen nemen met een gewone kamer.'

'Mijn vader heeft het voor me gehuurd, voor de twee jaar dat ik hier op school zit,' legde ik uit.

'Wauw,' zei Tony, en hij trok zijn wenkbrauwen op. Hij zocht zijn weg langs het netwerk van paden naar het Hopper-gebouw. Terwijl we de bochten van het pad volgden keek ik naar Tony's gezicht. Zijn kaak was ontspannen, en hij lachte vrolijk. Tony was heel zachtmoedig van aard, en ik kon zijn energie voelen. Vampiers kunnen menselijke energie registreren en de emoties oppikken van de personen om hen heen. Tony had nog nooit in zijn leven iemand gekwetst of pijn gedaan, zoals ik had gedaan. En ook had hij nog nooit een overweldigende angst gevoeld. Ik wilde hem op alle mogelijke manieren beschermen, en voor ik het goed en wel besefte reikte mijn hand naar de zijne. Snel liet ik hem weer langs mijn lichaam vallen. Ik deed alsof er niets gebeurd was, en gelukkig had hij niets gemerkt.

Buiten de studentenhuizen, op de paden en de grasvelden, zag ik allerlei leerlingen die zich huilend van geluk in elkaars armen wierpen en foto's van elkaar maakten met hun mobiele telefoons.

Tony stak zijn arm naar me uit. Hij gebruikte zijn wijsvinger om te doen alsof hij een foto van me nam.

'O mijn god!' riep hij, en hij legde een hand op zijn hart. 'Ik móét een foto van je nemen want ik heb je dus echt wel vijf minuten niet gezien. Poseren!'

Ik zette mijn rechterhand op mijn heup en glimlachte oprecht.

Tony liet zijn arm vallen en keek beteuterd.

'Je kunt toch wel beter poseren?'

'Hoe moet het dan?' vroeg ik, onzeker welke houding acceptabel was in deze eeuw.

'Laat maar, Lenah,' zei hij lachend.

Tony greep mijn hand en leidde me terug het pad op. Ik liet me meetrekken en keek glimlachend naar zijn vingers die zich om de mijne sloten. Ze waren leeftijdloos. Er zaten spetters zwarte verf op en ze waren zacht, onaangetast. Ik besefte dat Rhode de laatste was geweest die me zo had vastgehouden. Ik liet Tony's hand los.

'Ik ben twee maanden in Zwitserland geweest!' gilde een jonger meisje naast ons, terwijl ze haar vriendin stevig omhelsde. 'Wat is je haar blond!'

Tony keek me aan vanuit zijn ooghoek en onderdrukte een lach. Mijn buitenzintuiglijke waarneming, oftewel mijn BZW, had wel iets van een radiobaken. Het bleef maar de emotionele toestanden oppikken van de mensen om me heen. En dat waren er heel veel: opwinding, verlangen, schaamte, angst – ik kon een hele lijst opnoemen.

Het pad waarop we nu liepen slingerde zich voor Quartz langs. Voor ik me kon inhouden had ik een blik geworpen op Justins raam. Het was donker, maar het raam stond open en in de vensterbank stond een koffiekop.

Terwijl ik naast Tony voortliep, dacht ik koortsachtig na over de manier waarop de leerlingen met elkaar omgingen. Als ik een van hen moest worden, moest ik me ook zo gaan gedragen. Ze droegen ringen met edelstenen, dure zilveren sieraden, gouden horloges en allerlei andere accessoires. Veel meisjes hielden hun haar in bedwang met chique haarspelden. Misschien kon ik ook wat van dat soort spullen kopen. Ik was Tony's belofte om me te leren autorijden al bijna vergeten. Door mijn nieuwe baantje en mijn fascinatie voor alle handleidingen van apparatuur had ik Tony nog helemaal niet aan zijn belofte gehouden.

'Ik heb een baantje!' zei ik, terwijl we wachtten in de rij leerlingen die naar binnen gingen in het Hopper-gebouw.

'Vandaar dat je er zaterdag niet was. Ik ben bij je langs geweest,' zei Tony. 'Kennelijk was je aan het werk. Waar?'

'De bibliotheek.'

'Balen. Ik werk voor het jaarboek. Eigenlijk is het een studieproject,' legde Tony uit.

'Het jaarboek? Wat is dat?' vroeg ik. We schuifelden nu onder het afdak van Hopper, en ik maakte een staart in mijn haar en zette die vast met een zwarte speld.

'Weet je niet wat een jaarboek is?' Tony keek me aan alsof hij wou zeggen: 'Hoe kun je nou *niet* weten wat dat is?' Maar die blik verdween snel weer. 'Het is een boek dat uitkomt aan het einde van het schooljaar. Het hele jaar door maken we foto's, leggen we vast wat er is gebeurd en dan stellen we het boek samen. Als herinnering, zeg maar. Aan wat er is gebeurd.'

'Dus je maakt foto's?'

Tony knikte. 'Ik moet ook foto's maken van deze eerste bijeenkomst. Dan heeft iedereen altijd zijn mooiste kleren aan. Zo irritant.'

'Dus dat is je mooiste riem met noppen?' vroeg ik met een spottend lachje.

Hij liet zo snel een camera uit zijn zak glijden dat ik niet besefte wat er gebeurde. Toen flitste er fel licht in mijn ogen. Ik piepte zo hard dat het pijn deed, achter in mijn keel. Mijn gil was kort, maar het was genoeg om ervoor te zorgen dat alle andere leerlingen in de rij zich naar me omdraaiden. Tony kwam niet meer bij van het lachen.

'Wauw,' zei hij. 'Ik moet je vaker aan het schrikken maken.'

'Ben je gek geworden? Je kunt niet zomaar zulk fel licht in

iemands ogen schijnen. Dat is schadelijk.'

Tony legde zijn hand op mijn schouder.

'Het is maar een camera, Lenah. Misschien vond je mijn nep-camera leuker, maar van zo'n flits krijg je echt niets, hoor.'

Oké, dacht ik, ik moet leren me te beheersen.

De rij leerlingen bewoog naar voren.

'Bedankt dat je vandaag met me meeloopt,' zei ik.

'Je hoeft me niet te bedanken. Ik doe het graag. Alle jongens op de campus vinden je sexy, dus hiermee maak ik indruk. Ik ga met je mee naar de klas, naar je huis, naar Main Street,' zei hij met een glimlach, terwijl we door de deur van Hopper gingen.

Ik voelde een steek in mijn hart. Ik keek naar de grond, waar het gras plaatsmaakte voor de tegels van de hal van Hopper. *Waar jij gaat, ga ik ook...* echode het in mijn hoofd.

Ik liep daar met Tony in een zee van leerlingen, maar ik was er geen deel van – in elk geval voelde het niet zo. Ik kon niet vrolijk op en neer springen en vrienden omhelzen, of de anderen iets over mezelf vertellen zonder ze de stuipen op het lijf te jagen. En daar, in die langzaam bewegende rij naar de aula, kwam de herinnering aan de opera weer bij me op.

Parijs, Frankrijk – de opera, pauze
1740

Ik doofde de kaarsvlammen met mijn vingertoppen en wachtte af in de duisternis. Daar, in de schaduw van de fluwelen stoelen en de vergulde balustrade, stapte een koppel de loge in. Ik doodde ze allebei voor ze ook maar een gil konden slaken.

95

Nooit eerder had ik iemand vermoord te midden van zo'n menigte. Mijn slachtoffers waren beschaafde, adellijke mensen. Hun bloed smaakte zoet en gaf verbazingwekkend veel voldoening. Ik gebruikte hun lichamen als voetensteun tijdens de eerste en tweede akte van de opera: *Julius Caesar*, mijn favoriet.

Een druppel bloed trok een spoor langs de voorkant van mijn zijden japon en bevlekte mijn oranje schoenen, maar ik wachtte op iets anders – de verlossing van de overweldigende pijn in mijn geest. Die kwam altijd, als ik een slachtoffer had gedood. Dan verdween die emotionele pijn onmiddellijk, al was het maar voor heel even. Ik ging zitten op het pluche en liet mijn voeten rusten op de borstkas van de jongeman die ik had vermoord. Nu zou het toch wel komen, die bevrijding...

Weer viel er een bloedrode druppel. Hij bleef hangen aan een van de witte pareltjes die langs de zoom van mijn japon waren gestikt. De jurk zelf was dieprood, van de fijnste zijde die in Parijs te vinden was. Ik wachtte af, niet geïnteresseerd in het geklets van de menigte beneden mij, in de zaal. Ik besefte pas dat er weer een druppel bloed van mijn kin viel toen hij uiteenspatte in mijn decolleté.

Het leek alsof een onzichtbare hand op mijn gemoed drukte, op mijn hele wezen. Mijn schouders en armen waren gespannen, hard als steen. Ik wachtte... en wachtte, op de verlossing.

Ik zuchtte, uit gewoonte, en keek neer op de onbeweeglijke handpalm van de jonge vrouw onder mijn voeten. Zo zal het altijd zijn, dacht ik, en uit woede gaf ik haar hand een trap. Zelfs als ze nog in leven was geweest, zou de helse pijn die door mijn aderen raasde nooit verdwijnen – altijd zou het deze storm zijn, nooit een briesje.

Het doek ging op en ik sloot mijn ogen, wachtend tot ik overspoeld zou worden door het donker en het geluid. Dan zou ik veilig zijn, in het duister van mijn geest. De enige plek waar ik heen kon om ook maar een moment te vergeten wat ik was geworden. Het orkest begon te spelen en ik liet de violen vredige tinten schilderen – wit, blauw, een hele symfonie van kleur. Violen tolden door mijn hoofd. Ik zag de ivoorkleurige vezels van de strijkstokken die over de snaren op en neer gingen, telkens weer. De dramatische sopraan van de operazangeres vulde vanaf het podium de hele zaal. Ze begon haar aria, 'Se pietà'. Ze haalde een verrassend hoge noot, maar ik voelde geen fysieke reactie op de schoonheid van haar stem. De respons van het publiek maakte me duidelijk dat zij geen gewone operazangeres was – ze was in staat mensen te beroeren via hun lichaam en hun ziel. Voor mij deed de aria alleen het licht uit. Hij doofde de gloed, zodat ik kon wegzinken in het geluid.

Ik greep de armleuningen beet toen ik een luchtstroom voelde en een paar handen zachtjes mijn schouders begonnen te strelen. Het volgende moment waren Rhodes lippen bij mijn oor. Hij ging achter me zitten. 'Heb je al Italiaans geleerd?' vroeg hij.

Ik schudde mijn hoofd, en mijn lippen weken uiteen.

'Jammer,' zei hij. Zijn kin rustte bijna op mijn schouder.

'Wat zegt ze?' vroeg ik.

'Dat ze Cleopatra is... en dat haar grote droom om haar heen in duigen valt.'

De liefde die Rhode voor me koesterde stroomde door mijn schouders naar mijn voeten, en ik wenste dat ik kon huiveren. Als vampiers liefde voelen werkt het op die manier, als een reactie, een vervulling, verlossing. Mijn slachtoffers vermoorden voor hun bloed was niet meer genoeg. De liefde die Rhode en ik deelden was alles wat ik nog had.

'Ze denkt dat haar geliefde dood is,' zei hij.

Ik opende mijn ogen en keek Rhode in de zijne – dat stoere gezicht, waarvan de trekken zich alleen voor mij verzachtten. Hij was nu naast me komen zitten. De zangeres, die gekleed was in een Egyptisch gewaad, hief haar handen ten hemel en knielde neer voor het bed dat op het podium stond.

'Het spel is niet langer spannend meer,' zei ik.

De stem van de zangeres zwol aan, steeg mee met het orkest – het was oorverdovend mooi. Ik voelde de kolkende emoties van de menigte, hun gedeeld geluk. In mij brandde de pijn.

'De muziek kalmeert me. Maar ik weet dat ik mezelf weer zal laten gaan. De barbaarsheid overheerst, de pijn keert terug en het verlangen om te doden neemt het weer over... zo gaat het altijd. Hoe kun je het verdragen?' vroeg ik. 'Ik houd dit niet meer vol.'

'Door jou,' zei hij kalm. Hij nam mijn hand in de zijne en bracht mijn vingers naar zijn mond. Onder mijn nagels zat nog wat bloed – hij likte het weg. 'Ik denk aan jou, en dat is genoeg.'

'Hoe dan?'

'Ons is maar weinig toegestaan, Lenah. Ik richt mijn energie niet op de pijn, maar op wat ik kan doen om hem te vermijden.'

'Dus ik ben er om je af te leiden?'

'Jij,' zei hij, zijn gezicht heel dicht bij het mijne, 'bent mijn enige hoop.'

Ik keek naar Rhodes prachtige gelaatstrekken. Zijn ogen boorden zich in de mijne, op zoek naar een reactie. Ik legde een hand tegen zijn wang.

'Ik ben aan het instorten. Dat weet ik nu. Al dat bloed en al dat geweld zullen mij nooit verlossen van de pijn van het verlies die ik elke dag voel. Ik wil mijn vingers over een huid laten glijden en het *voelen*. Ik wil slapen, wakker worden, lachen met de anderen. Dit,' zei ik, wijzend naar het dode stel, 'is niet langer genoeg.'

Rhode bracht mijn vingertoppen weer naar zijn lippen. Hij sloot zijn ogen, terwijl de aria om ons heen golfde.

'Laten we gaan,' zei hij. Hij opende zijn ogen en stond op.

'Waarheen?' vroeg ik.

'Dat maakt niet uit,' zei hij. Hij keek me aan, en zijn ogen boorden zich diep in wat mijn ziel zou zijn geweest, als ik er een had gehad. 'Waar jij gaat, ga ik ook,' zei hij. We verlieten de loge, de enige aanwijzing voor onze aanwezigheid... het bloed-bad.

'Deze kant op, Lenah,' zei Tony, en ik schudde mijn hoofd en richtte mijn blik weer op de deur naar de aula.

Eenmaal binnen zag ik waarom Rhode me naar Wickham had gestuurd. Het was zonder twijfel de mooiste school die ik ooit had gezien. De aula kon wedijveren met de prachtige huizen die ik had bezocht in de afgelopen vijf eeuwen. De muren en plafonds waren modern. In mijn huis in Hathersage was niets gemaakt van staal, alles was van steen en hout. Wickham was anders. Het was zo'n plek waar lampen waren gevat in glas-in-lood en opgloeiden met een simpele druk op de knop. De rijen stoelen liepen op vanaf het podium in het midden van de ruimte. De trappen naar de stoelen waren bedekt met rood tapijt en voorzien van een spoor van kleine lichtjes.

'Alleen de bovenbouw heeft hier bijeenkomsten,' legde Tony

uit, terwijl we de trap op liepen. De meeste leerlingen stonden of zaten in groepjes bij elkaar. 'Ga daar maar zitten,' zei Tony, en hij wees op een paar rijen stoelen helemaal links in de hoek. Iedereen die daar zat was net zo gekleed als Tony. Sommigen hadden een heel aparte kleur haar en een oudere jongen had piercings in zijn mond en wenkbrauwen. Gavin, een vampier uit mijn coven, was dol op scherpe staken en messen. Hij zou ervan genieten zichzelf te doorboren. Misschien had hij dat inmiddels ook wel gedaan.

Ik zag Justin nergens. Ik moet toegeven dat ik teleurgesteld was. Wel zag ik zijn afschuwelijke vriendin, Tracy Sutton, aan de andere kant van het gangpad zitten met haar twee vriendinnen. De zelfbenoemde Three Piece-leden zaten met hun hoofden dicht bij elkaar te fluisteren. Tracy keek op en ving mijn blik. Ik keek weg. Terwijl ik ging zitten deed ik mijn rugzak af en zette die aan mijn voeten.

Ik kon het niet helpen. Ik draaide me om, zodat ik naar haar kon kijken en zag haar mond bewegen. Ze boog zich voorover naar de kleinste van de blonde meisjes en zei: 'Dat nieuwe meisje zit bij de kunstmensen.'

Het kleine blonde meisje draaide haar hoofd om, en ik kon net op tijd mijn blik afwenden. 'Ze is mooi,' zei ze.

Tracy snoof minachtend. 'Het zal wel. Ze is nog bleker dan ik midden in de winter ben en dan die tatoeage op haar linkerschouder. Die is toch gestoord?'

Het was zo'n moment waarop de naald over de plaat krast en je met je hand tegen je voorhoofd slaat. Ik was het totaal vergeten. Hoe kon ik zo stom zijn? Ik had helemaal niet meer aan die tatoeage gedacht. Op de achterkant van mijn linkerschouder was een uitspraak getatoeëerd. Alleen de leden van mijn coven hadden die woorden op hun huid staan.

Kwaadaardig is alleen hij die kwaadaardig denkt.

Ik perste mijn lippen op elkaar en keek de aula rond. Wat moest ik doen? Hoe kon ik die woorden verklaren aan de mensen die ze zagen? Vooral aan de meisjes van de Three Piece. Ik duwde mijn rug tegen de leuning van mijn stoel zodat niemand anders het kon zien. De schouderbandjes van mijn hemdje waren heel dun. Erg modieus was het niet, maar los daarvan had ik geen tijd om snel naar mijn appartement te rennen en iets anders aan te doen.

Ik vond het vreselijk dat ik kon liplezen. Ik had een hekel aan mijn scherpe vampierzicht. Ik wenste dat ik een trui had aangetrokken.

Tony had kennelijk gemerkt dat ik naar de meisjes staarde, want hij boog zich naar me toe.

'Stelletje domme bitches.'

'Waarom noemen ze zichzelf ook alweer de Three Piece?'

'Omdat ze altijd samen zijn. Met zijn drieën. Tracy Sutton, Claudia Hawthorne en Kate Pierson. Rijk, populair en gevaarlijk. Kate is hier alleen door de week. Ze woont bij haar familie in Chatham.'

'Hoe kunnen die drie meisjes nou gevaarlijk zijn?'

Terwijl ik de woorden nog uitsprak, begreep ik wat Rhode had bedoeld, die dag in het veld achter mijn huis, en ook wat Tony bedoelde. Deze meisjes waren mooi zonder er moeite voor te doen. Nonchalant deden ze hun haren naar achteren, met een zorgeloos handgebaar. Ze waren gevaarlijk omdat ze geloofden dat in hun schoonheid al hun macht lag.

Mrs. Williams nam het woord en verstoorde mijn overpeinzingen over de Three Piece.

'Leerlingen en medewerkers, gaan jullie alsjeblieft zitten,' zei ze door de microfoon.

Het gepraat verstomde, mensen bewogen zich naar hun plek en even later was iedereen gaan zitten. Nog steeds had ik Justin nergens gezien.

'Welkom terug. Vanmorgen is het mijn voorrecht, zoals elk jaar, om jullie welkom te heten bij een nieuw academisch jaar op Wickham. Wat mijn wens is? Dat jullie zo goed mogelijk worden opgeleid. Dat jullie groeien en je ontwikkelen, niet alleen in academische zin, maar ook als jonge volwassenen. Hier op Wickham zijn jullie het toonbeeld van wat de toekomst ons gaat brengen. Als bovenbouw zijn jullie het voorbeeld voor de rest van Wickham Private School.'

'Bla bla bla,' fluisterde Tony in mijn rechteroor, en mijn borstkas begon te gloeien. Ik was dankbaar dat ik hem naast me had.

'Voordat we ons gaan bezighouden met de roosterwijzigingen waarnaar iedereen zo benieuwd is, heb ik eerst wat ander nieuws. Dit jaar hebben we slechts vier nieuwe leerlingen toegelaten tot de bovenbouw. Kunnen jullie even naar het podium komen alsjeblieft? Lenah Beaudonte, Anne McKiernan, Monika Wilcos en Lois Raiken.'

Mijn hart sloeg over. Dit ging niet leuk worden.

Aan mijn linkerkant stonden drie leerlingen op die over de lange gangpaden naar Mrs. Williams begonnen te lopen. Ik keek naar Tony, met grote ogen en open mond. Hij had zijn hand voor zijn mond geslagen. Zijn brede schouders schokten op en neer. Hoewel zijn mond bedekt was, zag ik dat zijn wangen rood waren van pret. Als hij toch eens wist wat mijn tatoeage betekende... als ik zou opstaan, zou iedereen het zien. Iedereen zou vragen gaan stellen.

102

Ik stond op. Niet vallen, maande ik mezelf in stilte, waag het niet te vallen. Ik liep naar beneden, stap voor stap, starend naar de sandalen aan mijn voeten. Ik rukte de hoed af, waarbij de rand verfrommelde in mijn rechterhand. Langzaam maar zeker zocht ik mijn weg naar Mrs. Williams. Ik zorgde ervoor dat ik alleen keek naar de traptreden voor me. Ik hoorde mensen al fluisteren. De tatoeage was klein. Niet groter dan de letters in een boek, maar het krullerige schuinschrift viel wel op. Het was Rhodes handschrift dat in mijn huid geëtst was met inkt, bloed, de hitte van een kaarsvlam en een kleine naald.

Mrs. Williams liep naar de linkerkant van het podium om plaats voor ons te maken. De andere drie leerlingen waren met hun gezicht naar het publiek gaan staan, en ik deed hetzelfde. Toen voelde ik een hand op mijn linkerschouder.

'Begin jij maar, Lenah. Vertel maar iets over jezelf,' fluisterde ze. Ik liep naar de microfoon. Ik kon alleen maar aannemen dat ik daarin moest praten, zoals ik Mrs. Williams had zien doen. Het ding had haar stem versterkt. Ik had van mezelf al een duidelijke spreekstem.

De menigte leerlingen staarde me aan. Honderden sterfelijke ogen keken naar me en wachtten tot ik iets zou zeggen waardoor ze me konden plaatsen in hun wereld.

'Ik ben Lenah Beaudonte en ik zou nu het liefst door de grond zakken.'

Gelach steeg op. Ik voelde dat ze om me lachten, maar me niet uitlachten. Mijn handen omklemden de zijkant van de spreekstoel. Ik zocht met mijn blik naar Tony, die zijn duim opstak. Toen zag ik dat Justin Enos op de stoel pal achter me zat. Mijn hart klopte in mijn keel en ik moest mijn blik afwenden. Hij had de tatoeage ook gezien. Dat kon niet anders. Hoe dan ook, hij zag er ongelooflijk uit. Heerlijk, zelfs. Zijn huid was gebronsd, een gouden gloed die je alleen kreeg door direct contact met het licht van de zon. Even vroeg ik me af hoe warm hij zou aanvoelen, als ik hem zou aanraken.

'Ik kom uit een kleine stad in Engeland, maar dat horen jullie wel aan mijn accent. Ik ben zestien en... nou ja, dat is het wel zo'n beetje.'

Ik ging terug naar mijn plek, waarbij ik deze keer mijn tatoeage blootstelde aan de blikken van de docenten die achter me zaten. De hele weg omhoog, over de trap, hield mijn blik die van Justin vast. Zijn lippen maakten duidelijk wat hij dacht. Ik voelde me een hybride, half dier half mens, want het was zo makkelijk voor me om te zien wat hij dacht. Hij keek me recht aan, met een spottende trek om zijn mond. Bijna een glimlach. Hij hoefde niet tegen me te praten in de regen. Hij hoefde helemaal niets hardop tegen me te zeggen, want zijn ogen zeiden alles al.

Ik wil je.

7

Zodra de bijeenkomst voorbij was begon iedereen naar de uitgangen te lopen. Ik wilde niet al te gretig op Justin overkomen, dus pas toen Tony en ik eindelijk opstonden om naar onze klas te gaan, draaide ik me nonchalant Justins kant op. Maar hij was verdwenen. Dit beviel me niet. Hoorde hij niet achter mij aan te lopen? Het was niet de bedoeling dat ik me afvroeg waar hij was, hopend dat hij achter me aan kwam. Wat frustrerend.

Eenmaal in de gang hing ik mijn rugzak weer over mijn schouders zodat mijn tatoeage bedekt was.

'Die tatoeage is echt cool,' zei Tony, waarmee hij mijn angst bevestigde. We liepen de aula uit, door de grote gang van Hopper.

'O, die stelt niets voor,' antwoordde ik.

'Niets? Die tatoeage is *niet* niets. Waar heb je hem laten zetten? Wie heeft het gedaan? Dat is heftige inkt.'

'Een kunstenaar in Londen,' zei ik. Plotseling flitste er een herinnering door mijn hoofd. Ik was in Hathersage en ik lag op mijn buik op de vloer in de woonkamer. Onder me lag een scharlakenrood Perzisch tapijt dat Rhode had meegenomen uit India, ergens in de 16de eeuw. In de enorme haard laaide een knetterend vuur. Mijn bovenlijf was bloot, maar alleen mijn rug was te zien. Rhode zat op zijn knieën de letters in mijn rug te tatoeëren.

Om Tony en mij heen stroomden de leerlingen door de gangen, de meeste met Wickham-mappen in hun hand. Er liepen op dat moment zo'n honderd leerlingen door Hopper. Het gebouw deed me denken aan een paleis in Venetië tijdens het carnaval. Honderden gekostumeerde Venetianen die maskers voor hun gezicht hielden. Leeuwen, veren, schitterende edelstenen en overvolle bokalen waaruit de wijn op de vloer vloeide. Ook op dit moment was het geruststellend om door zo veel vreemden te worden omringd. Er was niet één gezicht dat ik herkende, er waren alleen ogen die mijn blik opvingen. In 1605 had ik in mijn verwarde staat de grote Doge Marino vermoord, toen hij maar achter me aan bleef lopen door het paleis. Ik beet hem zijn strot af, en al voor het ochtendgloren over de grachten van Venetië kroop was ik behoorlijk verzadigd. De hele volgende dag had ik er enorme spijt van, want zonder het te beseffen had ik mijn gastheer vermoord. Maar wat had ik dan moeten doen? Hij bleef maar achter me aanlopen en me vertellen hoe mooi ik was. En ik had me verveeld, dat ook.

'Dus daar zat ze op haar knieën. Alsof ze huilde,' zei een stem die me wegrukte uit mijn herinneringen. Tracy stond in de gang en gooide haar haren over haar schouder. Ze praatte tegen de andere leden van de Three Piece en Justin. Ze stonden om haar heen, onder aan een trap. Er waren nog een paar andere meisjes bij die ik niet kende. Tracy sloeg Justin nonchalant op zijn schouder. 'Justin ging naar binnen en vroeg of ze wel helemaal oké was.'

'En wat zei ze?' vroeg een van de meisjes die ik niet kende, terwijl ze een slokje nam van haar frisdrank. Tracy keek naar Justin, maar die haalde alleen zijn schouders op.

'Ze *loog*. Ze zei dat ze nog nooit muziek had gehoord uit een stereo.'

Justin keek op en toen zijn ogen de mijne ontmoetten, zag ik een beleefde blik – verbaasd zelfs. Mijn wangen begonnen te gloeien en ik voelde iets opborrelen in mijn borstkas – ik wilde tegen Tracy gillen en haar op de grond smijten. In plaats daarvan draaide ik me met een zucht om naar Tony, die verontschuldigend glimlachte.

'Engels is boven,' zei hij, en hij wees naar de trap. 'Ik kan wel met je meegaan, als je wilt.'

Het gedoe met Tracy moest ik niet te licht opvatten, en juist daarom moest ik alleen naar boven gaan. 'Nee, dat hoeft niet,' zei ik, hoewel mijn toon dankbaar was. Ik keek weer om naar het groepje, maar ze waren de trap al op gelopen. 'Ik red me wel,' zei ik, blij dat ik ze niet hoefde te passeren nadat ze net zo over me hadden staan roddelen.

'Dan zie ik je vanavond. Eten we samen?'

Ik knikte en liep de trap op.

'Denk erom!' riep Tony me na. Ik draaide me om. 'S – D – B,' zei hij, de letters spellend. 'Stelletje domme bitches.'

Ik lachte en beklom de trap.

Engels voor gevorderden. Kennelijk had ik bij de test nogal hoog gescoord. Hoger dan de beste leerling van het jaar ervoor, zo had ik begrepen.

In de mahoniehouten deuren op de eerste etage zaten glazen ruiten, en op de vloer lagen glimmende tegels. Ik liep de gang af en keek ondertussen op mijn rooster. Een moment later duwde ik tegen een houten deur waarop in zwarte cijfers 205 stond en ging binnen bij Engels voor gevorderden. Dit kaslokaal had de vorm van een halve cirkel. In het midden stond een schoolbord. Ernaast stond de docent, een man die professor Lynn heette. Hij was klein en tenger en had een kalend hoofd. Zijn kale plek was zo groot als een halve dollar.

De andere leerlingen gingen net zitten. Ik zag niemand die ik kende, behalve Tracy. Ik ging zo ver mogelijk bij haar vandaan zitten. Terwijl ik door het lokaal liep, zag ik naast Tracy een gebogen gestalte die me bekend voorkwam. De persoon in kwestie had een brede, gespierde rug die was gehuld in een zwart overhemd. Het was Justin, en hij zat naast Tracy. Ik ging zitten zonder hun kant op te kijken.

Professor Lynn was klaar met schrijven op het schoolbord en wendde zich naar de klas.

'Kate Chopin. *The Awakening*, 1899. Kan iemand me vertellen of dat boek een roman is of een thriller? Tot welk genre behoort het?' Professor Lynn ving mijn blik op.

Dus ik neem aan dat we maar meteen in het diepe duiken, dacht ik.

Ik gaf geen antwoord. In plaats daarvan haalde ik het boek uit mijn tas. Het was een gloednieuw exemplaar in pocketuitvoering dat ik samen met Tony had gekocht in de boekwinkel. 'Niemand?' drong professor Lynn aan. Weer kwam er geen reactie. 'Wat denkt onze comédienne ervan?' Hij raadpleegde zijn namenlijst. Ik wist wat er ging gebeuren, omdat ik gelukkig nog steeds mijn vampiervaardigheid bezat om de emotionele intenties van mensen op te pikken. Ik voelde instinctief dat professor Lynn me wilde uitdagen. Hij liep naar mijn tafel en sloeg zijn armen over elkaar. 'Heb je de eerste vijftig pagina's gelezen? Als het goed is heb je deze zomer een brief en een syllabus ontvangen met de instructies.'

Ik knikte. Hoewel ik geen brief had ontvangen toen ik diep onder de grond mijn winterslaap hield, leek het me verstandiger om dat detail maar even achterwege te laten.

'Vertel ons maar eens wat je ervan vindt, Miss Lenah...' Hij keek op zijn lijst. 'Miss Lenah Beaudonte. Wat is je eerste indruk van *The Awakening*?'

'Wat wilt u precies weten?' vroeg ik, zonder professor Lynns blik los te laten. Hij gebruikte me om een voorbeeld te stellen, de toon te zetten – dit was een machtsstrijd. En na het incident met Tracy, bij de trap, was ik van plan te winnen. Onze blikken waren wrokkig, zijn ogen waren meedogenloos. Als professor Lynn ooit tot vampier zou worden gemaakt, zou hij zeer angstaanjagend zijn.

'Ik vroeg wat je dacht van *The Awakening*. De eerste vijftig bladzijden. Welk aspect dan ook,' zei professor Lynn. Zijn zelfvoldane toontje was misselijkmakend. Zo typerend voor de menselijke aard, dacht ik.

Justin gniffelde. Ik had nog nooit in een klaslokaal gezeten en ik vond het nu al niet meer leuk. Tracy wreef met haar knie tegen die van Justin en ze lachten allebei om mijn stugge reactie. Ik wierp hun een snelle blik toe en keek weer naar professor Lynn.

'Goed,' zei ik. 'Ik houd er niet van om onderdrukt en gedomineerd te worden. Het hoofdpersonage Edna Pontellier werd haar hele leven onderdrukt. Daar gaat het boek over. Het hoofdpersonage komt in opstand tegen de sociale restricties die haar zijn opgelegd. Ze voelt zich gevangen. Als u werkelijk mijn mening wilt weten en er niet op uit bent om me een onvoldoende te geven voor deze opdracht: ik vind het een vreselijk boek.'

Stilte. Toen gegrinnik.

'Vreselijk?' fluisterde Tracy in Justins oor, mijn accent imiterend.

'En dat maak je op uit de eerste vijftig bladzijden?' vroeg professor Lynn met opgetrokken wenkbrauwen.

'Ik heb het boek al eens gelezen.'

Nu lachten ze niet meer. Ik zakte nog wat verder onderuit op mijn stoel en sloeg mijn linkerbeen over mijn rechterknie. Mijn lange benen zagen er slungelig uit. Professor Lynn liep terug naar zijn bureau en draaide zich toen weer naar me om.

'Je hebt *The Awakening* al gelezen?'

Ik heb een eerste druk, een gebonden uitgave, in mijn huis in Hathersage, dwaas.

'Ja, meneer. Drie keer.'

Een uur later liet ik mijn Engelse boeken in mijn tas vallen. Nadat ik had gekeken of ik Justin nog ergens zag, liep ik naar de deur.

'Miss Beaudonte?'

Ik draaide me om. Professor Lynn stak een handgeschreven briefje naar me uit. Ik hing mijn rugzak over mijn schouder en liep naar zijn bureau om het aan te nemen.

'Omdat je al zo veel weet van *The Awakening* en de rest van de klas niet, geef ik jou een paar extra schriftelijke opdrachten. Anders is het niet eerlijk, Lenah. Jouw kennis van literatuur geeft je een voorsprong op de anderen.'

Ik knikte, hoewel ik mezelf in stilte wel voor mijn kop kon slaan. Ik had hem makkelijk kunnen laten denken dat ik het boek nooit had gelezen, als ik me een beetje normaal had gedragen. En als professor Lynn mij er niet zo uit had gepikt. Het was niet eerlijk. Maar ja, wat kon ik ervan zeggen? Tot een paar dagen ervoor had ik me nooit zo beziggehouden met rechtvaardigheid.

Ik zou mijn ingewanden niet willen bezoedelen met wat jij bent.

Mijn eigen stem weerklonk in mijn hoofd. Ik haalde diep adem en sloot mijn ogen terwijl een golf van opluchting door me heen sloeg. Dergelijke kwaadaardigheid kon ik gelukkig niet oproepen in mijn menselijke staat. Nog niet, althans. Met die gedachte kwam ik bij de deur van het klaslokaal.

'Je vindt haar mooi,' hoorde ik Tracy op verwijtende toon zeggen. Meteen bleef ik staan.

'Nee,' antwoordde Justin, hoewel ik wist dat hij loog. Ik wist hoe een leugen klonk. Ik was zelf een ster in liegen.

'Jawel. Ik weet het heus wel. Je zat naar haar te kijken in de klas.'

'Omdat professor Lynn haar zo hard aanpakte.'

'Ze is een slet,' zei Tracy. 'En ik heb gehoord dat ze met Tony Sasaki gaat.'

'Ja, oké, mij best, ze is een hoer. Kunnen we nu gaan?' vroeg Justin.

'Ze is hier nog maar net, maar ze voelt zich heel wat. Ze sluipt hier maar rond met haar zonnebril op en praat met niemand behalve Tony. Gestoorde bitch,' voegde Tracy eraan toe.

Een hete gloed welde op in mijn borstkas, omcirkelde mijn hart. O, die menselijke gevoelens, die hormonen die steeds maar opborrelden onder mijn huid... zo irritant. Ik liet mijn tong over mijn lippen glijden, verwachtend dat mijn hoektanden omlaag zouden komen. Ik wachtte – geen tanden. Ik slaakte een zucht.

'Kunnen we erover ophouden? Ik moet zo trainen,' zei Justin.

Ik klemde mijn kaken op elkaar, zette mijn zonnebril op en stormde de klas uit, expres tussen Tracy en Justin door. Justin knipperde met zijn ogen en hapte even naar adem, nauwelijks merkbaar. Maar ik hoorde het terwijl ik voorbij denderde.

Zo snel mogelijk liep ik de trap af en racete de lange gang door. Vlak voordat ik naar buiten liep, het grasveld op, keek ik naar links. Ik was bij de trap naar de kunsttoren. Mijn woede was zo overweldigend dat ik één vreselijk moment wenste dat ik weer een vampier was. Dat ik de kracht van mijn coven kon inzetten om zowel Tracy als Justin de stuipen op het lijf te jagen. In plaats daarvan ging ik naar boven, om Tony te zoeken.

'Ik begrijp het niet. Wat mankeert die mensen toch, verdomme?' vroeg ik. Het was twintig minuten later en ik liep te ijsberen terwijl ik ondertussen op de klok keek. Tony en ik waren alleen in het atelier, en dat was prettig want nu kon ik zeggen wat ik wilde zonder mezelf te censureren. Zelfs mijn tatoeage kon me niets meer schelen. Weer keek ik naar de klok. Ik had nog een kwartier voor mijn volgende les: geschiedenis. Nu ik me eraan moest houden leek die klok overal te zijn – alsof hij de spot met me wilde drijven. Ik had nog nooit eerder over de tijd hoeven nadenken. Ik had zo veel tijd gehad als ik had gewild. Ik had de eeuwigheid.

'Ik heb heus wel eens muziek gehoord,' zei ik, nog steeds ijsberend. 'Alleen niet op die manier, in een luisterkamer.'

Of op een stereo, dacht ik. Maar ik besloot dat maar niet hardop te zeggen.

Tony was een schets van me aan het maken, hoewel ik hem eraan had herinnerd dat hij me nog niet had leren autorijden.

'Zaterdag,' zei hij, en hij zette de radio die links van hem stond wat harder. 'Zaterdag, dan gaan we heel Lovers Bay doorkruisen.'

'Wie denken ze wel niet dat ze zijn? Slet!' zei ik spottend. 'Ik heb zelfs nog nooit seks gehad.'

(Oké, ik had nog nooit menselijke seks gehad.)

'Tracy Sutton en Justin Enos hebben iets met elkaar,' zei Tony, van achter zijn schetsblok. 'Tracy is een kreng. Justin is een rijke jongen die toevallig goed is in het schrijven van werkstukken. Het is onvermijdelijk dat ze een hekel aan je krijgen. Jij bent slim en je hebt ze net verslagen op hun eigen terrein.'

Met toegeknepen ogen keek hij me aan en daarna begon hij weer driftig te schetsen. Er klonk nu een andere soort muziek uit de radio, iets met een hoop trommelslagen en repeterende, ritmische geluiden.

'Je bloost nu wel heel mooi, dus misschien moeten ze je wat vaker kwaad maken. Dat is beter voor het portret,' zei hij, en hij reikte naar een perzikkleurig potlood.

Ik wreef over mijn wangen en liep naar het raam. Overal liepen leerlingen van Wickham de gebouwen in en uit. Aan de schaduwen op het gras zag ik dat het bijna elf uur was. Vampiers zijn niet van nature in staat om te zien hoe laat het is aan de schaduwen van de zon. Het is een talent dat ontstaat uit noodzaak. Talloze vampiers zijn in rook opgegaan, dankzij een verkeerde berekening.

Op het grasveld achter Quartz renden jongens op en neer terwijl ze elkaar op het hoofd sloegen met een stok waaraan een netje zat. Op de achterkant van hun shirts stonden een nummer en hun achternaam. Twee van de broertjes Enos hielden zich bezig met deze bespottelijke activiteit. De ene was Justin en de andere was Curtis, Justins oudere broer.

'Wat doen ze daar?' vroeg ik, wijzend naar de jongens. Tony stond op met een potlood nog in zijn hand en wiegend op de muziek kwam hij naar het raam.

'Lacrosse. Dat is heilig, op Wickham.'

'Echt?' Mijn ogen werden groot. 'Wat is lacrosse?'

Tony lachte, en ik begreep dat ik mijn onwetendheid misschien iets beter moest verbergen.

'Als je straks naar de bibliotheek gaat, Lenah, zoek het dan even op. Als je niet weet wat lacrosse is, krijg je hier echt problemen. Niet met mij,' verduidelijkte Tony, 'maar met die domme eikels die zich bezighouden met die onzin.'

'Lacrosse. Oké.' Ik liep naar de deur om mijn spullen te pakken. 'Maar weet je,' zei ik, me weer naar Tony omdraaiend. 'Ik heb al problemen. Ik ben een slet en een betweter en ik ben lelijk. En dat was alleen nog maar vandaag.'

Tony ging zitten en keek me met toegeknepen ogen aan. Toen vervaagde hij wat lijnen op het papier met het puntje van zijn ringvinger. Vervolgens schetste hij er weer lustig op los.

'Lelijk ben je zeker niet,' zei hij.

8

Rond half vier 's middags was ik klaar met mijn laatste les van de dag. Terwijl ik Hopper verliet, zette ik mijn zonnebril en mijn breedgerande hoed op en stapte het grasveld op dat zich uitstrekte tot aan Quartz. Ik was op weg naar de bibliotheek, om te werken.

Ik probeerde aan mijn nieuwe baantje te denken en aan het leven dat voor me lag, in plaats van te blijven malen over Justin Enos die me een hoer had genoemd. Ook probeerde ik te bedenken hoeveel dagen het zou duren voor mijn overgang naar de levende, ademende wereld voltooid zou zijn. Miste ik het walsen in mijn landhuis in Hathersage? Miste ik de steegjes in Londen en andere internationale steden, het vermoorden en pijnigen van onschuldige mensen, overal waar ik kwam? Nee. Dat miste ik niet. Maar ik verlangde wel naar de gezichten van mijn coven. De mannen die ik eeuwenlang had gekend. De mannen die ik had getraind om te moorden. Mijn broeders.

Nu ik menselijk was, moest ik rekening houden met data en tijden. Het was 7 september. Er waren nog vierenvijftig dagen te gaan tot de laatste nacht van Nuit Rouge. Vierenvijftig dagen voordat Vicken mijn ontwaken verwachtte. Vierenvijftig dagen voordat de jacht op mij zou worden geopend.

Eenmaal op mijn plekje achter de informatiebalie haalde ik professor Lynns opdracht tevoorschijn. Die leek simpel: 'Schrijf een essay van vijf paragrafen en bespreek een van de manieren waarop Edna "gewekt" wordt in Chopins *The Awakening*. Gebruik specifieke voorbeelden.'

Ik had meer dan genoeg tijd, mijn dienst was van vier tot zes. Ik begon meteen informatie te verzamelen. Ik haalde wat boeken van de afdeling met naslagwerken en had al een raamwerk voor mijn essay op papier staan toen een stem zei: 'Kan ik je even spreken?'

Ik keek op. Daar stond Justin Enos.

'Nee,' zei ik, en ik keek weer naar mijn papier. Ik kon hem werkelijk niet aankijken. Zijn ogen en mond waren zo onwaarschijnlijk mooi. Hij had zijn sportkleren nog aan, en een paar modderige sneakers. Ik wilde dat dikke goudblonde haar aanraken, dat in wilde krullen en slordige plukken tegen zijn hoofd zat geplakt. Op zijn wangen lag nog een blos, en er druppelde zweet langs zijn bakkebaarden omlaag.

'Er zijn wel negenhonderd dingen die ik je wil zeggen,' probeerde Justin uit te leggen.

Waarom moesten zijn lippen nou zo vol en verleidelijk zijn?

Ik pakte wat boeken op en liep het doolhof van boekenkasten in.

'Ik wil mijn excuses aanbieden,' zei Justin, terwijl hij achter me aan liep. Ik schoof een boek op zijn plaats in de kast en liep door. Ik concentreerde me op het terugzetten van de vier boeken in mijn hand.

'Wat Tracy zei, was gewoon stom, en ik had niet...'

'Hou nou maar op, oké?' zei ik, stug doorlopend. 'Doe je dat bij iedereen? Buiten in de stromende regen gaan staan en een meisje vragen waarom ze verdrietig is? En haar dan belachelijk maken? Waarom zou je eigenlijk je excuses aanbieden?'

Justin bleef midden in het gangpad staan. 'Tracy is gewoon jaloers. Dat had je niet verdiend.'

Dat had je niet verdiend...

116

De zin echode in mijn oren, stuurde trillingen door mijn hoofd en galmde in mijn geest. Het laatste boek zette ik op goed geluk terug. Toen draaide ik me om naar Justin en sloeg mijn armen over elkaar.

'Weet je wat ik nou niet begrijp, van mensen?'

Justin schudde zijn hoofd en fronste zijn wenkbrauwen – hij was oprecht nieuwsgierig.

'Dat ze genieten van andermans ellende. Dat ze elkaar oprecht pijn willen doen. Zo iemand wil ik nooit meer zijn en met dat soort mensen houd ik me ook niet meer op.' Mijn schaamte verraadde zich met een diepe zucht.

'Zo ben ik niet,' zei Justin. Aan de blik in zijn ogen zag ik dat hij me niet echt kon volgen.

Op dat moment zag ik vanuit mijn ooghoek grote gouden letters. Ik draaide mijn hoofd, om te kijken naar de rug van het boek. Het heette: *Een geschiedenis van de Orde van de Kousenband.* Ik pakte het en stopte het onder mijn linkerarm. Justin deed een paar stappen naar voren en kwam bij me staan. Zijn borstkas ging op en neer onder zijn strakke T-shirt.

'Je bent echt heel bijzonder,' zei Justin. 'Ik bedoel, hoe je praat. Dat is zo...'

'Brits?'

'Nee. Ik luister graag naar wat je te zeggen hebt. Je bent slim.'

Ik weet niet of hij een stap naar voren deed of ik, maar plotseling stonden we heel dicht bij elkaar, Justins lippen op maar een paar centimeter afstand van de mijne. Hij rook zoet, naar vers zweet. Ik wist dat zijn hart nog flink aan het pompen was en dat zijn bloed sneller dan normaal door zijn aderen stroomde. Ik wenste dat ik kon ophouden met die berekenende vampiergedachten. Maar het is zoals ze zeggen, oude gewoontes slijten langzaam.

'Ik ben slim genoeg om bij jou uit de buurt te blijven,' fluisterde ik, hoewel ik naar Justins lippen keek. Justin leunde naar voren, en net toen ik dacht dat hij me ging kussen stak hij zijn hand uit om het boek onder mijn arm vandaan te halen. Ik haalde diep adem. De geur van gras had zich vastgezet in zijn huid. Hij was nog steeds gevaarlijk dicht bij mijn mond. Weer die drang om te bijten. Ik wachtte af of mijn hoektanden omlaag zouden komen. Ik opende mijn mond, ontblootte mijn tanden een beetje. Zodra Justin zich terugtrok, huiverde ik en liet mijn adem ontsnappen. Ik schudde even met mijn hoofd en sloot snel mijn mond.

'Waarom wil je dit lezen?' vroeg hij, terwijl hij het boek aan beide kanten bestudeerde.

'O, voor geschiedenis,' loog ik.

'En, kan ik het nog goedmaken?' vroeg hij. Hij gaf me het boek terug, liet zijn rechterhand op de boekenplank rusten en hield zijn linkerhand achter zijn rug.

'Wat wil je goedmaken?'

'Hoe Tracy deed. En hoe ik deed. Dat we je daarstraks belachelijk maakten,' zei hij, en een roze blos kroop over zijn wangen.

'En hoe wou je dat doen?' vroeg ik.

'Daar ben je!' riep een schrille stem. Justin draaide zich met een ruk om. Tracy en de andere twee meisjes van de Three Piece stonden aan het eind van het gangpad. Tracy had haar hand op haar linkerheup gezet. Het was duidelijk dat ze hun kleren op elkaar hadden afgestemd. Ze hadden alle drie een strakke stretchbroek aan, elk in een andere kleur, die aan hun tengere lichaam kleefde en hetzelfde soort hemdje erboven.

Ik voelde me een slecht geklede reuzin.

'Curtis zei dat hij je de bibliotheek binnen zag gaan,' zei Tracy, en ze liet haar armen om Justins middel glijden. Ik wendde me af en liep terug naar de balie, alsof ons gesprek nooit had plaatsgevonden. Ik was niet van plan om met Tracy te communiceren. Ik weigerde de mindere te zijn. De andere twee meisjes, die aan het eind van het gangpad waren blijven staan, staarden me aan. De kleinste, Claudia, glimlachte terwijl ik dichterbij kwam.

'Mooie tatoeage,' zei ze. Ze draaide zich om naar het andere meisje, Kate, en ze wisselden een sluwe blik. 'Mogen we hem van dichtbij zien?'

Zodra Claudia naast me stond, boog ik me naar haar toe en fluisterde: 'Er zit wat tussen je tanden.'

Er zat niets tussen haar tanden, maar Claudia haalde meteen een spiegeltje tevoorschijn om het te controleren. Ik keek nog even om naar Justin, wiens handen zich nu bezighielden met Tracy's heupen.

Later die avond zat ik te eten met Tony. Ik nam net mijn laatste hap van de dagschotel: kipfilet met een of andere roomsaus. Ik kon gewoon niet ophouden met glimlachen als ik at, ik proefde zo veel smaken in mijn mond. Het houtige van tijm. Het scherpe, doordringende van oregano. En suiker, natuurlijk.

Terwijl we ons eten naar binnen werkten, vertelde ik wat er in de bibliotheek was gebeurd met Claudia. Tony moest zo hard lachen dat ik zijn achterste kiezen kon zien. Hij had een honkbalpet achterstevoren op zijn hoofd en droeg hetzelfde witte T-shirt van die ochtend, alleen was het nu bedekt met vegen houtskool en verfspetters.

119

'Geweldig! Claudia Hawthorne is zo'n bitch!'

Terwijl Tony een botje zat af te kluiven, zag ik over zijn rechterschouder dat Justin de Union binnenkwam met Tracy aan zijn arm. Eenmaal binnen liepen ze elk een andere kant op, en de leden van de Three Piece gingen naar de saladebar. Ze wiegden met hun heupen, en hoewel ze gekleed waren in spijkerbroeken en T-shirts wenste ik dat ik iets anders had aangetrokken dan de kleren die ik al de hele dag droeg. Tony's blik volgde de mijne, en dus draaide hij zijn hoofd om, om te kijken.

'Justin! Houd een plekje voor ons vrij!' riep Tracy, en ze wierp Justin een kushandje toe. Claudia en Kate haakten hun armen door die van Tracy en zo sloten ze aan bij de andere leerlingen die stonden te wachten om hun borden vol te scheppen met salade.

'Nou heeft hij opeens weer een snorkelkick,' hoorde ik Tracy zeggen.

'Nou ja, het is nog steeds dik 25 graden buiten,' zei Claudia, en ze gooide haar haren over haar schouder.

'Ja, maar in september?' vroeg Tracy.

'Twee weken geleden was het nog augustus, Tracy,' zei Kate, terwijl ze een bord van de saladebar pakte.

Ik keek naar Justin en zag dat hij zijn ogen door de ruimte liet dwalen. Hij checkte alle tafeltjes, en toen zijn blik op mij viel, lachte hij een klein lachje. Zijn ogen waren vrolijk, vol verwachting. Hij liep rechtstreeks op onze tafel af.

'Wat heb je met die arme jongen uitgespookt?' vroeg Tony, die zich weer naar me omdraaide met een mond vol kip. Toen hij nog een hap nam, zag ik dat zijn vingertoppen zwart zagen van de houtskool.

'Hoezo, wat heb ik met hem uitgespookt?'

'Hij komt hierheen.'

Ik had alleen nog tijd om mijn schouders op te halen, want het volgende moment stond Justin al naast ons.

'Hoe is-ie, Sasaki?' zei hij met een nonchalant knikje tegen Tony.

Tony knikte terug. Justin leunde met beide handen op de tafel.

'Kan ik je spreken?' vroeg Justin aan mij.

'Dat heb je toch al gedaan? In de bibliotheek?'

'Ja, maar ik wil je iets vragen.'

Justins blik ging nadrukkelijk even naar Tony, en toen weer terug naar mij. Tony zag het niet, omdat hij naar mij keek.

'Als je me iets te vragen hebt, kan dat ook waar Tony bij is,' zei ik.

Tony lachte naar me, met gesloten mond omdat hij nog aan het eten was. Zijn blik was warm, en ik wist dat ik iets goed had gedaan.

'Oké dan. In de bibliotheek kwam ik er niet meer aan toe het te vragen. Maar ik voel me echt rot over wat ik heb gezegd. Heb je zin om zaterdag met ons mee te gaan snorkelen?'

Justins uitdrukking was kalm, maar er lag een zekere gretigheid in zijn ogen. Het woord snorkelkick kaatste door mijn hoofd, en ik dacht aan de manier waarop Claudia haar haren over haar schouder had gegooid.

'Een hele dag met jou en je vrienden? Nee, dank je,' zei ik.

Tony gniffelde en keek naar zijn bord om zijn lach te verbergen. Ik had geen idee wat snorkelen was, maar zoals gewoonlijk besloot ik dat ik dat maar beter niet kon laten merken. Ik zag ondertussen dat Tracy steeds mijn kant op keek, vanaf de saladebar. Justin bleef strak naar mij kijken.

'Mijn broers gaan ook mee, dus je zit niet alleen met mij en Tracy opgescheept,' zei hij. Ik bestudeerde zijn gezichtsuitdrukking en herinnerde me hoe complex de emoties achter de blik in mensenogen zijn. Die manier waarop iemands blik zich in de jouwe kan boren, met een boodschap die alleen voor jou bestemd is – wat Justin nu bij mij deed. Hij sprak tegen me zonder hardop iets te zeggen. Maar hij hield iets achter, dat voelde ik. Hij keek me luchtig aan, maar vanbinnen voelde hij veel meer dan hij uitte. Dat wist ik dankzij mijn vermogen om de emoties en intenties van anderen te lezen, en daar was ik dankbaar voor.

'Ik ga mee, als Tony ook meegaat,' zei ik, terwijl ik mijn kin omhoogstak. Tony, die heel tevreden zat te kauwen op het laatste restje salade, hield meteen zijn kaken stil. Zijn mondhoeken trokken omlaag, en hij pakte een servetje.

'Prima! Dan zien we jullie op de parkeerplaats bij Seeker, zaterdag om één uur 's middags.'

Zodra Justin was weggelopen naar de saladebar om zich bij Tracy te voegen, slikte Tony zijn hap weg en opende hij de aanval.

'Luister, Lenah, dat was geloof ik de eerste keer in vier jaar tijd dat Justin Enos een woord tegen me gezegd heeft. Ik haat dat soort jongens. Ik haat ze met elke vezel van mijn lichaam. Als ik weet dat zij ergens heen gaan, ga ik niet. Expres, zeg maar.'

'Denk aan alle dingen die je te zien krijgt, als je gaat snorkelen,' zei ik. 'Alle dingen die je kunt tekenen.'

'Wacht.' Tony knipperde met zijn ogen alsof er opeens iets tot hem doordrong. Hij legde zijn vork neer. 'Tracy heeft op de boot vast zo'n piepklein bikinietje aan.'

122

Dus snorkelen had iets met een boot te maken. Interessant... 'Ja, vast.' Ik boog me naar hem toe. 'Dan heb je allemaal modellen bij de hand,' zei ik met een glimlach. Tony draaide zich om en keek naar de saladebar.

'Dat kan nog wel eens leuk worden,' zei hij. 'Ik kan de hele dag naar hun tieten loeren en doen alsof het voor mijn tekeningen is.'

Ik lachte hard, een echte lach, die diep vanuit mijn buik kwam.

De avond was het prettigste moment van de dag. Mijn ademhaling was dan rustig en gelijkmatig. Mijn ogen knipperden langzamer – het was makkelijker om me te ontspannen. De minuten gingen echter te snel voorbij; mijn nieuwe menselijke lichaam had meer tijd nodig om te slapen dan me lief was. Die avond zat ik op de bank met mijn voeten onder me opgekruld. Wit kaarslicht flakkerde over de leren kaft van het boek over de Orde van de Kousenband dat dichtgeslagen op de salontafel lag.

Ik leunde naar voren en sloeg het zware omslag open met mijn wijsvinger. Op de titelpagina stond 'Een complete geschiedenis'. Ik begon het boek door te bladeren, bladzij voor bladzij.

Ik sloeg het weer dicht, legde het op mijn schoot en liet mijn vinger over het dikke leer glijden. De titel stond er in reliëf op, in goudkleurige letters. Voor ik wist wat ik deed, opende ik het weer en bladerde door naar het hoofdstuk dat was getiteld: '1348, Het begin'. Daar, onder de originele namen van de ordeleden, stond een gravure afgebeeld, het portret van een man. En onder die gravure stond de naam, Rhode Lewin. De Britse ridder die trouw had gezworen aan koning Edward de

Derde. Daar waren zijn verfijnde gelaatstrekken, zijn hoekige kaak. De gravure deed geen recht aan de vampier die ik, bevoorrecht als ik was, zo goed kende. Ik liet mijn vingers over de afbeelding glijden, maar het enige wat ik voelde was hoe glad de bladzijde was.

Ik keek naar mijn bureau. Er stonden twee foto's. De ene was wat een daguerreotype werd genoemd, een foto op een spiegelend oppervlak; een stukje glas, niet groter dan een portretfoto. Op de daguerreotype stond ik afgebeeld met de coven, maar daar had ik nu geen belangstelling voor. Ik keek naar de foto van Rhode en mij. Ik focuste op Rhodes ongrijpbare gloed, de koninklijke blik in zijn ogen, en natuurlijk het scheve lachje. Mijn maag leek zich om te keren, en ik haalde diep adem. Ik stond op van de bank en liep met gebogen hoofd de slaapkamer in. Ik voelde een zeurende pijn, diep vanbinnen.

'Waar ben je nu?' fluisterde ik in de lege kamer.

Ik liet het boek open op de salontafel liggen zodat Rhodes portret naar het plafond van de woonkamer zou blijven staren. De kaarsen flakkerden en wierpen grillige schaduwen in het appartement. Soms doofden ze midden in de nacht uit, maar ik ging altijd slapen met brandende kaarsen. Ik zag de vlammen huiveren in een onzichtbare bries. De dans van hun donkere schaduwen deed me aan thuis denken.

9

'Claudia!' riep Roy Enos. Claudia had een strakke witte jongensonderbroek in haar hand en hield hem hoog boven haar hoofd. Ze rende heen en weer voor Quartz, met Roy achter haar aan. Ten slotte tackelde hij haar, legde haar op de grond en wreef haar neus in het ondergoed. De rest van de Enos-clan zat in een groepje bij elkaar zo hard te lachen dat Kate met haar handen haar buik moest vasthouden.

Ik zat achter een boom en keek toe. Hoewel die meisjes me voortdurend een griezel en een bitch noemden was ik toch gefascineerd. Waarom veroordeelden de vrouwen in deze eeuw elkaar zo meedogenloos? Misschien hadden ze dat altijd gedaan en had ik het nooit geweten – ik was gedwongen geweest om alles van buitenaf te bekijken, door de eeuwen heen.

In deze septemberdagen leek de tijd maar heel langzaam te verstrijken. Ik hoopte dat het zo zou blijven, want met elke dag die voorbijging kwam ik dichter bij het begin van Nuit Rouge. Ik geef toe dat ik me makkelijk liet afleiden. Behalve met mijn lessen en mijn baantje in de bibliotheek hield ik me op Wickham maar met één ding bezig: Justin Enos volgen. Je zou kunnen stellen dat mensen een aura hebben, dat de energie die ze in zich hebben naar buiten straalt en een kleurige gloed verspreidt rond hun lichaam. Justins aura was goudkleurig en helder. Hij racete met speedboten, reed in een snelle auto, beoefende zware sporten. Een paar keer, tijdens die eerste dagen, kwam hij van het lacrosseveld af met bloed op zijn shirt. Het was niet zo moeilijk om hem te volgen. Meestal zat hij op zijn vaste plekje in de bibliotheek, in de kleine studiezaal. Over de bovenkant van de boeken staarde ik naar zijn witte tanden en zijn gouden haren die wild overeind stonden. Het kon me niet eens schelen dat hij altijd samen was met de Three Piece en zijn broers Curtis en Roy. Ze waren net een roedel wilde dieren. De rituelen in hun gedrag, hoe ze elkaar aanraakten, de sociale interactie. Ik kan het niet uitleggen, maar ik werd er heel rustig van. Dit was wat ik als vampier altijd had gedaan: naar mensen kijken, staren tot ik wist hoe hun borstkas bewoog als ze ademden. En dan vermoordde ik ze. Op Wickham was Tony de enige met wie ik optrok. Zijn vriendschap hield me gezelschap, net als de herinneringen aan mijn vampierleven die zich ophoopten in mijn hoofd als een stapel boeken. Elke herinnering een leren band, op een stapel die steeds hoger reikte, naar een eindeloos hoog plafond.

Op woensdagochtend had ik anatomieles, om negen uur. De dag ervoor hadden Tony en ik bij het ontbijt tot onze vreugde ontdekt dat we samen in die klas zaten. We zouden twee keer per week een dubbel uur anatomie hebben.
'Doodshoofden?' vroeg ik Tony, toen ik uit Seeker naar buiten kwam. Hij zat op een bankje tegenover de parkeerplaats en droeg een zwart T-shirt bedekt met schedels en gekruiste botten. Ook droeg hij een zwarte broek en zijn twee verschillende zwarte laarzen.
'Ter ere van onze bloederige bezigheden straks,' zei hij. Samen liepen we van Seeker naar de gebouwen waar de exacte vakken werden gegeven. Tony nipte van een beker koffie. We volgden het slingerende pad een paar honderd meter. Ik liep, uiteraard, in de schaduw van de bomen.
'Wat ga je doen in de winter?'

'Hè?' zei ik.

'Als er geen bladeren meer aan de bomen zitten en je je niet meer onder de takken kunt verschuilen.'

Knap lastige vraag.

'Dan neem ik een grotere hoed,' zei ik. Ik probeerde te glimlachen en de conversatie luchtig te houden.

De lessen natuur- en scheikunde en biologie werden gegeven in een paar gebouwen vlak voor de trap die naar het strand leidde. Ze waren opgetrokken uit rode baksteen en vormden een halve cirkel. In het midden stond een fontein, een bronzen sculptuur van madame Curie, een wetenschapper die het element radium had ontdekt. Het water spoot in een boog uit haar handen. We liepen langs haar heen het middelste gebouw in.

Tony bekeek me van top tot teen. 'We zijn binnen. Je kunt hem nu wel afdoen.'

Ik schoof mijn zonnebril in mijn tas. Tony en ik liepen langs posters voor veilige seks en voor de biologieclub. We werden gepasseerd door allerlei leerlingen, jongere en oudere (relatief dan), en ik keek net zo nieuwsgierig naar hen als zij naar mij. Tony wees naar de deur aan het einde van de gang. We hadden les op de begane grond.

'Als je alles zou kunnen worden wat je maar wilt, als je later groot bent, wat zou je dan kiezen?' vroeg Tony.

Onder het lopen keek ik naar de linoleumvloer. Hij was net in de was gezet en mijn laarzen produceerden een venijnig getik terwijl we door de gang liepen.

'Ik weet het niet,' zei ik. 'Mijn leven was tot nu toe nogal... anders.'

Dat was waar. Ik had nooit veel meer te doen gehad dan lezen, studeren en eh... moorden.

127

'Kom op, er moet iets zijn wat je leuk vindt,' zei Tony, terwijl we eindelijk aankwamen bij de deur van het laboratorium. Ja, wat vond ik eigenlijk leuk? Ik draaide de onyxring rond mijn vinger en dacht erover na. Ik was al bijna vergeten dat ik hem droeg. Hoewel ik er op dit soort momenten altijd aan herinnerd werd, als ik na wilde denken. Ik vond biologie leuk. Ik vond het geweldig om te onderzoeken hoe de mens werkte. Vooral om mijn eigen verlangen te bevredigen. Ik keek naar mijn vingers die de ring ronddraaiden en stak mijn handen in mijn zakken.

Het biologielokaal was eenvoudig ingericht. Er stonden rijen onderzoekstafels, elk met twee zitplaatsen. De ramen boden uitzicht op het beeld van madame Curie. Onder de ramen waren kastjes. Elke tafel had zijn eigen spoelbak en bunsenbrander, een kleine brander om proefjes mee te doen. Ik volgde Tony die naar achteren liep, waar een tafel vrij was. Ik kreeg de kans niet meer zijn vraag te beantwoorden omdat de rest van de leerlingen achter ons aan de klas in kwam.

Ik gleed op mijn plek naast Tony. Hij nipte van zijn koffie en haalde toen een boek uit zijn tas. Ik volgde zijn voorbeeld. Een jonge docente kwam de klas binnen, gevolgd door een paar laatkomers, onder wie Justin Enos. Mijn hart begon wild te kloppen nu hij zo plotseling opdook. Dit was de enige andere les die we samen hadden, naast Engels. Ik keek omlaag, van hem weg, naar mijn blanco notitieblok. Ik streek mijn haar glad en wierp de langere lokken over mijn schouder. Tony zat te kletsen met iemand in de rij voor ons, maar ik probeerde me te concentreren. Ik wilde naar Justin staren, met hem praten. Ik wilde snorkelen. Ik wilde dat het zaterdag was.

'Anatomie voor gevorderden is het zwaarste vak op Wickham.

Ik heb geprobeerd me ziek te melden voor de toelatingstest vorig semester, maar toen mijn zus daar achter kwam heeft ze me met de strijkstok van haar viool op mijn hoofd getimmerd tot ik de test alsnog ging maken,' hoorde ik Tony zeggen tegen degene die voor ons zat.

'Je zus?' vroeg ik hem. 'Ik wist niet dat jij broers en zussen had.'

'Ze is echt een studiebol. Zit me continu op mijn kop.'

Vreemd. Het was al zo lang geleden dat iemand me op mijn verantwoordelijkheid tegenover mezelf had aangesproken, dat het er niet meer toe leek te doen wat ik wel of niet deed. Ik was alleen maar hier op Wickham omdat Rhode van me hield en was gestorven om dat te bewijzen.

De docente zette een koffertje op tafel. Iedereen reikte naar zijn notitieblok, maar de docente glimlachte.

'Jullie mogen best pen en papier pakken, maar dat hoeft niet. Nog niet.'

Ze reikte omlaag en tilde een koelbox op haar tafel.

'Ik ben jullie anatomiedocente, Mrs.Tate. Ik ben helemaal nieuw hier op Wickham. Ik hoop dat jullie me niet alleen jullie aandacht zullen geven, maar ook jullie respect.' Niemand zei iets. Kennelijk was dat gepast. 'Vandaag geef ik jullie een voorproefje van wat we dit semester in mijn lessen gaan doen.'

Ze stak haar hand in de koelbox, haalde er iets wits in een plastic zak uit en legde het op de tafel voor in de klas, zodat iedereen het kon zien. De zak was zo koud dat hij vanbinnen beslagen was. We konden niet zien wat erin zat, zelfs ik niet. Ik kon niet door mist heen kijken.

'Goed,' zei Mrs. Tate, en ze draaide de lichten wat lager. Toen trok ze een scherm omlaag en begon ze haar les. Het witte ding in de plastic zak lag nog steeds op de tafel. Ik wilde niet kijken – ik had zo'n gevoel dat het iets doods was.

Justin, die op de voorste rij zat, keek naar me om en glimlachte. Ik voelde een tinteling in mijn maag. Ik glimlachte ook, maar het was nauwelijks zichtbaar. Mrs. Tate vroeg of iemand de stof al had doorgenomen. Dat had niemand gedaan.

'Welnu, als je dat wel gedaan had, zou je weten dat we dit semester beginnen met bloed.'

Ondanks alle verwarrende reacties in mijn lichaam rolde ik even met mijn ogen. Hoe toepasselijk.

De lichten gingen uit. Instinctief keek ik om me heen – het lokaal was nu gehuld in een grijzig licht. Mrs. Tate haalde een schakelaar over aan de achterkant van een klein apparaat voor in het lokaal. Er klonk een zacht gezoem. Toen verscheen er een afbeelding van een menselijk hart, een echt hart, op het scherm. Het was alsof je door een enorm vergrootglas keek – weer zo'n technisch hoogstandje, zo'n wonder van de moderne wereld.

'Goed,' zei Mrs. Tate. 'Als jullie de stof hadden doorgenomen zouden jullie nu in staat zijn om de voornaamste onderdelen van het hart te onderscheiden. Dat zijn de...' zei Mrs. Tate uitnodigend. Niemand gaf antwoord. Maar ik wist het.

Ik hoorde Rhode in mijn hoofd. We waren in Londen, in een taveerne, 's avonds laat. Ik was pas vier dagen een vampier en ik had nog zo veel vragen. Terwijl ik keek hoe Mrs. Tate de drie delen van het hart aanwees, kon ik alleen maar Rhodes stem horen.

'Je hebt nu instincten die je eerst niet had.'

'Zoals?' vroeg ik.

De regen kletterde tegen de ruiten van een Britse taveerne

in de 15de eeuw. Het flakkerende kaarslicht wierp een zachte gloed over Rhodes rimpelloze gezicht dat van porselein leek te zijn gemaakt, en ik vroeg me af of ik er in zijn ogen ook zo uitzag. De mannen en vrouwen om ons heen lieten hun glazen tegen elkaar klinken en aten stoofpot uit aardewerken kommen. Ik keek naar de stevige stoofpot, maar wendde me weer af, zonder belangstelling.

'Je zult precies weten in welk deel van de hals je moet bijten. Je zult een deskundige worden op het gebied van wezens waarvan je het bestaan niet eens vermoedde. Je zult je met zo veel precisie voeden, zo exact weten hoe je je tanden in de hals moet zetten, dat je prooi meteen zal sterven.'

In de loop der jaren had ik de techniek nog wel geperfectioneerd, maar Rhode had gelijk gehad. Je beet altijd in de slagader in de hals, die verbonden was met de rechterhartkamer, die het bloed in en uit het hart pompt. Dat was de meest directe manier. De aangenaamste manier. Omdat de vampierbeet niet pijnlijk is – hij geeft het slachtoffer het meest complete gevoel van voldoening dat een mens ooit kan ervaren.

De lichten in het biologielokaal gingen weer aan, maar de stemming was radicaal omgeslagen. Mrs. Tate was zeer teleurgesteld dat niemand zich alvast had ingelezen tijdens de zomer. Nadat ze met nijdige gebaren een paar rubberhandschoenen had aangetrokken haalde ze de witte massa uit de zak. Een paar meisjes hapten hoorbaar naar adem en eentje gilde zelfs. Mrs. Tate liet het dode lichaam van een kat op een metalen schaal vallen.

'Ja, ik weet het, shockerend. Maar dit is anatomie, dus je kunt er maar beter aan wennen dat je bij deze lessen te maken krijgt met dode dieren.'

Ik kon het niet helpen. Ik kwam overeind van mijn zitplaats om het beter te kunnen zien.

'Ook zouden jullie dit moeten kunnen herkennen als het kadaver van een kat.'

Een meisje op de voorste rij barstte in tranen uit, pakte haar spullen bij elkaar en rende het lokaal uit. Terwijl de deur achter haar dichtging, keek Mrs. Tate weer het lokaal in en sprak toen op veel zachtere toon: 'Dit zijn lessen voor gevorderden. Als je voor dit vak een goed cijfer haalt, ben je er niet alleen van verzekerd dat je straks op de universiteit ook bij de gevorderden zit, maar ook dat je voorrang krijgt als je je inschrijft. Als er nog iemand is die er moeite mee heeft om in dode dieren te snijden, moet diegene nu vertrekken.'

Mrs. Tate legde de kat boven op een karretje. Het was net zo'n wagentje als in de bibliotheek werd gebruikt, alleen lagen op het onderste plankje scalpels, mesjes en reageerbuisjes.

'Iemand die de kat aandurft? Wie gaat hem opensnijden zodat we vanbinnen kunnen kijken en jullie, misschien voor de eerste keer, kunnen zien hoe een lichaam eigenlijk werkt?'

Niemand meldde zich.

Ik keek naar Tony, die met grote ogen naar Mrs. Tate zat te staren. Ik keek naar voren, naar Justins verstijfde rug.

Opensnijden? Dat beest was al dood, dus daar was weinig uitdaging aan. En ik kende helemaal geen angst voor dode dingen. Ik keek om me heen. Een jongen op de voorste rij zat wat te tekenen op een vel papier. Het meisje naast hem bladerde door haar leerboek en hield haar ogen op de tafel gericht. De dood was waar de sterfelijken het allerbangst voor waren. Ik zuchtte hoorbaar. Ik kon ademen en de warmte van mijn vingers voelen, hoewel ik geen mens was. Ik was een moordenaar,

een vampier die gevangen zat in het lichaam van een zestienjarig meisje.

Ik stak mijn hand op. Wat was er nou zo erg aan het opensnijden van een kattenlijk?

Mrs. Tate lachte breed. 'Ik had niet verwacht dat er iemand werkelijk dapper genoeg
zou zijn. Kom maar hier, Miss Beaudonte.'

Alle anderen in de klas draaiden zich om en staarden me aan.
Justin trok zijn wenkbrauwen op. Ik liep door het lokaal naar
voren en stak mijn hand uit om een mes te pakken.

'Nee, nee, Lenah. Je moet wel handschoenen aan.'

'O, ja. Natuurlijk,' zei ik, en ik nam een paar rubberhandschoenen aan van Mrs. Tate.

De kat was gevild en had al zo lang in de formaldehyde gelegen
dat het kadaver er niet eens meer echt als een kat uitzag. De
huid was gerimpeld, alsof al het vocht eruit was gezogen. De
bek hing open en de tong had een vreemde, geelwitte tint. In
mijn vorige leven zou ik dat beest met mijn tanden hebben
opengescheurd, maar dit was mijn mensenleven. Ik moest op-
passen voor bacteriën en bacillen.

Ik trok de handschoenen aan, die naar rotte eieren stonken. Ik
gebruikte een klein mes om het rubberachtige kadaver open te
snijden zodat je de goed geconserveerde ingewanden kon zien.
Terwijl het mesje door de huid sneed, voelde ik mijn schouders
ontspannen. Ik liet mijn adem ontsnappen. Ik deed iets wat ik
kon: een lichaam opensnijden.

Het karkas was al voorgesneden, maar ik wilde er zeker van zijn
dat ik het hart kon blootleggen. Dus gebruikte ik mijn vingers
om de huid wat verder open te trekken. De druk van die rubberachtige, dode huid tegen mijn vingers deed me denken aan

de nachten waarin de coven bezig was geweest gaten in de aarde te graven. Ik had de anderen geholpen de lijken op te tillen en ze in de grond te laten zakken. De kat was al minstens zes weken dood. Achter me hapten een paar leerlingen naar adem. Een camera die boven de metalen schaal hing projecteerde het beeld van de kat op een groot scherm. 'Ja,' legde Mrs. Tate uit. 'De ingewanden van een kat zijn zo klein dat ik ze wel moet projecteren op het scherm. Goed, Tony Sasaki,' vervolgde ze, kijkend op de namenlijst. 'Waar moet Lenah zijn als ze ons de rechterhartkamer wil aanwijzen?' Meteen begon Tony door zijn boek te bladeren. 'Eh...' zei hij, om tijd te winnen. 'Ik begrijp dat Mr. Sasaki de stof ook nog niet heeft doorgenomen.' Een paar leerlingen lachten. 'En de linkerhartkamer, Tony?' Eerst had ik Mrs. Tate nog wel relaxed gevonden, maar nu nam ze mijn vriend Tony te grazen. Zijn wangen werden rood, en de andere leerlingen zaten naar hem te staren, zelfs Justin. 'U hebt de vraag niet helemaal helder geformuleerd,' zei ik. Ik praatte snel door, voordat ze me kon tegenhouden. 'De rechterhartkamer zit links, voor het dier zelf. Voor ons is het de rechterkant.' Ik bleef gewoon doorgaan. 'Dit is waar de hartkamers van de kat zitten.' Ik wees naar het kattenlijk. 'Want de kat ligt op zijn rug en we zien nu zijn buikholte.' Mrs. Tate sloeg haar armen over elkaar en liet me vertellen wat ik me kon herinneren over alle onderdelen van het hart. 'En hoe heet dat hele systeem?' vroeg Mrs. Tate. Haar blauwe ogen waren op mij gericht. Ik voelde dat ze wilde dat ik het

134

goede antwoord gaf. Ze wilde dat ik het correct uitlegde, anders dan professor Lynn, de Engelse docent, die me juist voor schut had willen zetten.

Ik dacht aan de boeken in mijn bibliotheek op Hathersage en aan de avonden waarop ik de diagrammen had zitten bekijken bij kaarslicht.

'Het bloedvatenstelsel,' antwoordde ik naar waarheid, en ik overhandigde haar het kleine mes.

'Dank je, Miss Beaudonte,' zei ze.

Ik wist dat ik de kat had opengesneden als een test, voor mezelf. Om te zien of ik meer moeite zou hebben met dood en ontbinding nu ik mens was. Maar dat was niet zo. Mijn hart fladderde en ik knipperde met mijn ogen. Ik at, dronk en sliep. Ik deed wat een mens deed, zeker. Maar die menselijke eigenschappen waren misleidend. Op het moment waarop ik de huid van die kat had opengetrokken, had ik niets anders gevoeld dan een bevrijding van mijn frustratie.

Terwijl ik weer naast Tony ging zitten vervolgde Mrs. Tate haar les.

'Wat Miss Beaudonte vandaag heeft besproken staat in hoofdstuk vijf van het boek. Ze heeft duidelijk al wat ervaring met het ontleden van katten.' Miss Tate pauzeerde, en ik voelde dat Tony zich naar me toe boog. Hij rook naar muskus. Menselijke muskus – gronderig en aards.

'We krijgen dus echt wel een hoog cijfer,' fluisterde Tony. Mijn ogen vlogen naar de tafels voor in het klaslokaal, waar Justin over zijn schouder keek en naar me glimlachte.

10

'Je beseft toch wel dat we partners zijn, hè? Je moet me helpen, dat wordt van je verwacht,' zei Tony. Het was net na de les en Tony huppelde zo'n beetje over het voetpad terug naar Seeker.
'En jij wordt nog steeds geacht mij te leren autorijden,' antwoordde ik.
'Nu we het daar toch over hebben,' zei hij. 'Je moet voor me poseren, voor je portret.'
'Ik dacht dat jij ook iets voor mij zou doen.'
'Kom op. Een uurtje maar. Je hoeft pas om vier uur te werken,' drong hij aan.
'Ik moet eerst mijn portemonnee halen. Kom mee, dan kun je professor Bennetts beroemde kamer zien. Eerst lunchen, dan het portret.'
'Oké!' zei Tony. Ik haalde mijn hoed en zonnebril tevoorschijn terwijl we verder liepen. 'Ik vraag me af of hij er nog rondspookt.'

De ochtendzon begon net de Wickham-campus op te warmen toen Tony en ik Seeker binnen kwamen. Hij liet de bewaker zijn ID-bewijs zien, waarna we de trap begonnen te beklimmen.
'Je weet dat er ook liften bestaan, hè? Die gaan op en neer als je op een knopje drukt. Best handig,' zei Tony hijgend, terwijl we naar de vierde etage liepen.
'Ik ben nog nooit in een lift geweest.'
'Wat? Je bent echt een raar wijf, Lenah.'

Gedroeg ik me wel zoals het hoorde? Misschien was ik wel iets te ver gegaan, met die kat bij de anatomieles. Tony bleef achter me aan sjokken, de trap op.

'Ongelooflijk dat je die kat opensneed zonder met je ogen te knipperen. En dat je het ook totaal niet eng vindt om in Bennetts oude appartement te wonen. Hij was heel aardig, begrijp me niet verkeerd. Maar even serieus, Len, het is wel griezelig.'

Ik stopte bij mijn deur en liet de sleutel in het slot glijden.

'Ik heb nergens last van,' antwoordde ik.

'Maar die vent is hier *doodgegaan*,' zei hij, terwijl we nog op de gang stonden. Voordat ik de deur openduwde, leunde Tony naar voren om aan de rozemarijn te ruiken die ik had opgehangen. 'Ik weet niet hoe het met jou zit, maar ik geloof in spoken en geesten en al die andere zaken. En iedereen zegt dat Bennett is vermoord.'

'Ik denk niet dat ik hier zou mogen wonen van de schoolleiding als dat waar was. En trouwens, er sterven overal mensen,' zei ik.

'Waar zijn die kruiden voor?'

'Dat is rozemarijn,' zei ik, terwijl ik naar binnen stapte. Ik legde mijn zonnebril en hoed op het zwartgelakte tafeltje in de hal dat vlak naast de voordeur stond. 'Dat kun je op je deur hangen om jezelf te beschermen. Om je eraan te herinneren dat je er altijd voor moet zorgen dat je veilig bent.'

'Veilig waarvoor?' vroeg Tony, terwijl ik de deur achter ons sloot. 'Wauw! Dit is gaaf zeg!

Lekker is dat, ik zit opgescheept met een stinkende kamergenoot, en jij woont hier.' Tony liet zijn hand over de zachte bank glijden en sprong vervolgens langs de muur van schilderij naar schilderij. Ook Rhodes zwaard had zijn warme belangstelling.

Hij liep er recht op af en ging er vlak voor staan.

'Wat betekent *ita fert corde voluntas?*' vroeg Tony, terwijl hij de Latijnse woorden oplas die in Rhodes zwaard waren gegraveerd.

Hij liet zijn wijsvinger over het midden van het lemmet glijden.

'Pas op,' zei ik. 'Dat ding is vlijmscherp.' Tony liet zijn handen weer naast zijn zij vallen. 'Het betekent: "het hart wil het",' legde ik uit.

'Dus dit is echt? Uit welke periode komt het? Wie heeft het je gegeven?'

Ik zei niets en liep naar de slaapkamer om mijn portemonnee te zoeken.

'Het ziet er zo echt uit,' hoorde ik Tony weer zeggen. Zijn ogen bevonden zich op enkele centimeters afstand van het zwaard. Ondertussen vond ik mijn portemonnee op het nachtkastje. Toen ik terugkwam in de woonkamer stond Tony gebogen over het boek met de geschiedenis van de Orde van de Kousenband. Hij bekeek de gravure van Rhode. Hij stond heel dicht bij het bureau. Met mijn foto's. Mijn ogen schoten heen en weer tussen de foto's op het bureau en Tony's rug. Plotseling voelde mijn mond kurkdroog aan. Mijn tong zat vastgeplakt aan mijn verhemelte. Tony zweeg en bleef met zijn rug naar me toe staan.

'K-klaar?' vroeg ik hakkelend.

'Is er ook een onderwerp waarin je niet geïnteresseerd bent?' vroeg Tony, en hij draaide zich naar me om. 'Ben je ook al geschiedenis-nerd?'

Ik zuchtte van opluchting en glimlachte. Hij had de foto's niet gezien.

'Kom mee,' zei ik. 'Ik heb enorme honger.'

'Oké, Lenah. Zet de motor maar aan,' zei Tony op overredende toon. Die zaterdag zaten Tony en ik in de auto op de parkeerplaats bij Seeker. Mijn handen omklemden het stuur zo krampachtig dat mijn knokkels wit werden en het zweet in mijn handpalmen stond. Het sleuteltje bungelde in het contact. Ik draaide het om en de motor kwam snorrend tot leven.

Tony legde uit hoe het werkte met het gaspedaal, de rem en de richtingaanwijzers en vertelde hoe belangrijk het was om achteruit te kunnen rijden. Het was heel interessant en niet heel veel anders dan de commando's die mijn vader me had geleerd in de 15de eeuw, toen ik toekeek hoe hij de koeien en paarden door de boomgaard manoeuvreerde. In Engeland was die periode getekend geweest door de pestepidemie, die toen op zijn einde liep. Er was minder mankracht omdat er zo veel mensen waren gestorven, en mijn vader verloor me geen ogenblik uit het oog. Mijn verdwijning was voor hem vast ondraaglijk geweest. Ik was er nooit achter gekomen wat er van mijn familie was geworden.

Na ongeveer een uur draaide ik de auto weer op een parkeerplek tegenover Seeker en zette de motor af. We deden de raampjes omlaag en ik legde mijn benen over de rand zodat mijn voeten eruitstaken.

'Doen alle mensen aan zonnebaden?' vroeg ik, blij dat ik me in de schaduw van een boom bevond. Ik keek naar Tony door het schemer van mijn zonnebril.

'Je houdt niet erg van de zon, hè?' vroeg Tony. Hij had zijn rugleuning helemaal achterover gedaan.

'Ik houd niet van dingen waar ik me ongemakkelijk bij voel,' antwoordde ik.

'Bij Justin Enos voelt zo'n beetje iedereen zich ongemakkelijk. Daarom mijd ik hem en al die andere voetbalfreaks, lacrosse-junkies en footballfanaten. Daarom ben ik dus ook flink pissig dat ik straks mee moet snorkelen.'

'Ik heb wel ergere mensen meegemaakt,' zei ik met een lach.

Even hing er een stilte tussen ons in. Ik keek naar mijn kleren, hopend dat mijn keuze niet verraadde dat ik anders was dan 'normaal'. Ik droeg een korte zwarte broek over een zwart badpak dat ik van Tony had moeten kopen. Hij was met me meegegaan naar de winkel en pas na tien minuten hield hij op met zeuren dat ik een stringbikini moest kopen. Hoewel Tony zijn zwembroek aan had was hij nog steeds... nou ja, gewoon Tony. Hij droeg zilveren ringen met doodshoofden en draken. Zijn zwembroek was zwart, met daarop een print van oranje vlammen.

'Wat is dat?' Tony ging rechtop zitten, zijn ogen op mijn borstkas gericht. Ik volgde zijn blik. Voor ik me kon afvragen of hij naar mijn borsten keek, besefte ik dat zijn blik was gevallen op het glazen flesje aan mijn ketting. Met daarin de overblijfselen van Rhode. Goudkleurige as die glitterde in het licht dat door de voorruit viel. Ik nam de hanger in mijn hand. Hij was van kristal, met een zilveren dopje. Hij zag eruit als een doorzichtige dolk. Ik haalde diep adem en liet het flesje heen en weer rollen tussen mijn duim en wijsvinger.

'Als ik het je vertel, beloof je dan dat je het voor je houdt?'

'Ja...' zei Tony, maar hij klonk me iets te opgewonden en te gretig.

'Een vriend van me is overleden. Dit is een deel van zijn stoffelijke resten.'

Tony's glimlach verdween alsof ik hem van zijn gezicht had ge-veegd. Hij leunde mijn kant op, alsof hij het flesje van dichtbij wilde bekijken. Toen stokte zijn beweging. 'Mag ik?' vroeg hij. Hij had zijn lichaam naar me toe gebogen, en zijn ogen waren strak op mijn borstkas gericht. 'Tuurlijk,' zei ik, bijna fluisterend. Ik hield het flesje in mijn handpalm, maar liet de ketting om mijn nek zitten. Tony hield het flesje zo dicht bij zijn ogen dat ik piepkleine vonkjes licht zag dansen in de zwarte pupillen. 'Is het normaal dat het zo glinstert?' vroeg hij, en hij keek me even aan.

'Ja,' zei ik ademloos, en ik leunde achterover zodat het flesje weer op mijn borstkas viel. Ik wenste ondertussen dat ik de onyxring niet had omgedaan. Ik hoopte maar dat hij die niet ook zou opmerken.

Door het raampje hoorde ik vrolijke stemmen en de langsrij-dende auto's op Main Street. Toen ik opkeek, zag ik de fijne lijntjes in de bladeren en de vezels in de bast van de bomen. Ik kon mezelf afleiden met rijlessen en nieuwe vrienden, maar Rhode was nog steeds dood en zijn prachtige as was alles wat ik nog van hem had.

'Mijn broer is ook overleden,' zei Tony onverwacht. Zijn mee-levende blik verraste me. Ook hij leunde nu weer achterover.

'Wanneer?' vroeg ik, terwijl ik plotseling een dreunende bas uit een auto hoorde komen. Het was een eind weg, maar toch kon ik het horen.

'Toen ik tien was. De ene dag leefde hij nog, de volgende dag was hij dood. Auto-ongeluk.'

Ik knikte. Ik wist even niet hoe ik daarop moest reageren.

'Daarom heb ik ook wat moeite met al die mensen die altijd

maar zo vrolijk zijn. Het leven is soms gewoon klote, maar de meeste mensen begrijpen dat niet. Ze denken – nou ja, in elk geval de mensen hier op school denken dat het normaal is dat ze alles maar hebben. Alsof het niets is, weet je wel? Alsof het nooit eens moeilijk kan zijn om de dag door te komen.'

Ik legde mijn hand boven op die van Tony en liet hem daar even rusten. Wat kon ik zeggen? Ik was een brenger van de dood. En ik had het met enthousiasme gedaan. Ik was zo goed geweest in dood zijn.

'Ik dacht vroeger dat ik met mijn broer kon praten, nadat hij was gestorven. Als kind lag ik in bed en dan fluisterde ik tegen hem. Ik vertelde hem alles wat me dwarszat. Soms droomde ik daarna over hem, als ik in slaap viel. Denk je dat hij misschien terug praatte?'

De zachtheid van Tony's huid en de onschuld in zijn ogen maakten dat ik wilde liegen. Maar ik had de dood gezien. Echt gezien. En als iemand doodgaat, is hij weg – voor altijd.

'Zoals je laatst zelf al zei, alles is mogelijk.'

Doek-doek-doek. Een bas dreunde vanuit een auto ergens op Main Street. Ik draaide me om en keek achter ons, net toen Justins SUV door het hek van Wickham kwam rijden en op de plek naast ons ging staan. Justin draaide het raampje omlaag.

'Zijn jullie er klaar voor?' vroeg hij.

Ik keek even naar Tony, wiens ogen me vertelden dat we elkaar nu nog beter begrepen. Waren we er klaar voor?

Ik dacht van wel.

142

11

Ik wou dat ik je kon vertellen dat ik in het heldere zonlicht op het voordek van de boot zat met mijn voeten bungelend over de rand. Ik wou dat ik kon zeggen dat ik toekeek hoe het water opspatte onder Justins luxueuze motorboot en dat de koude druppels aangenaam aan mijn voetzolen kietelden. Niet dus. Vanaf het moment waarop de boot wegvoer van de steiger zat ik weggestopt in de knusse kajuit.

Dit was niet de boot waarmee Justin had geracet. Dit was de boot van Justins vader die alleen werd gebruikt voor ontspannen vaartochtjes. En in ons geval om te snorkelen. Vanaf het dek leidde een trap omlaag naar een gangetje. Ik had in mijn vroegere mensenbestaan wel kleine hutjes en huisjes gezien, maar het interieur van deze boot sloeg alles. Dit huisje was bedoeld om te drijven. Er waren een paar hutten, een keukentje en een badkamer. Ik liep naar een open deur die toegang gaf tot een slaapkamer, achter in de kajuit.

Ik ging op het bed zitten en vouwde mijn kleren op zodat ze netjes op een stapeltje in mijn rugzak lagen, samen met de ketting met Rhodes overblijfselen. Die stopte ik helemaal onderin, verborgen voor nieuwsgierige blikken. Ik haalde een witte tube met sunblock uit mijn rugzak. In dikke zwarte letters stond erop: SPF 50. Ik keek de lange gang nog eens af. De zonnestralen glommen op de trap die naar het dek leidde. Ik zuchtte, klapte het dopje open en kneep net iets te hard in de tube. De romige substantie spoot over mijn handen en droop tussen mijn vingers door op het tapijt op de vloer.

Het witte spul contrasteerde sterk met de diepblauwe stof, en ik probeerde de zonnebrandlotion in het tapijt te wrijven met mijn grote teen. Om het nog erger te maken hoorde ik op dat moment het geluid van de motoren afnemen. Ik besefte dat we vlak bij de snorkelplek waren. Al snel zouden er mensen naar beneden komen en zien dat ik een hele hand vol sunblock over mijn bleke dijbenen had gesmeerd.

Ik stond op en wreef het spul met driftige gebaren op mijn kuiten, oren en armen. Ik begon te zweten. Als ik een stukje vergat, zou het dan net zo zijn als voorheen? Zou ik verbranden? Verschroeien? Misschien was de transformatie nog niet voltooid. En de lotion bleef overal op mijn huid liggen, het wilde niet intrekken!

'Kom je nog een keer boven? Je moet wel het water in, als je wilt snorkelen,' riep Tony naar beneden.

Hij kwam een paar treden omlaag en bleef daar op de trap staan. Ik smeerde net de zonnebrandlotion op mijn voeten. Hij lachte, een lieve glimlach.

'Je hele gezicht zit onder,' zei hij. Hij kwam naar me toe en wreef met zijn wijsvinger over het puntje van mijn neus en de plooien naast mijn neusvleugels. Hij rook naar kokosnoot, net als de lotion waarmee ik me van top tot teen insmeerde. Hij zorgde ervoor dat de sunblock eindelijk in mijn huid verdween.

'Dit was jouw briljante idee, hoor,' zei hij. Hij ging op het bed zitten, een beetje achterover geleund, en sloeg zijn enkels over elkaar. Hij droeg geen shirt, en voor ik het wist was ik zijn lichaam aan het bestuderen. Hij was niet gebeeldhouwd, zoals Justin, maar wel stevig en goed in vorm.

Ik ging naast hem zitten, maar hield mijn rug recht. Mijn vingers omklemden de tube met sunblock.

'Gaat het wel?' vroeg Tony. Hij ging rechtop zitten en keek me aan.

Ik knikte, maar zei niets.

Tony schoof zijn zonnebril boven op zijn hoofd en probeerde mijn blik te vangen, maar mijn ogen werden afgeschermd door mijn zonnebril.

'Ben je wel eens eerder op een boot geweest?'

'Lang... geleden,' fluisterde ik, nauwelijks hoorbaar.

'En ben je nu een beetje in paniek aan het raken?'

Ik knikte weer, één keer, en slikte. Mijn mond was heel erg droog. Had ik niet wat water bij me? Waar was dat flesje?

Tony draaide mijn schouders naar hem toe, zodat ik hem wel aan moest kijken.

'Lenah. We zijn op nog geen vijf kilometer van het strand. Niets aan de hand. Er gebeurt echt niets, hier op de boot.'

Ik hield de tube met sunblock omhoog. 'Wil je dit op mijn rug smeren?' vroeg ik. Ik zei niet tegen Tony dat het niet kwam door de boot of de zee onder ons. Het was de zon, die blakerende zon, en wat die kon aanrichten in mijn verjongde lichaam dat nog maar een paar dagen oud was. Ik hoorde het motorgeluid nog verder afnemen en het luide gebrom was nu een rustig gepruttel.

Zoals ik al had gezegd, het badpak dat ik had gekocht was zwart, heel diep uitgesneden aan de voorkant en heel hoog uitgesneden op de heupen. Vampiers worden niet gehinderd door gewichtsproblemen en lichaamsvet. We zijn wat we eten, zogezegd. Ik was een purist en ik was altijd onvermoeibaar op jacht geweest naar het perfecte bloed. De buitenkant van mijn lichaam was een afspiegeling van het puurste bloed dat ik had kunnen vinden.

145

Tony's wijsvingers voelden eeltig. Ik wist dat dat kwam door het tekenen en schilderen. Ook zijn voetstappen waren anders, op de boot. Zonder het verhullende effect van de zware, verschillende zwarte laarzen was hij gewoon een onhandige tiener.

Met zijn ruwe handpalmen smeerde hij de lotion op mijn rug. Ik zei niets. Hij was de eerste persoon die mijn huid op die manier aanraakte. Hij bleef de lotion op mijn rug smeren in grote cirkels. Mijn tatoeage was goed te zien, en ik merkte dat hij op mijn linkerschouder een paar extra cirkelbewegingen maakte. Ik wist dat hij de woorden steeds opnieuw las, zich afvragend wanneer ik zou gaan uitleggen wat ze betekenden.

Toen vielen de motoren helemaal stil, precies op het moment waarop Tony zei: 'En wat betekent nou eigenlijk "kwaadaardig is alleen hij…"'

'Dank je,' onderbrak ik hem, en ik draaide me om. Ik pakte de sunblock uit zijn hand en gooide de tube boven op mijn rugzak.

'Kom op!' hoorde ik Roy Enos roepen, en vlak daarna hoorde ik een enorme plons.

Ik liep naar boven, naar het dek. De boot had twee dubbele motoren en een paar zitplekken aan beide kanten van de kuip.

Tracy stond op de rand van de boot en sprong in het water. Ze droeg een rode bikini waarvan het broekje op haar heupen bij elkaar werd gehouden door twee dunne koordjes. Plotseling vond ik mijn badpak stom en lelijk, en ik wenste dat ik een bikini had gekocht. De andere leden van de Three Piece, Claudia en Kate, lagen al in zee. Tony was via een ladder het water in gegaan en zwom naar de anderen toe.

Nadat Justin een anker had uitgegooid legde hij alle snorkel-

146

spullen klaar. Hij draaide zich naar me toe, met een rood plastic masker in zijn rechterhand.

'Wauw,' zei hij, en hij trok zijn wenkbrauwen op. Zijn ogen verkenden mijn lichaam van top tot teen, en ik moest erg mijn best doen om geen pose aan te nemen.

Justin wendde zich snel weer af. Hij rommelde wat met de duikmaskers, de snorkels en de zwemvliezen. Hij legde alles klaar boven op een koelbox.

Zijn voeten waren sterk, sterk genoeg om zijn lichaam te dragen, en ze waren gebruind door de zon. Roy Enos, die een kleiner hoofd en een smaller gezicht had dan Justin, was aan het watertrappelen. Hij riep naar zijn broer op de boot.

'Gooi die zwemvliezen eens, Justin,' zei hij, en hij draaide zich op zijn rug totdat hij dreef. Ik keek omlaag en besefte dat er helemaal niet zo veel oceaan onder ons was. We lagen in een haven, en als de bomen bewogen in de wind zag ik tussen de takken door de vertrouwde roodstenen gebouwen van Wickham. De haven was een soort baai, parallel aan het strand van Wickham. Ik kon de zandkorrels en grassprieten onderscheiden. Maar ik wilde mijn vampierzicht vergeten, en dus richtte ik mijn aandacht weer op het water. De meisjes stonden op het puntje van hun tenen, en Tony maakte een handstand naast Tracy.

Claudia, de kleinste van de Three Piece, zwom om de boot heen met een duikmasker op. Ze tuurde omlaag in de ruim anderhalve meter water onder haar.

Aha! dacht ik. Dus dat was snorkelen.

'Je weet toch dat je in dat natte spul moet springen?' vroeg Justin.

'Ja, hoor,' zei ik nonchalant, en ik stapte onder het afdakje vandaan dat boven de stuurmansplek hing. De zon spoelde over mijn rug en schouders toen ik voorover leunde om in het water te kijken. Tracy kromde haar rug en boog zich achterover om haar haren onder te dompelen. Wat kregen we nou? Ik was hier toch het mooie meisje? Ik voelde mijn maag samentrekken en legde mijn handen op mijn navel. Ik was nog steeds verbaasd dat mijn lichaam op deze manier reageerde. Dat de spieren verbonden waren met mijn emoties.

'Dit is bedoeld als leuk, hoor. Ik wist niet dat je bang was voor boten,' zei Justin en hij tilde zijn rechtervoet op om op de rand van de boot te stappen.

'Ik ben niet bang voor boten,' zei ik, en ik liet mijn handen vallen.

'Nee, tuurlijk niet,' zei hij, en hij lachte zijn duivelse, uitdagende lachje.

Voordat ik ook maar kon beginnen mezelf te verdedigen stapte Justin op de rand van de boot. Ik zag zijn knieën buigen en zijn voetzolen tegen de houten rand drukken. Hij zette af en sprong hoog de lucht in. Voor hij het water raakte, draaide hij zich om en maakte een salto in de lucht. Toen plonsde hij in het water, zodat de druppels tot boven mijn hoofd opspatten. Waar was dat nou weer goed voor? De anderen in het water lachten en klapten. Het leek me nogal nutteloos om zo te springen, puur om anderen te vermaken.

'Mijn beurt,' zei Roy, en hij zwom naar de boot.

'Stoot je hoofd niet,' zei Justin tegen Roy. 'Pas op, het is hier niet diep.'

Tot mijn grote verbazing maakten ze allemaal salto's vanaf de boot. Waarom wilde ik niet springen? Andere mensen leken er zo veel plezier in te hebben. Ik wendde me af van al hun acrobatische gedoe en liep het voordek op. Ik ging zitten en liet mijn voeten over de rand bungelen. Achter me klonk er nog meer vrolijk gegil en geplons, maar ik richtte mijn aandacht op de kleine golfjes die tegen de buik van de boot klotsten. Hoewel ik mijn breedgerande hoed droeg, voelde ik de zon op me schijnen, me opwarmen. Ik keek om en zag eerst Roy en toen Justin een salto maken, in perfecte cirkelbewegingen vanaf de boot. Ja, hij was wel heel bijzonder. Dat hij dat kon doen – op klaarlichte dag.

Girvan, Schotland
1850

Ik lag in een weiland, verborgen in het gras, achter een rij huizen. Ik kleedde me altijd in de meest weelderige stoffen. De japon van die avond was zwart en enkellang, gemaakt van Chinese zijde met een korset geborduurd met bloemen in rood, groen en paars. De glimmende stof was aan de zijkanten versierd met ruches. Ik droeg mijn haar lang, in een vlecht.
Het was net na negen uur 's avonds en uit de kleine ramen van de huizen in de straat voor me kroop een dromerig licht. Girvan was een kustplaatsje in Schotland. Een hechte gemeenschap tussen de eindeloze glooiende heuvels. Wij, de coven, bevonden ons in een weiland achter een stenen muur die parallel liep aan de hoofdstraat. Song liep op en neer. Zoals altijd hield hij de wacht. Heath lag op zijn rug en keek naar de sterren die langs de hemel bewogen. Gavin wierp kleine mesjes in de stam van een boom. Hij had altijd een hele collectie dolken

in zijn laarzen of zakken. Die avond koos hij een boom uit op ongeveer honderd meter afstand, gooide de mesjes, haalde ze op en begon dan weer opnieuw. 'We hebben iemand nodig met kennis van zaken,' zei ik. Ik stond op en begon te ijsberen. Hardop dacht ik verder. 'Vijf leden vormen een sterke coven. Er zitten tenslotte ook vijf punten aan het pentagram. Het noorden.' Ik wees naar Heath. 'Het oosten,' en ik wees naar Song. 'Het zuiden,' zei ik, wijzend naar Gavin. 'We hebben nog een westen nodig, we missen ons westen.' Vier beschermers voor mij, de crux, het middelpunt. Met vijf leden zou het pentagram compleet zijn. Als de coven eenmaal volmaakt was, zou de band tussen ons onverbrekelijk zijn. De magie zou vereisen dat de covenleden elkaar trouw bleven tot aan hun dood, onverzettelijk en onveranderlijk. Gavin, Heath en Song wisten alle drie dat ik nog een lid wilde toevoegen aan onze coven. Hoewel ik denk dat Gavin, de voorzichtigste van ons, de macht van de magie vreesde. Verbindende magie is dodelijk, creëert een onzichtbare band die vastzit aan je ziel. Het is onmogelijk die band te verbreken. Verbreken betekent de dood – en dat was precies mijn bedoeling geweest toen ik de coven oprichtte. Geen van de leden zou me verraden, tenzij hij wilde dat ik hem doodde. Als ik nu goed koos en de juiste man tot vampier maakte, zouden we onoverwinnelijk zijn. Dan hoefden we ons nooit meer zorgen te maken over ons voortbestaan, onze overleving. Overleving? Kon ik het zo eigenlijk wel noemen?

'Boven ons is Andromeda,' zei Heath, maar dan in het Latijn. Hij was mijn tweede vampier, na Gavin. 'Naast haar zie je Pegasus,' vervolgde Heath, en hij wees naar de vele sterren die tezamen de contouren vormden van het mythische gevleugelde paard.

'Neem me mee, Pegasus,' riep ik, en ik begon kringetjes te draaien, met mijn armen zijwaarts uitgestrekt. 'Neem me mee, hoog de hemel in, rond het middaguur, zodat de zon op mijn rug kan schijnen. Laat me heersen op jouw vleugels.'

Ik lachte hard, het geluid galmde over de weide. Ik bleef rondtollen tot ik op de grond neerstortte, vlak naast Heath. Hij draaide zich op zijn linkerheup en keek me aan.

'Ze zeggen dat Andromeda verschijnt in de gedaante van een vrouw met een zwaard,' zei hij, en hij liet zijn hand over mijn lichaam glijden, van mijn schouder tot mijn dijbeen. Ik glimlachte en ging op mijn rug liggen. Ik kon Andromeda niet zien. In mijn ogen waren sterren niet meer dan kleine heldere lichtpuntjes waarop ik geen invloed kon uitoefenen.

'Ook kun je haar alleen maar zien bij de vijf helderste sterren in de Melkweg.'

De stilte die volgde werd af en toe onderbroken door een doffe klap als Gavins mes zijn doel raakte. Song liep maar op en neer, zachtjes brommend. We hoefden ons niet te voeden, aangezien we de avond ervoor een heel pension hadden uitgemoord. Het zou slechts een paar dagen duren voor de magie van het bloed weer wegebde en we weer op jacht moesten. Terwijl Heath verderging met het opnoemen van alle sterren stond ik uit verveling weer op om een beetje rond te drentelen. En toen hoorde ik een man een opgewekt Schots liedje zingen.

Vlak voor ons, achter de bomen, was een herberg, opgetrokken uit steen. Door de kleine rechthoekige raampjes wierpen kaarsen hun licht in de richting van de weide. Tot nu toe was het rustig geweest, maar toen ik tussen de bomen door naar de herberg liep, klonk het gezang steeds luider. Al snel was de stem duidelijk te horen. Hij was schor, maar vulde de hele herberg met zijn lied.

'Op de soldaat die bloedde en de moedige matroos die sneuvelde!' Ik hield mijn rokken omhoog zodat ik makkelijker over de wortels en takken kon stappen die uit de bemoste grond omhoogstaken. Ik wist dat mijn covenleden me nakeken, maar dankzij mijn BZW wist ik ook dat ze zich geen zorgen maakten. 'Hun roem leeft voort, al is hun ziel verdwenen op de vleugels van het vervlogen jaar!' zong de man verder. Zijn zangstem was behoorlijk goed, hoewel hij de woorden met dubbele tong uitsprak.

Ik zwaaide mijn ene been over de stenen muur en stapte eroverheen. Ik was nu op een paar meter afstand van de herberg en zo zacht mogelijk liep ik naar het raam. De kaarsen in de gelagkamer wierpen een oranje gloed. Er stonden houten tafels met krukken. Mannen en vrouwen hielden glazen met bier of whisky in hun hand.

Voorzichtig keek ik naar binnen en ik zag een lange man, in een Brits militair uniform, die boven op een tafel danste. Hij kon niet ouder dan achttien of negentien zijn geweest, hoewel hij rimpeltjes bij zijn ooghoeken had als hij lachte. Zijn armspieren bolden op en zetten druk op de stof van zijn uniform. Ik wilde mijn hand over zijn ruggengraat laten glijden.

Zijn uniform bestond uit een rood jasje en een zwarte broek. Hij schopte met zijn benen en sprong in het rond. Hij pakte een blauwe vilten pet en wierp die de menigte in. Hij gooide zijn rechterbeen naar voren en toen zijn linker en sprong op en neer, zodat zijn voeten op het tafelblad knalden. Zo danste hij een traditionele Schotse dans, tamelijk wild om zich heen trappend. De manchetten en kraag van zijn uniform waren goudkleurig. De ronde knoopjes glommen in het licht van de fakkels die aan de muren van de herberg hingen. Ik keek de gelagkamer rond. De muziek was afkomstig van een groep mannen die op trommels sloegen en op doedelzakken speelden, achter in de ruimte. De soldaat danste door boven op de tafel terwijl de gasten van de herberg klapten op de maat van de muziek. Zijn gezicht was rood, vol van leven – vol van bloed. Hij was lang, net als Rhode, met fijne trekken en een volle, gulle mond. Zijn handen waren sterk, en in zijn rechterhand hield hij een kroes bier geklemd.

'Hun roem leeft voort, al is hun ziel verdwenen op de vleugels van het vervlogen jaar!'

Na de laatste, luide uithaal sprong hij van de tafel op de grond, waarbij het bier uit zijn kroes op de houten vloer klotste. Hij had bruine ogen die zelfs in het schemerduister van de herberg de andere gasten tegemoet glommen.

Ik liep weg bij het raam en maakte een rondje om het gebouw. Ik was van plan naar binnen te gaan en met die man te praten. Maar net toen ik de deurklink wilde pakken vloog de deur open. Hij raakte de muur van de herberg met zo'n harde klap dat het hele gebouw ervan trilde. Ik rende de straat over en ging onder een van de bomen tegenover de herberg staan. Het ware dunne bomen, hun toppen reikten in een spitse punt naar de hemel. De man liep naar buiten, haalde diep adem en stak een sigaret tussen zijn lippen.

Hij inhaleerde gretig en blies toen de rook uit, de hemel tegemoet, waarbij hij de sigaret in zijn mondhoek hield. Hij kneep één oog toe en wiste het zweet van zijn voorhoofd. Toen nam hij de sigaret uit zijn mond, tuurde mijn kant op en deed een stap naar voren.

'Is daar iemand?' vroeg hij. Hij had een hese stem met een zwaar Schots accent.

Ik deed een stap naar voren.

'Hallo, soldaat,' zei ik. Hij trok zijn wenkbrauwen op en maakte een overdreven buiging. Toen ik niet op mijn beurt ook een buiging maakte, glimlachte hij, maar met een nieuwsgierige blik in zijn ogen. Ik liep over de weg naar hem toe en ging voor de deur van de herberg staan.

'Ik schud je liever de hand,' zei ik, in antwoord op zijn buiging, en ik stak mijn hand uit zoals ik honderden mannen had zien doen. In de maatschappij van rond 1850 vonden mannen het ongepast als een vrouw hun als gelijke de hand schudde. Iets wat ik nog steeds belachelijk vind.

Hij keek naar mijn uitgestrekte hand en toen omhoog, in mijn ogen. Ik glimlachte, met gesloten lippen. Dat was altijd effectief als ik mijn zin niet kreeg.

'Wil je me de hand schudden?' vroeg ik. Hij strekte zijn hand uit, en toen hij dat deed keek ik naar de binnenkant van zijn rechterpols. Dunne blauwe aderen lagen dicht onder zijn huid en liepen van zijn handpalm naar zijn bovenarm.

We grepen elkaars hand beet, en hij bekeek me van top tot teen. Op dat moment wenste ik dat ik de aanraking van zijn sterke hand had kunnen voelen. Ik voelde zijn stevige greep, maar ik voelde niet het contact van huid op huid. Niet duidelijk, in elk geval.

Hij liet als eerste los en liep langzaam achteruit in de richting van de herbergdeur. De hitte in zijn ogen kon me niet ontgaan. Ik had dolgraag willen weten hoe het zou voelen als zijn vingertoppen over mijn huid gleden. Of hoe zijn adem rook, of zijn haar. Hoewel ik wist dat dat onmogelijk was, wenste ik het toch. Alles wat ik nu kon ruiken was omgewoelde aarde en muskus, de geur van zijn vlees die nog in mijn kleren hing.

'Je handen voelen koud,' zei hij.

'Je hebt iets bijzonders,' antwoordde ik, terwijl ik dichterbij kwam zodat de fakkel bij de deur mijn gezicht verlichtte. Ook hij kwam weer dichterbij. Hij kneep zijn ogen een beetje toe, wendde zijn hoofd af om rook uit te blazen en bestudeerde mijn gezicht weer. Zijn blik hield halt bij mijn mond.

'Nee, liefje. Jij hebt iets bijzonders.' De jongeman keek me aan met intense belangstelling. Zijn joviale toon was verdwenen. 'Wat ben jij?' fluisterde hij.

Ik moet toegeven dat dat me van mijn stuk bracht. Nooit had iemand commentaar gehad op mijn verschijning, mijn gladde huid en grote, zwarte pupillen. Niemand durfde toe te geven dat ik niet normaal was. De meeste mensen waren betoverd door mijn schoonheid.

'Niets bijzonders,' zei ik nonchalant, en ik begon rondjes om hem heen te lopen, zwaaiend met mijn heupen op mijn gebruikelijke manier en hem van top tot teen bekijkend.

'Ik ben een Schotse musketier. Een man van landkaarten. Ik heb de hele wereld afgereisd om locaties te controleren voor het Britse leger. Ik heb een heleboel gezichten gezien. Neuzen, ogen, allemaal heel karakteristiek en specifiek. Jouw gelaatstrekken, meisje, horen niet in deze streek thuis.'

'En ook niet in andere streken die je kent,' zei ik. Ik stopte met om hem heen cirkelen en ging pal voor hem staan. 'Hoe heet je?'

'Vicken, liefje.' Hij kwam wat dichterbij. Zijn schorre stem had een scherp randje. Hij klonk veel ruwer dan Rhodes stem, waarvan de zachte cadans in mijn brein was geëtst. 'Vicken Clough van het Eenentwintigste Regiment.' Vicken hield mijn blik vast. Hij schrok niet terug, hij knipperde alleen kalm met zijn ogen.

Of mijn BZW was helemaal van slag, of deze man was niet bang voor me. Ik moest daar weg. Dit was iets wat ik niet kon doorgronden of begrijpen. Mijn ogen dwaalden naar de weide achter de herberg.

'Ik moet gaan,' zei ik, en ik liep langs hem heen, terug naar mijn coven. Hij greep mijn onderarm beet.

'Ik raad je aan geen spelletjes met me te spelen, juffie, want dan krijg je misschien precies waar je op uit bent.'

Deze man was krachtig – uitgesproken. Hij wist precies wat hij wilde. Ik rukte mijn arm los en liep terug naar de weide. Ik stapte over de stenen muur en liep het gras op. De anderen waren nog steeds op hun plek, in het midden van de weide. Als ik deze jongeman meetroonde naar de wei zou hij onmiddellijk vermoord worden. Niet dat ik daar iets op tegen had, maar ik was te gefascineerd om hem nu al te laten doden.

'Wacht!' hoorde ik hem roepen. Zijn voetstappen stopten bij de rand van het weiland. 'Wie ben je?'

Tegen de tijd dat Vicken de wei had bereikt, was ik al te ver het duister in gelopen en kon hij me niet meer zien. Ik bleef staan aan de zijkant van het veld, beschermd door de schaduwen van de boomtakken. Vicken pakte de stenen muur vast, tilde een voet op en zette die toen weer neer. Hij rekte zijn nek uit om me te kunnen zien in het duister. Hij vloekte binnensmonds en draaide zich om. Ik liep terug naar de coven.

'Wie was dat?' vroeg Song.

Ik kon een tevreden lachje niet onderdrukken. 'Iemand die me interesseert,' zei ik, en ik wierp een blik over mijn schouder. Vicken liep nu terug naar de herberg. 'Kom me hier weer ophalen bij dageraad,' zei ik tegen de anderen. Ik keek naar de hemel, naar de positie van de maan. 'We hebben vier uur de tijd.'

Met die woorden wendde ik me af van mijn coven en zonder dat hij het besefte volgde ik Vicken naar huis.

Vicken woonde vlak bij de herberg. Ik klom weer over de muur en zorgde ervoor dat ik steeds in de schaduwen bleef terwijl ik hem volgde. Toen ik bij de weg kwam, was hij maar een paar meter voor me. Hij zwalkte een beetje, door de grote hoeveelheid bier die hij had geconsumeerd. Hij woonde zeven huizen bij de herberg vandaan. Toen hij een smal zandpad in sloeg, stootte hij met zijn schouder tegen een boom. Ik volgde hem over het pad, dat eindigde bij een steil klif. Daarachter was de oceaan.

Vickens huis stond aan de rand van een dicht woud dat doorliep tot aan de kust. Het was een groot wit huis met één verdieping en een zwart dak. Daarachter stond een klein huisje van grijze steen met één kamer, heel wat minder chic dan het grote huis. Terwijl ik hem stilletjes volgde, kwam ik langs een paardenstal waar ik de dieren tevreden kon horen hinniken. Ook hoorde ik hoe de golven op de rotsen sloegen, ergens onder aan de klif.

Vicken ging het huisje binnen en sloot de deur achter zich. Ik draaide de deurknop om en volgde hem. Het was waar, wat hij had gezegd. Hij was dol op landkaarten, en het huisje was er dan ook mee gevuld. De muren hingen er vol mee, en er lagen er ook nog een paar op een klein houten bureau in de rechterhoek van de kamer. In een kast hingen militaire uniformen. Er stond zelfs een helderblauwe wereldbol op het bureau. De achterdeur van het huisje stond open, en ik zag dat Vicken in de tuin bezig was met een koperen toestel. Het apparaat stond op drie poten.

Ik liep langs een badkuip. Het gordijn was open, en over de rand van het bad hing een paar witte sokken. Ik ging naar de achterdeur, en Vicken keek op. Hij glimlachte of fronste niet, hij keek me alleen even aan en ging toen weer verder met zijn apparaat.

'Ben je niet bang voor beesten? Voor monsters?' vroeg ik.

'Jij bent geen beest,' zei hij kalmpjes, terwijl hij bleef rommelen aan een lange buis die de hemel in wees. Hij keek in de lens, controleerde de richting van de buis en keek toen weer naar mij. 'Ik ben banger, juffie, voor de dingen die ik met mijn ogen niet kan zien.' Vicken wenkte mij met zijn hand. Ik liep naar de telescoop en keek door de lens. De maan scheen helder als altijd, maar de kloven en kraters die ik nu zag vormden een onbekend, betoverend landschap.

'Prachtig,' fluisterde ik. Ik keek op in Vickens ogen – hij glimlachte een beetje. Ik ging een stukje achteruit, in de richting van het grote huis.

'Waarom ben je niet bang voor me?' vroeg ik.

Hoewel Vicken beweerde dat hij niet bevangen was door angst, bleef hij toch op afstand. Hij hield zijn vingers aan de telescoop en richtte zijn nerveuze energie op de onderdelen van het apparaat die moesten worden afgesteld om de nachthemel te kunnen bekijken. Ik volgde de krachtige contouren van zijn brede schouders. Focuste me op zijn gevaarlijke blik. Zijn mannelijkheid was bedwelmend.

'Je intrigeert me,' zei hij, me recht aankijkend.

Ik gooide mijn hoofd in mijn nek en lachte zo luid dat mijn stem echode in de stilte.

'Ik intrigeer je? Is dat het? Nieuwsgierigheid?'

Vicken hield zijn blik weer op de telescoop gericht.

'Vertel eens, Vicken Clough van het Eenentwintigste Regiment. Wat zou je ervan zeggen als ik je vertelde dat je de hele wereld af kunt reizen en alles vast kunt leggen? Dat je de machtigste navigator kunt worden die de wereld ooit heeft gekend? Dat je zou kunnen bestaan zolang de wereld bestaat?'

Vickens smalle neus en vierkante kin wezen naar de grond. Er lag een frons op zijn voorhoofd en hij hield zijn beide handen losjes op zijn rug.

'Eeuwigheid, juffie, bestaat niet.'

'En als ik je nou eens zeg dat het kan?'

Hij keek diep in mijn ogen en ik wachtte tot hij ons oogcontact zou verbreken, maar hij hield vol.

'Dan zou ik je geloven.'

Ik deed een paar stappen naar hem toe, tot onze gezichten vlak bij elkaar waren.

'Wat moet ik doen,' vroeg hij, 'om bij jou te blijven?' Hij wilde me kussen. Ik zag het in zijn blik, dat verlangen dat soms zo kan opgloeien in bruine ogen. Zijn wimpers krulden omhoog, waardoor hij eruitzag als een kleine jongen als hij knipperde. Ik glimlachte; dit was mijn favoriete onderdeel. Nu zou hij toch zeker wel doodsangst voelen. Ik liet hem zo zachtjes met zijn lippen over de mijne strelen dat ik nauwelijks merkte dat we elkaar hadden aangeraakt. Mijn hoektanden kwamen heel langzaam omlaag, en ik fluisterde:

'Ik zal je wel moeten doden.'

Vickens ademhaling stokte, en hij deinsde achteruit. Er ging een rilling van angst door hem heen, maar niet het soort doodsangst dat ik had verwacht. Geen verlangen om te vluchten. Hij voelde alleen angst voor zijn eigen daden, voor wat hij kon of zou doen – voor mij. Dit was verbijsterend. Bespottelijk. Ik keek naar de maan. Nog drie uur tot de dageraad.

'Ik geef je één nacht om erover na te denken,' zei ik, waarna ik om het huisje heen liep, bij Vicken vandaan, terug naar de hoofdweg. 'Morgen om deze tijd kom ik vragen wat je antwoord is.'

'Als ik jou zo hoor, krijg ik het idee dat ik geen keuze heb, wat ik ook zeg.'

Vicken was nu ook om het huisje gelopen. In het zachte schijnsel van de maan zag ik het zweet op zijn voorhoofd. Ik draaide me om.

'Waarom overweeg je dit eigenlijk?' vroeg ik, ervan overtuigd dat er een reden moest zijn voor zijn inschikkelijkheid. Vicken lachte een scheef lachje. Hij leunde met zijn hand tegen de zijmuur van het huisje.

'Vanwege jou,' zei hij.

Even heerste er stilte. Ik keek naar zijn sterke armen, de manier waarop zijn haar om zijn gezicht viel, slordig en nonchalant.

'Dan zou ik maar afscheid gaan nemen,' zei ik, en ik wendde me van hem af en verdween in het duister.

De volgende avond naderde ik het grote huis. Door het raam zag ik Vicken aan het avondeten met zijn familie. Op de uinden van de tafel stonden lange witte kaarsen en in het midden de afgekloven resten van een of ander dier en diverse schalen

160

met groente. Vickens vader zat aan het hoofd van de tafel en Vicken zat meteen rechts van hem. Zijn vader, een grote ronde man met dik grijs haar, lachte vrolijk en legde zijn hand even tegen Vickens wang. De bekende pijn rees op in mijn keel. Ik haatte families. Dat verdriet maakte me meestal kwaad genoeg om te moorden, waarbij ik iedereen doodde die me eraan kon herinneren dat mijn familie hoorde bij het leven dat ik had achtergelaten.

Waarom wilde ik deze man niet doden? Waarom wilde ik hem hier veilig achterlaten in zijn huis met zijn vader en zijn moeder en zijn verzameling landkaarten? Had ik het gewaagd een ander te vinden van wie ik hield, naast Rhode?

Ja, hij zou vrij zijn, besloot ik. Toen ik me afwendde van het raam om me weer bij mijn coven te voegen, achter de herberg, ving ik Vickens blik op.

Hij schoot overeind en snelde achter me aan, maar ik rende het zandpad af, weg van de oceaan, terug naar de hoofdweg.

'Wacht!'

'Ik heb me bedacht. Je bent vrij,' zei ik. Midden op het pad bleef ik staan en draaide me naar hem om. Aan beide zijden stonden hoge bomen. 'En je had trouwens gelijk. Je bent de eerste man die ik ooit een keuze heb gegund. Ga terug naar binnen, naar je familie.'

Vicken liep zo snel naar me toe dat ik me even afvroeg of hij echt maar een gewoon mens was. Hij legde zijn handen tegen mijn wangen.

'Dat wil ik niet,' zei hij hartstochtelijk. Hij klemde zijn kaken op elkaar. 'Ik heb ze losgelaten. Ik wil hier niet blijven om te sterven, zonder nog iets van de wereld te zien.'

'Wat wil je dan?' vroeg ik.

Hij greep me zo krachtig bij mijn schouders dat ik niet meer kon bewegen. Hij haalde diep adem.

'Jou,' zei hij, bijna hijgend. 'Alleen jou.'

Ik keek hem diep in de ogen en zag een enorm verlangen in zijn blik. Hij had me nodig. Ik keek naar de sterke spieren in zijn nek en schouders, en toen weer naar zijn ogen. Hij boog zich naar voren en liet zijn lippen zachtjes over de mijne glijden. Ik haalde diep adem, zodat ik zijn vlees kon ruiken – daar was die geur weer, muskus en zout. Spoedig zou zijn aroma door me heen stromen.

'Dan is het besloten,' zei ik. Ik greep hem bij zijn pols en leidde hem bij het grote huis vandaan.

'Je zult worden opgenomen in de gelederen van vampiers die zo'n oude geschiedenis hebben dat niemand onze oorsprong nog kent. Maar je zult machtig zijn. Machtiger dan je je kunt voorstellen.'

Ik liep naar het woud achter het kleine huisje.

'Zul jij er ook zijn?' vroeg hij.

Ik nam zijn hand in de mijne. 'Altijd.'

Misschien werd Vicken verliefd op me vanwege mijn vampier-verschijning. Ik weet het niet. Ik zal het nooit weten. Rhode heeft me ooit verteld dat het aura van een vampier zo krachtig is dat de meeste mannen betoverd worden zonder het zelf te beseffen. Ik kan je verzekeren dat hij mijn hand innig vasthield toen ik hem meenam naar het woud achter zijn huisje. En toen ik hem in zijn hals beet, keek hij omhoog naar de sterren.

12

'Lenah!'

Ik schudde mijn hoofd en focuste mijn blik weer op het water dat tegen de bodem van Justins boot klotste.

'Hier ben ik.'

Ik keek naar links.

Justin Enos was vlak bij me aan het watertrappelen en deinde mee op de golven. Het zonlicht weerkaatste op het gladde wateroppervlak en in zijn ogen, waardoor hij ze een beetje dichtkneep. Maar hij glimlachte wel.

'Dwing me nou niet om je te komen halen.'

Op dat moment dobberde Tony voorbij op een luchtbed terwijl hij foto's van me maakte.

'Wie heeft de paparazzi meegenomen?' vroeg Claudia. Ze zwom nog steeds rondjes om de boot.

Ik kwam voorzichtig overeind en stapte terug in de kuip van de boot. Ik probeerde de beelden van Vicken uit mijn geest te verdrijven, maar die onzichtbare klok, waarvan het getik echode in mijn hoofd, herinnerde me eraan dat de nachten van Nuit Rouge snel naderbij kwamen. Niet lang meer voordat Vicken zou proberen me op te graven.

Justin zwom naar de ladder, en toen ik die bereikte was hij al bijna aan boord.

'Ik heb nog nooit de zon zo op het water zien schijnen,' bekende ik, toen Justin eenmaal aan dek was. Hij droop van het water.

'En ik heb nog nooit iemand gezien die zo bleek was,' riep Roy vanuit het water.

'Hou je kop, Roy,' snauwde Justin, over het gelach van de anderen heen. Roy riep een scheldwoord dat ik nog nooit had gehoord en zwom weg. Tracy staarde naar me, net als de andere meisjes van de Three Piece, al probeerden ze het te verhullen door elkaar met water te bespatten. Ik voelde een kalme tevredenheid. Ik herinnerde me... dankbaarheid. Justin had me verdedigd.

'Kom op,' zei hij, en hij stak zijn hand uit. Voor ik die aannam, keek ik naar zijn handpalm. Zijn vingers waren zo glad. Sommige vampiers, maar niet alle, geloven in handlezen. Justins levenslijn, de lijn op de handpalm die tussen de duim en de wijsvinger loopt, was heel lang – hij liep bijna door tot aan zijn pols. Die lijn geeft niet aan hoe lang je zult leven. Het is een indicatie van hoe toegewijd je bent aan het leven, met andere woorden: van je levenskracht. Justin zou een perfect lid van mijn coven zijn geweest. Hij greep mijn hand voor ik verder nog iets kon denken en trok me mee op de rand van de boot.

'Ben je bang om te springen?' vroeg hij.

Ik knikte. Hij greep mijn hand nog steviger beet. Zijn warme handen, zijn hete huid... Voorheen was mijn leven zo kil geweest.

Mijn tenen krulden over de rand van de boot en ik omklemde Justins hand.

'Het is niet hetzelfde als buiten in de stromende regen staan,' zei hij, verwijzend naar onze conversatie op het grasveld. 'Maar het is wel heel leuk. Geloof me.'

'Dus ik moet iets aannemen van de jongen die me een hoer noemde?'

Justin zuchtte, maar hij bleef me aankijken.

'Mag ik het nog goedmaken of hoe zit dat?'

Mijn mond viel open. Daar had ik geen antwoord op. 'Het spijt me,' zei ik. 'Je hebt gelijk.'

'Wil je zwemvliezen?' vroeg hij.

Ik schudde mijn hoofd.

'Goed. Het water is hier niet erg diep. Je kunt net op je tenen staan, dus je moet hier niet duiken. Gooi jezelf er gewoon in.' Justin keek naar me, wachtend tot ik mijn blik van het water afwendde, naar hem. 'Klaar?'

Ik knikte.

'Je moet ergens beginnen, toch?'

Ik keek naar Justins bemoedigende uitdrukking. 'Inderdaad,' zei ik. Justins lichaam schoot omhoog, dus ik sloot mijn ogen, voelde mijn knieën buigen en sprong in de lucht. De zon brandde op mijn rug, en ik gooide mijn handen omhoog en gleed in de zee tot het water me omsloot. Het voelde alsof een enorme prikkelige massa over mijn lichaam golfde. Het enige wat ik kon horen was het gebruis van het water. Mijn oren en neus vulden zich met water, maar ik hield mijn adem in. Toen ik het zand tussen mijn tenen voelde, schoot ik terug naar het oppervlak, happend naar adem. Eenmaal met mijn hoofd weer boven water opende ik mijn ogen en lachte uitbundig. Nadat ik de druppels uit mijn ogen had geveegd zag ik Justin glimlachen.

Hij waadde naar me toe door het water, dat tot aan zijn borstkas kwam. Tracy zwom vanaf de rechterkant naar hem toe, hoewel hij met zijn rug naar haar toe stond. Hij lachte vrolijk, en ik ook. Hij opende zijn mond en even, heel even maar, leek het of hij zijn hand naar me uitstrekte. Toen sloeg Tracy haar armen van achter om hem heen en drukte zich tegen zijn rug aan. Ze had felroze nagellak op, en haar vingers grepen als klauwen in zijn borstkas. Hoewel Justin zijn hand nu niet meer naar me uitstak en hem in plaats daarvan over die van Tracy legde, hield hij zijn blik strak op mij gericht. Net toen hij zich naar Tracy omdraaide, dook Tony omhoog uit het water en maakte op vijf centimeter afstand van mijn gezicht een foto.

'Zeg Lenah, hoe kom je aan die ketting?' vroeg Tracy vanaf de passagiersstoel van Justins SUV. Ze draaide zich om om me aan te kijken. We waren op weg terug naar Wickham. Het was laat in de middag, ergens rond vier uur, afgaande op de stand van de zon. Ik hing de ketting net weer om mijn nek.

'Het was een cadeau,' zei ik.

'Schattig hoor, elfenstof,' zei Claudia vanaf de stoel achter me.

Tony snoof.

'Dat flesje ziet er nogal gehavend uit, je moet ermee teruggaan en een nieuwe vragen,' zei Kate nu.

Ik zei niets. We waren net Main Street opgereden, in Lovers Bay. Dit gedeelte van Main Street, vlak bij de campus van Wickham, was behoorlijk druk en er waren veel winkels. Die zaterdag was er ook een boerenmarkt.

'Ik heb sinds mijn tiende niemand meer een ketting met elfen-stof zien dragen. Wel heel retro van je, Lenah,' zei Claudia.

We reden langs wat stalletjes met bloemen en planten. Op een van de bordjes stond: wilde kruiden.

'Mag ik eruit?' vroeg ik.

'Je hoeft niet weg, hoor,' zei Kate, maar ze wierp Tracy een spottende blik toe in de achteruitkijkspiegel.

'Ja, blijf alsjeblieft bij ons,' zei Tony, maar Justin minderde al vaart. Hij stopte aan de rechterkant van de weg. Ik zag het hek van Wickham, een paar meter verderop. Toen ik uitstapte ving ik in de achteruitkijkspiegel een blik van Justin op.

'Ik zie je later, Tony,' zei ik, en ik sloeg het portier dicht. Ik wist dat ik op mijn kop zou krijgen, omdat ik hem had achtergelaten bij die aasgieren, maar ik moest iets doen. Iets wat ik al meteen had moeten doen, mijn eerste dag op Wickham.

Op de boerenmarkt liep ik langs karren met appels en pompoenen en allerlei soorten appelcider. Uiteindelijk stopte ik bij een stal met kruiden en wilde bloemen. Oranje chrysanten, paarse viooltjes en asters lagen in kleine rieten mandjes. Een keurig gestrikt bruin satijnen lint hield de stelen bij elkaar.

'Hebt u misschien ook lavendel?' vroeg ik aan de vrouw die op een tuinstoel achter haar stal zat. 'Een klein bosje?'

De vrouw gaf het aan me met een glimlach. 'Vier dollar,' zei ze.

Ik betaalde en liep terug naar de campus. De lavendel geurde hevig, en ik hield het bosje tegen mijn neus gedrukt, de hele weg vanaf Main Street naar de grote toegangspoort van Wickham. Ik liep door het hek, glimlachte en slaakte een diepe zucht. De campus was een en al bedrijvigheid. Sommige leerlingen lagen op dekens op het gras, andere zaten in groepjes te studeren en gaven elkaar schriften met aantekeningen door. Ik haalde diep adem en luisterde naar al die stemmen om me heen.

Ik kan die hanenpoten van jou niet lezen, hoor. Mail het maar naar me.

Biologie wordt echt mijn dood.

Ik wil die sweater die Claudia Hawthorne aanhad.

Op de soldaat die bloedde!

Ik struikelde bijna over mijn eigen voeten. Ik draaide me met een ruk om en keek achter me.

167

En de moedige matroos die sneuvelde!
Ik draaide me de andere kant op. Wie zong dat liedje? Op een deken zat een groep meisjes te lezen in hun leerboeken. Eentje had een koptelefoon op. Er liepen tientallen mensen over het pad. Twee jongere jongens liepen langs me, maar ze praatten over het komende basketbalseizoen. Ik draaide me weer om en keek uit over het grasveld, maar er was niemand die zong. Ik zette een stap, en toen nog een. Net toen ik weer een beetje gekalmeerd was en ik vlak bij Seeker was, hoorde ik het weer.

Op de vleugels van het vervlogen jaar!
Ik liet de lavendel op de grond vallen en drukte mijn handen tegen mijn oren. Ik voelde mijn hart bonken in mijn borstkas. Ik keek nog eens naar de leerlingen om me heen, voor de zekerheid. De meesten waren onderweg naar hun huis of zaten op het grasveld te genieten van het mooie weer. Ik haalde mijn handen van mijn oren en bukte me om de lavendel op te rapen.

Bel me straks!
We gaan over twintig minuten eten!
De gesprekken waren weer normaal. De zingende Schotse man was verdwenen.

Geesten kunnen je heel goed misleiden, ze kunnen je gedachten zo zwaar maken als takken na een onweersbui. Het was Vickens stem die door de bomen wervelde, me achtervolgde vanuit mijn herinneringen. Zelfs helemaal hier in Lovers Bay in Massachusetts besefte ik het – dat hij me miste.

Eenmaal bij mijn deur hing ik de lavendel naast de rozemarijn. Als er op je gejaagd wordt, beschermt lavendel je tegen duistere krachten. Het kruid zegent het huis waarvan het de deur siert.

168

13

Heb je ooit in je leven iets verschrikkelijk graag willen doen? Ik bedoel echt heel erg verpletterend graag? Want de volgende ochtend moest ik me echt uit alle macht inhouden om mijn coven niet op te roepen. Toen ik wakker werd, was er stilte. Een vreemd soort rust in mijn kamer en in de wereld daarbuiten, óp de campus. Ik concentreerde me op nutteloze dingen. Het plafond in mijn slaapkamer was glad en wit. De vogels tjilpten en de takken van de bomen deinden zachtjes in de wind. Maar vooral was ik me ervan bewust dat ik alleen was. Een tripje op zee kon me daarvan niet genezen. Ik hunkerde naar Songs kalme overpeinzingen, de manier waarop Vicken naar me kon kijken in een ruimte vol mensen, waardoor ik precies wist wat hij dacht. Ik miste de zonsondergang boven de glooiende heuvels rond mijn huis die zich uitstrekten tot aan de horizon. Dat moment waarop het net veilig genoeg was om bij het raam te staan, als het gras leek te branden.

Ik greep de zachte lakens van mijn bed vast en rolde me op mijn zij. Rhodes woorden sneden door mijn ziel. Van die laatste nacht, toen we over zo veel dingen gesproken hadden, herinnerde ik me een waarschuwing:

Je mag geen contact met ze zoeken, Lenah. Al wil je het nog zo graag. Hoe sterk de magie die je hebt gecreëerd ook naar ze verlangt. Naar ze roept. Je moet je zien te beheersen.'

Ik keek naar de telefoon op het nachtkastje. Zou de coven wel telefoon hebben? Als ik belde, en een van hen nam op, zouden ze dan weten dat ik het was? Maar ik belde niet. In plaats daarvan rolde ik me op mijn andere zij, weg van de telefoon, en keek naar de slaapkamerramen. Mijn gedachten dwaalden af van mijn coven. Misschien moest ik maar gaan douchen. Als vampier had ik nooit hoeven douchen. Er was aan mij niets organisch geweest, als vampier was ik op magische wijze verzegeld, onmenselijk, een dood lichaam, betoverd door de allerzwartste magie. Nu, in mijn menselijke vorm, kwam ik nog het meest tot rust als ik het hete water over mijn armen en rug voelde stromen.

Ik stapte uit bed. Niet aan de kant van de open deur, zodat ik de aanblik van Rhodes zwaard kon vermijden. Ik keek er vaak naar – meestal als troost. Ik wreef de slaap uit mijn ogen en stapte op de koele tegels van de badkamervloer.

'Aaaah!' gilde ik, en ik gooide mezelf tegen de muur achter me.

Mijn spiegelbeeld. Mijn huid. Die was honingkleurig. Diepgebronsd. Over mijn neus lag een goudkleurige glans. Ik was *bruin* geworden.

Ik ging vlak voor de spiegel staan. Ik trok mijn huid strak met mijn vingertoppen. Met toegeknepen ogen controleerde ik mijn wangen, mijn kin en mijn nek op roodheid. Zelfs met SPF 50 had ik een kleur gekregen! Maar ik was niet verschroeid, zoals ik verwacht had. Ik was ook niet verdampt.

Ik stuiterde de badkamer uit en huppelde de woonkamer in – maar hield halt in de deuropening. Rhodes zwaard hing nog aan de muur, onherroepelijk op zijn plaats gehouden door de klemmen aan het schild. Toen keek ik naar het bureau met de foto's van mijn coven. Ze staarden me aan, met een melancholieke, lege blik. Alles was leeg, nietwaar? Er zat niemand op de bank of in de leunstoel. Niemand had koffiegezet, niemand vroeg me wat ik bij het ontbijt wilde. Ik was alleen.

Ik ging op de bank zitten. Het was te vroeg voor het ontbijt, en Tony had gezegd dat hij pas tegen twaalf uur 's middags aangekleed zou zijn. De weekends waren moeilijk, op Wickham. De weekleerlingen gingen dan naar huis en de andere leerlingen gebruikten hun tijd om te studeren. Deze eerste week van lessen was nogal saai geweest, op de anatomieles na dan. Ik keek omlaag, naar de salontafel. Het boek dat ik had meegenomen uit de bibliotheek lag nog steeds open bij Rhodes gravure. Ik keek naar Rhodes ogen, die prachtige ogen die me altijd zouden blijven achtervolgen – nu staarden ze in de leegte. Er was niemand die het kon begrijpen.

Plotseling was ik weer moe en wilde ik alleen nog maar terug in bed kruipen. Ja, even slapen, dat zou fijn zijn, dacht ik. Terwijl ik naar mijn slaapkamer liep, hoopte ik dat ik zou dromen over Rhode.

Die avond ging ik langs bij Tony's kamer, waar ik erachter kwam dat zijn familie hem had opgehaald om uit eten te gaan. Dus zwierf ik in mijn eentje over de campus. Hoewel het warm was voor september, nog steeds bijna twintig graden, rook ik al iets van de herfst in de lucht; het was aan het afkoelen.

Ondanks de schemering was het bij Quartz nog een drukte van belang. Jongens trapten voetballen naar elkaar op het grasveld of wierpen elkaar rugbyballen toe. Uit de kunsttoren klonk rockmuziek. Jongens en meisjes liepen over de paden of zaten te praten in de vensterbanken.

Terwijl ik daar liep, werd ik gepasseerd door twee meisjes. Eentje herkende ik van de Engelse les van professor Lynn.

'Hoi, Lenah,' zei ze.

'Eh.. O, hallo,' antwoordde ik, en ik merkte dat ik glimlachte.

Zij zat ook in de onderbouw. Daar kende ik haar van. En ze zei mij speciaal gedag.

Ik denk dat ik op weg was naar het strand om naar de sterren te kijken toen ik de plantenkas zag, vlak achter de gebouwen voor exacte vakken. Met de geur van lavendel nog vers in mijn herinnering, na mijn aankoop de dag ervoor, liep ik over een strook gras naar de kas.

Het gebouw was opgetrokken uit glas en strekte zich een heel eind naar achteren uit, weg van het voetpad. Ik drukte mijn handpalmen tegen de glaspanelen en tuurde naar binnen, maar het was behoorlijk donker. Ik focuste mijn blik op de planten die ik wel kon zien. Ik hapte naar adem, en adrenaline golfde door mijn borstkas.

'Waterkers! Rozen, seringen, goudsbloemen en tijm,' fluisterde ik. Alle kruiden en bloemen die ik zo miste en zo graag weer in mijn leven wilde hebben. De dubbele toegangsdeur was van glas, net als de rest van het gebouw, en ik begon te trekken aan de zwarte deurgreep. De deur trilde, maar gaf niet mee. Ik wilde niets liever dan naar binnen gaan. Je zou denken dat ik als vampier compleet verwijderd was geraakt van de natuurlijke elementen. Aan mij was niets natuurlijks meer geweest, adem of water had ik niet nodig gehad. Maar ik was dol op kruiden en bloemen, op planten. Alle bloemen hebben een natuurlijke kracht, net als alle stenen. Alles, de bloemen, de planten, de aarde, zelfs de zwarte magie die door me heen had gestroomd als vampier, kwam voort uit de aarde.

'De kas is gesloten.'

Met een ruk draaide ik me om.

'Loop toch niet steeds zo achter me aan.'

Justin Enos kwam net onder de douche vandaan, en hij was alleen. Hij was aan komen lopen vanaf het grasveld tussen Quartz en het exacte-vakkengebouw. Hij droeg een blauw overhemd en een kaki short. Het leek of hij glom.

'Ik was op weg naar de parkeerplaats,' zei hij, wijzend langs het pad. 'Waarom wil je de kas in?' Hij kwam naast me staan en keek het donkere gebouw in. 'Het ruikt daar naar aarde.'

'Daar houd ik van,' zei ik, bijna fluisterend.

'Echt?' Verrast keek hij me aan. Ik keek de kas weer in en gaf geen antwoord. Ik had geen zin om hem iets uit te leggen over mijn liefde voor bloemen en kruiden.

'Ben je nog kwaad op me?' vroeg hij.

'O, werkt dat zo? Eén keer snorkelen en ik moet meteen in katzwijm vallen?' antwoordde ik.

Hij liet een hand tegen de kas rusten en boog zo ver naar voren dat zijn gezicht het mijne bijna raakte.

'Je ruikt geweldig,' zei hij.

'Dank je,' zei ik, een beetje ademloos. Justins ogen boorden zich in de mijne, en toen trok hij zich weer op gepaste afstand terug. Als ik niet beter had geweten had ik gedacht dat hij me testte, zoals vampiers doen, met een directe blik.

'Ik ben nog niet klaar met jou, hè?' zei hij bijna grommend. Als ik had kunnen spinnen, had ik het gedaan.

'Justin!' riep iemand.

We draaiden ons allebei met een ruk om. Tracy en de Three Piece kwamen op de kas af lopen vanaf de Union. Ze waren gekleed in korte, zwarte jurkjes, die alle drie net iets anders waren.

'Hoi, Lenah,' zei Tracy, toen ze bij het pad waren.

'Wat ben je snel bruin geworden,' zei Claudia tegen me.

Ik keek naar mijn armen.

'Ik had het eigenlijk niet eens door,' antwoordde ik schouderophalend.

'Blijf je thuis vanavond?' vroeg Tracy, terwijl ze haar arm door die van Justin stak. Ik keek in Tracy's ogen zoals een vampier zou doen. Een blik die tot diep in haar ziel doordrong. Maar ik zag geen diepte in haar ziel. Ze was vlak, een kind van een werelds universum. Alle drie de leden van de Three Piece waren het slachtoffer van hun egocentrisme. Maar Justin had lichtjes in zijn ogen. Een soort venster waardoor ik kon zien dat hij veel, heel veel meer was dan een gewone jongen. Hij was gewiekst en hij was moedig – net als Rhode. Hij had bezieling. Ik rukte mijn ogen los van die van Tracy. Ik voelde iets knappen in mijn borstkas, alsof een betovering werd verbroken.

'Ja, ik blijf thuis,' zei ik, en ik concentreerde me weer op Claudia en Kate. 'Op zondagavond doe ik nooit zo veel.'

'Behalve een beetje rondhangen bij de kas?' vroeg Kate. Ze had een extreem kort jurkje aan.

'Jammer,' zei Tracy tegen me, en toen keek ze Justin aan. 'Kom mee, ik wil naar de club, en we moeten wel op tijd weer binnen zijn.'

Na die woorden begonnen ze het pad af te lopen. Ik wilde niet achter ze aan hobbelen, dus deed ik of ik naar iets in de kas keek.

'Welterusten,' zei Justin over zijn schouder.

'Welterusten,' zei ik, en algauw waren ze opgeslokt door het duister en liep ik alleen terug naar huis.

Het was maandagochtend negen uur, en ik trof Tony in de bibliotheek. Het bleek dat hij daar al uren zat. Hij was omringd door honderden foto's. Ik overdrijf niet. Honderden foto's

– van mij. Nadat ik mijn rugzak achter de balie had gezet keek ik langs de rij boekenkasten naar het studiegedeelte achterin. Ik zette mijn zonnebril af en liep langs de rijen boeken naar Tony.

Ik bleef bij de tafel staan, maar Tony keek niet op. Het waren foto's van het snorkeltripje. Het waren er zeker tweehonderd, allemaal vanuit een andere hoek genomen. Tony's hoofd was gebogen en zijn vingers omklemden een klein stompje houtskool. Ik keek naar het schetsblok op tafel en zag de omtrekken van twee ogen die erg veel op de mijne leken.

'Je beseft toch wel dat dit op een obsessie begint te lijken?' zei ik, met mijn armen over elkaar geslagen.

Tony ging met een ruk rechtop zitten, en ik moet toegeven dat ik verrast een stap achteruit deed. Zijn normaal zo opgewekte houding was nergens te bekennen. Op zijn gladde huid zaten een paar houtskoolvegen en op zijn voorhoofd een zwarte vlek, waar hij kennelijk met zijn handpalm tegen zijn hoofd had gedrukt.

'Ik heb nog nooit eerder zo'n portret gemaakt,' zei hij, en hij boog zich weer over het schetsboek. 'Ik moet het perspectief goed krijgen,' bromde hij, maar het leek alsof hij het meer tegen zichzelf had. Hij keek naar mij, toen weer naar het schetsblok en scheurde de bladzijde eruit. Hij verfrommelde hem tot een prop en liet hem op de grond vallen. Ik pakte een van de foto's van tafel.

Op die foto stonden Justin Enos en ik op de rand van de boot. Justins hand lag in de mijne en onze profielen werden overspoeld door zonlicht. Ik keek in Justins ogen en lachte. Het water vlak onder ons wierp een glinsterende gouden gloed op onze gezichten. Voordat ik de welving van mijn lippen of de witheid van mijn tanden nader had kunnen bestuderen, griste Tony de foto uit mijn hand en gooide hem achteloos op de stapel.

'Hé!' protesteerde ik.

'Fout. Op al die foto's is het perspectief fout.'

'Hoe kan dat nou, Tony? Kijk eens hoeveel het er zijn. Je kunt er toch wel één vinden die...'

Driftig schudde hij zijn hoofd en met één veeg van zijn arm duwde hij de foto's in een canvastas, waarna hij opstond en het lange gangpad af marcheerde naar de uitgang. Zijn rugzak viel van zijn schouder en bleef hangen aan zijn pols. Hij hees hem weer op zijn schouder, en op dat moment gleed zijn veel te wijde broek van zijn achterste, waardoor ik zijn boxershort zag en de bovenkant van een heel smal bilspleetje. Hij maakte een klein huppeltje en trok zijn broek op. Met een zwierig gebaar duwde hij de deur van de bibliotheek open.

'Tony, wacht!' riep ik, en ik haastte me de bibliotheek uit.

Ik probeerde mijn lachen in te houden terwijl ik rende om hem in te halen.

'Snap je het dan niet, Lenah?' zei hij, maar hij bleef doorlopen.

'Ik moet het goed doen. Ik bedoel, het is niet zomaar jouw portret. Het is heel belangrijk voor mijn beurs. Bij elk project dat ik doe moet vooruitgang te zien zijn. Je weet wel, ik moet steeds iets nieuws toepassen in mijn werk.'

'Dus dat portret van mij moet grensverleggend zijn als het gaat om jouw artistieke kwaliteiten?' vroeg ik. Onze blikken ontmoetten elkaar, en Tony's frustratie smolt weg in een glimlach. Hij legde zijn arm om mijn schouder.

'Als je het per se zo gewichtig wilt formuleren, inderdaad, daar gaat het om. En daarbij zie je er natuurlijk ook niet verkeerd uit.'

We begonnen in de richting van het anatomielokaal te lopen, maar het was druk. De leerlingen stonden in grote groepen bij elkaar, dus we kwamen maar langzaam vooruit.

'De prins en de prinses hebben ruzie,' zei een jongere leerling vlak voor ons. Ik kende haar niet, maar ze had een slechte bloedsomloop (matblauwe aderen, die kleur was altijd een duidelijke aanwijzing).

Tracy en Justin stonden op het grasveld voor Quartz. Tracy priemde met haar vinger naar Justin, waardoor haar secuur gelakte nagel zich op luttele centimeters van zijn neus bevond. Hij sloeg zijn armen over elkaar en keek naar de grond. Terwijl we linksaf sloegen, in de richting van het standbeeld van madame Curie, ving ik een flard van de ruzie op.

'Je zit de laatste tijd voortdurend in de bibliotheek. Laat me raden, Justin, is het vanwege dat ene meisje hier op de campus dat zich niet aan je voeten werpt?'

'Tracy! Dat heeft er niets mee te maken!'

'Ze is behoorlijk rijk. Dat speelt ook mee, neem ik aan? Het spijt me dat niet iedereen genoeg poen heeft voor een privéappartement, Justin. Ik weet dat jij en Lenah het rijk voor jullie alleen hebben, maar kamergenoten horen er hier juist bij.'

'Waar heb je het in godsnaam over?'

'Je wilt nooit meer naar mijn kamer komen. Ontken het maar niet! En je vindt haar mooi. Ik heb wel gezien hoe je naar haar keek, bij Engels.'

'Oeps,' fluisterde Tony, terwijl we naar binnen liepen voor onze anatomieles. Ik kon het niet helpen dat er een tevreden gevoel in mijn borstkas gloeide.

Tijdens de les sprongen mijn gedachten op en neer tussen de ruzie van Tracy en Justin en Vickens stem die over de campus had gegalmd. Telkens als ik uitgebreid had zitten speculeren over Tracy's beschuldigingen en Justins gevoelens voor mij, keerde ik in gedachten weer terug naar Vicken. Hoe had ik hem zo duidelijk kunnen horen, en waarom? Ik wist dat ik niet gek was en daardoor stemmen hoorde. Een verliefde vampier kan telepathisch communiceren met zijn of haar geliefde, maar Vickens connectie zou afgesneden moeten zijn door mijn transformatie tot mens. Vickens wilskracht en vastberadenheid waren bij zijn leven al aanzienlijk geweest. Deels daarom had ik hem tot vampier gemaakt. Die aspecten van zijn persoonlijkheid waren waarschijnlijk sterker geworden terwijl de tijd voortschreed – misschien kon hij me inmiddels inderdaad telepathisch bereiken terwijl ik duizenden kilometers verderop was.

'Ga zitten,' zei Tony. We waren in het atelier, na de anatomieles. Hij onderbrak mijn gedachten met het scherpe geluid van hout dat over hout werd gesleept. Hij schoof een kruk van de ene kant van de kunsttoren naar de andere. Een moment later zat ik op de kruk terwijl Tony ingespannen aan het werk ging. Hij gebruikte niet langer houtskool, omdat hij had besloten dat hij mijn gelaatstrekken daarmee niet goed kon vastleggen. Hij kwam achter zijn ezel vandaan en boog zich voorover naar mijn gezicht. Hij stak zijn pink uit, gesierd door een zilveren ring, en veegde een lok haar uit mijn ogen. Hij controleerde of de kleur verf die hij had gekozen de juiste was door wat op zijn handpalm te smeren.

'Je ziet er geweldig uit. Dit wordt perfect,' zei hij met een glimlach. Ik genoot van de geur van verf in het atelier en van die van vers gemaaid gras die met een briesje mee naar binnen kwam door het raam. Tony rook een beetje als een jongetje, muskusachtig, vermengd met verf. Ik keek in Tony's ogen en hij staarde in de mijne. Een glimlach kroop over zijn gezicht. Voor ik het wist hief ik mijn kin naar hem op en waren onze lippen vlak bij elkaar.

Toen klopte er iemand op de deurpost.

'Lenah?'

Tony sprong achteruit. Met een ruk draaide hij zich om naar de deuropening. Justin Enos kwam het atelier binnen wandelen. Ik glimlachte, absoluut niet in staat mezelf daarvan te weerhouden.

'Ik was naar je op zoek, in de bibliotheek,' zei Justin, en hij liep recht op me af.

'Eerst de kas, en nu kom je weer hierheen?'

'De bibliothecaresse zei dat je meestal hier zit, met Tony.'

'Puur zakelijk,' zei ik, en ik stond op. Tony was al bezig zijn verf op te ruimen. Ik lachte zo breed dat ik er duizelig van werd.

'Maak je een schilderij van Lenah?' vroeg Justin, en hij rekte zijn nek uit om op de ezel te kijken.

'Ja,' zei Tony kortaf en hij pakte zijn penselen bij elkaar.

'Gaaf. Mag ik het zien?'

Tony pakte het doek op. 'Nee. Het is echt nog totaal niet af.' Hij zette de ezel tegen de muur.

'Hij is een beetje gevoelig,' zei ik, nog steeds glimlachend.

'Wat moet je, Enos?' zei Tony. 'Je komt hier anders nooit.'

'Ik kom kijken hoe moedig jullie zijn,' zei Justin, maar hij had het tegen mij.

'Moedig?' vroeg ik.

'We gaan zaterdag bungeejumpen.'

Ik keek van Justin naar Tony. Tony schudde snel zijn hoofd.

'Niet doen, Lenah. Dat is zelfmoord.'

'Wat is bungeejumpen?' vroeg ik.

'Weet je dat echt niet?' zei Justin, die nu tegen een tafel geleund stond. Hij sloeg zijn ene enkel over de andere. Een pose waarin ik hem vaker had gezien. Dit was een houding waarin hij zich prettig voelde. Hij stond op die manier omdat het hem een gevoel van macht gaf. Ik zuchtte – die vaardigheid om houdingen te lezen was een typisch vampiertrekje. Een gewoonte die ik tot nu toe niet had kunnen afleren. 'Je springt van een brug boven een rivier. Het is geweldig.'

Tony ging tussen ons in staan en stak beide handen omhoog. In zijn ene hand hield hij nog steeds al zijn kwasten. 'Je krijgt een band om je enkel met een elastisch koord en dan spring je van een hoge brug of een hoog gebouw...'

'Het is echt de moeite waard,' onderbrak Justin hem.

Tony zette zijn penselen in een bak water in de wasbak. Hij spoelde zijn palet af en draaide zich om. 'Voor wie, Enos? Dat jij nou zo nodig dood wilt, betekent niet dat Lenah er ook zo over denkt,' zei hij.

'Goed,' zei ik. 'Ik ga mee.' Justins gezicht begon meteen te stralen. 'Maar alleen als Tony ook meegaat.'

'Nee. Geen sprake van. Vergeet het maar,' zei Tony. 'Nee,' herhaalde hij, met een tamelijk hysterisch lachje. Hij liep naar de opberghokjes achter in het atelier en duwde een rood gordijn opzij bij zijn eigen hokje. Alle teken- en schilderleerlingen hadden er een. Hij gooide zijn palet in een stalen bak. 'Nee,' zei hij, alweer lachend en hoofdschuddend. Hij stopte zijn zwartleren tekenmap onder zijn arm en stormde langs Justin en mij. 'Nee,' zei hij, terwijl hij de trap af begon te lopen. 'Nee. Ha.

180

Ha. Ik bedoel dus echt nee,' bleef hij maar zeggen, helemaal tot onder aan de trap.

Die avond plofte ik meteen neer in de leunstoel, toen ik thuiskwam. Mijn blik bleef hangen bij het bureau aan de andere kant van de kamer, en ik staarde naar de foto's van mijn coven. Mijn lichaam kon niet meer urenlang rennen. Ik had nu te maken met bloedvaten en spieren en mijn altijd aanwezige bonkende hart.

Het was zo stil. Mijn oogleden werden zwaar. Buiten was geen geluid te horen, maar af en toe hoorde ik gepraat van mensen die door het trappenhuis van mijn gebouw liepen. Ik luisterde naar mijn ademhaling, omdat het er tegenwoordig werkelijk toe deed of ik zuurstof in mijn longen had. In en uit. In en uit... het ritmische geruis van de lucht was geruststellend. Mijn oogleden begonnen voor de honderdste keer dicht te zakken, en deze keer liet ik het gebeuren. Plotseling doemde voor mijn geestesoog de zitkamer op van mijn huis in Hathersage, hoewel hij er totaal anders uitzag.

Honderd jaar geleden was hij ingericht geweest met oosterse tapijten, dieprode gordijnen en meubels die waren bekleed met dik fluweel. In deze droom was de kamer nog hetzelfde, maar er waren dingen aan toegevoegd, zoals flatscreen-tv's en computers.

In een hoek ijsbeerde Vicken rond, gekleed in een zwarte broek en een zwart overhemd. Hij liep naar het raam en drukte op een knopje op de muur, aan de rechterkant. Automatisch gingen de zonneschermen omhoog. Buiten, direct onder het raam, lag het kerkhof dat baadde in een bloedrode gloed. Op een grafsteen stond mijn naam, Lenah Beaudonte.

'Er klopt iets niet,' zei Vicken, in het Hebreeuws. 'Rhodes spullen zijn verdwenen. Zijn slaapkamer is helemaal leeggehaald.'

'Ze zal herrijzen,' zei Gavin in het Frans, vanuit de deuropening. 'Geduld.'

Vicken wendde zich niet naar hem toe.

Hun woorden waren een mix van talen, dialecten en accenten.

'We hebben dit al besproken,' zei Heath, die zich bij Gavin voegde in de deuropening en die natuurlijk alleen in het Latijn sprak.

'Ja, maar nu Nuit Rouge steeds naderbij komt, beginnen er twijfels bij me op te komen,' legde Vicken uit.

'Angst,' zei Song, die langs Gavin en Heath glipte en op de bruine leren bank ging zitten die naar het raam gekeerd stond. Hij sprak Engels.

Vicken maakte een spottend geluid.

'Angst zorgt ervoor dat je steeds bij dat raam staat,' zei Song.

Vickens vingers omklemden het raamkozijn. Zijn nagels maakten scherpe krasjes in het hout. Hij wendde zich snel van het raam af en plofte neer in een fauteuil. Op een bijzettafeltje stond een schaal met gedroogde seringen. Hij pakte een handvol op en liet de paarse blaadjes als zandkorrels tussen zijn vingers door in de schaal terug stromen.

'Ik heb haar nodig. Als ze niet binnen vijf weken herrijst, graaf ik haar zelf op, met mijn blote handen,' zei hij, en op dat moment opende ik mijn ogen, happend naar adem, met de geur van seringen in mijn haar.

14

Nickerson Summit is een brug die zo'n vijftig meter boven een rivier hangt. Die zaterdag waren we in Justins SUV vertrokken naar Cape Cod Bungee, niet meer dan een half uur van Wickham. De anderen hadden toestemming van hun ouders nodig gehad om te mogen bungeejumpen – ik had simpelweg Rhodes handtekening vervalst. Na een uur van instructies en het tekenen van papieren waarin stond dat onze ouders geen rechtszaak zouden aanspannen als we zouden omkomen, zetten we ons leven op het spel. We gingen in de rij staan om van Nickerson Summit te bungeejumpen.

'Ongelooflijk dat ik me heb laten overhalen. Dit is echt zo'n slecht idee,' zei Tony, die op de brug liep te ijsberen. Hij stopte steeds na een paar passen en schudde met zijn schouders. 'Je *kunt* het,' mompelde hij dan zachtjes.

'Spring je samen met mij?' vroeg Tracy aan Justin, terwijl ze helemaal om hem heen hing.

'We springen allemaal alleen, liefje,' zei Justin.

Tracy leunde naar hem toe voor een kus. Ik zag dat haar mond open was en dat die van Justin gesloten bleef. Het was een vreemde kus, ongelijkwaardig.

'Ik wil eerst!' gilde Tracy toen, en ze omhelsde de andere leden van de Three Piece.

'Godzijdank,' zei Tony zachtjes, en hij ging op de stoeprand zitten.

'Beloof je me dat je meteen na mij springt?' vroeg Tracy aan Justin. Ze wierp mij een felle blik toe en kuste Justin toen op zijn wang.

'Goed hoor,' zei hij, en Tracy nam haar positie in op de brug. Ze ging helemaal op het randje staan, stak haar beide armen uit en leunde naar voren. Ze gilde het uit en was verdwenen. We renden allemaal naar de rand. De puntjes van Tracy's haar raakten net de rivier. Ze hield haar armen boven haar hoofd en haar lichaam bewoog mee met het elastieken koord. Ze kwam weer omhoog, bijna tot aan de brug en dook weer omlaag. Aan haar ontspannen lichaam kon ik zien dat ze het volste vertrouwen had in de techniek. Hoe moest ik dat in hemelsnaam doen? Nu de bewegingen van het elastiek vertraagden, zeilde ze langzamer door de lucht, van links naar rechts, waarbij haar haren zwaaiden en wapperden in de wind.

Terwijl de mensen van het bungeejumpen met hun bootje kwamen om haar los te maken van het koord, pakten Claudia en Kate elkaars hand vast en sprongen samen. Ze gilden de hele weg omlaag. Curtis en Roy volgden, en algauw waren alleen Justin, Tony en ik nog over.

'Kom op Tony, je kunt het!' riep Tracy vanaf de oever van de rivier.

Ik tuurde over de rand, verrast dat Tracy zowaar iets aardigs had gezegd tegen Tony. De meisjes lagen te zonnebaden. Onder hun kleren hadden ze kennelijk alle drie een rode bikini gedragen. Ik had alleen mijn beha en onderbroek aan.

Tony stapte de brug op. Hij balde zijn vuisten en ontspande ze weer.

'Mijn handen zweten. Mijn rug zweet. Ik voel me ellendig.' Hij draaide zich om en wierp me zijn honkbalpet toe. 'Ik geloof gewoon niet dat ik dit ga doen. Ik moet kotsen.'

De bungeeman, die naast Tony stond, toverde een blauwe emmer tevoorschijn en stak die naar hem uit. Tony haalde diep

184

adem. 'Ik ben een kunstenaar. Ik *kan* dit.'

'Ben je dan nu klaar?' snauwde de bungeeman. Hij was gedrongen, had een baard en droeg een T-shirt waarop stond FAT GUYS LOVE MEAT.

'Leuk shirt,' zei Tony tegen de bungeeman, en toen keek hij mij aan. 'Ik hoor het mijn moeder gewoon zeggen, Len. "Tony, moet je dood of zo?"'

Ik moest zo hard lachen dat mijn borstkas pijn deed.

Tony liet zijn armen langs zijn lichaam hangen, sloot zijn ogen en schreeuwde zo hard dat zijn stem brak, helemaal tot aan het water. Ik hoorde een plons, en vervolgens begonnen de Three Piece-leden te gillen en te juichen.

Nu waren alleen Justin en ik nog over. De bungeeman trok me het tuigje aan en maakte het vast. Ik voelde hoe Justin naar me keek.

'Dit heb je expres gedaan,' zei ik tegen Justin, terwijl de man nog bezig was me in te snoeren.

'Misschien,' zei hij.

'Wat speel je voor spelletje? Je vriendin ligt daar beneden op de oever.'

'Laten we samen springen.'

'Kom nou, Lenah!' riep Tony van beneden.

'Als je met mij springt, weet Tracy het.'

Justin stond op. 'Wat weet ze dan?'

'Dan denkt ze dat je expres op me hebt gewacht.'

'Dat is ook zo,' zei hij.

'Luister,' zei de bungeeman. 'Hou je ogen wel open, als je samen springt. Zorg dat je niet met je koppen tegen elkaar aan knalt. Ik heb een hekel aan bloederige toestanden.'

'Als je met mij springt, denkt Tracy...' begon ik.

'Dat kan me niet meer schelen.'

Justin greep mijn hand en we liepen naar de rand van de brug. Ik keek niet naar Tracy en de Three Piece. Ze waren nu doodstil, daar beneden. Justin had gewacht tot hij met mij kon springen en nu wist iedereen het. Ik zag hem zijn rechtervoet optillen.

'Nee, wacht,' zei ik, omdat ik opeens de enorme afstand van de brug tot de rivier voelde.

Justin kneep even in mijn hand en ik richtte mijn blik weer op de rivier onder me, keek hoe de stromingen uit elkaar bewogen en weer samenkwamen. Ik keek naar het omkrullen van de golfjes achter de motor van het bootje. Op dat moment kwam hij weer bij me terug – die droom over de coven. Het was niet echt geweest, maar zo had het wel gevoeld. Plotseling zag ik Rhodes kwade gezicht voor me. Hij had zijn leven voor me opgeofferd, en nu ging ik mezelf van een brug gooien?

'Je kijkt alsof alles nieuw voor je is, alsof je nooit je huis uitkwam,' zei Justin, en daarmee verbrak hij de ban van mijn gedachten.

Met mijn hand nog steeds in de zijne keek ik hem aan.

'Zo kijk je nu ook naar die rivier.'

'Misschien ben ik nooit echt buiten geweest, tot nu toe,' zei ik.

'Je kunt niet de rest van je leven in de kajuit van een boot blijven zitten, toch?'

Ik keek omlaag naar Tony, die zijn vuist in de lucht stak. 'Je moet het loslaten...' zei Justin.

Ik keek naar Justin en verdreef het beeld van de coven uit mijn hoofd. Ik was er klaar voor. Met mijn rechterhand in zijn linker glimlachten we even naar elkaar.

'Klaar?' vroeg hij.

We sprongen.

Mijn lichaam was... vrij. Tijdens mijn sprong liet ik Justins hand los. Ik voelde mijn bovenlichaam opstijgen en weer vallen, en de lucht suisde langs mijn oren, tussen mijn vingers door. Ik hoorde iedereen juichen, maar ik hoorde vooral Tony. Mijn heupen werden door de elastieken bungee omhooggetrokken en weer omlaag. De wind joeg langs mijn wangen en mijn schedel. Ik keek naar rechts en zag dat Justins ogen gesloten waren, zijn armen boven zijn hoofd. Ik deed hem na en sloot ook mijn ogen, en een rilling liep over mijn rug. Ik glimlachte, ik kon er niets aan doen. Toen de bewegingen van de bungee afnamen, keek ik Justin aan, ondersteboven. Hij glimlachte naar me.

'Ben je nog verdrietig?' vroeg hij.

Terwijl ze ons in de boot hielpen en naar de kant brachten, hield Justin voortdurend mijn blik vast. Nee, op dat moment kon ik onmogelijk verdrietig zijn.

15

'Lenah! Wacht!' riep Tony me na. Hij stond boven aan de trap in de kunsttoren.

Het was de dag na ons bungeeavontuur en Tony had de hele ochtend mijn ogen zitten tekenen. Toen hij in de deuropening verscheen, zag ik een veeg groene verf op zijn neus zitten. 'Bedankt voor vandaag,' zei hij. 'Het is me eindelijk gelukt. Denk ik.'

'Graag gedaan,' zei ik. Voor ik onder aan de trap was, hoorde ik Tony tegen de andere leerlingen in het atelier zeggen: 'Dames! Laat je vooral niet afleiden door mijn strakke kontje en sexy loopje. Ik ben hier de hele dag nog.'

'Je hebt verf op je neus, Tony,' zei iemand, en een golf van gegiechel volgde.

Ik stapte naar buiten en keek omhoog. De wolken waren dik, laag na laag van opgezwollen grijze massa's. Terwijl ik over het grasveld liep, zag ik Curtis, Roy, Claudia en Kate op een deken zitten. Toen ik hen passeerde, met een glimlach om mijn lippen voor de meisjes, boog Kate zich naar Claudia en verborg haar mond achter haar hand. Over Kates gemanicuurde nagels heen keek Claudia me aan. Claudia hield haar hoofd schuin, luisterend naar Kate. Maar er verscheen geen lach op haar gezicht, om een of ander duister geheim dat ze deelden, zoals meestal het geval was. In plaats daarvan kwam er een zachte blik in haar ogen. Ik keek nog eens naar Kate – haar wenkbrauwen waren samengetrokken, en hoewel ik haar mond niet kon zien, wist ik zeker dat ze spottend lachte. Maar Claudia... er leek iets te zijn veranderd. Claudia en ik deelden dat moment tot Curtis achteroverleunde op zijn ellebogen, me van top tot teen opnam en schamper lachte. Hij was lang, net als Justin, maar molliger, met dikke lippen en een onderkin.

Ik liep langzaam verder. Kate wierp haar blonde haren over haar schouder. Roy, Claudia's vriendje, staarde nu ook naar me. Hij was kleiner dan Justin en Curtis.

'Lekker gesprongen, gisteren?' vroeg Curtis.

Kate maakte een minachtend geluid. Toen drong het opeens tot me door. Het was alsof iemand me zo hard in mijn gezicht had geslagen dat mijn wangen ervan gloeiden. Ik had geen BZW meer. Ik kon niet peilen wat ze voelden. Ik wist alleen dat Kate droop van de minachting, maar dat was ook wel heel duidelijk. Ik concentreerde me op de groep, maar er kwam geen enkele sensatie naar boven. Geen idee wat hun emotionele lading was.

Het was weg.

Ik wendde haastig mijn blik af en versnelde mijn pas. Ik keek omlaag naar de grasprieten en toen naar de vleugels van een langs zoemende vlieg. Oké, ik had dus nog wel mijn vampierzicht. Ik zuchtte van opluchting. Over het grasveld liep ik in de richting van het exacte-vakkengebouw. Bonk bonk. Bonk bonk. Bonkbonkbonk. Stom hart. Het gebonk gonsde in mijn oren. Adrenaline raasde door mijn borstkas, mijn vingertoppen tintelden. Ik liep nog sneller, langs leerlingen die op weg waren naar hun klas. Ik verborg mijn ogen voor iedereen die me tegemoetkwam. Ademhalen kostte me de grootste moeite. Ik bracht mijn hand naar mijn borstkas en voelde mijn longen beven.

Mijn lichaam kwam tegen me in opstand. Deze fysieke reactie – wat was dat? Angst? Paniek? Ik klemde mijn kaken op elkaar.

Ik besloot naar de kas te lopen, om mezelf weer in de hand te krijgen. Ik kwam net langs de poort van Quartz, van plan om zonder op of om te kijken door te lopen, toen een zeer bekende stem me tegenhield.

'Ik wist het. Ik wist dat dit zou gebeuren,' zei Tracy.

'Wat bedoel je? Dit zat er al heel lang aan te komen, Trace.'

'Heel lang? Een paar weken, bedoel je? Sinds je haar ontmoet hebt. Alles was prima, totdat Lenah Beaudonte hier op school kwam.'

Ik hapte naar adem en leunde met mijn rug tegen de stenen muur van het gebouw. Mijn hart bonkte nog steeds als een gek. Mijn BZW! Waarom was die opeens totaal verdwenen, net toen ik haar zo nodig had? En zonder enige waarschuwing?

'Het gaat niet om Lenah,' probeerde Justin uit te leggen.

Tracy snoof minachtend. 'Hou toch op. Zodra dat meisje haar mond opendeed, wist ik dat je haar wilde. Lenah zus, Lenah zo. Die achterlijke act van haar, het hulpeloze vrouwtje uithangen. Wie is er nou nog nooit op een boot geweest? Wie heeft er nou een hekel aan zonlicht?'

Ik sloop verder tot ik vlak naast de poort stond, aan de linkerkant. Nu begreep ik de blikken van Claudia, Kate en Curtis. Zij wisten al wat er ging gebeuren.

'Ik snap het gewoon niet.' Tracy's stem brak, en ik hoorde dat ze in tranen ging uitbarsten.

Ik wierp een voorzichtige blik om het hoekje en zag Justin en Tracy in de schaduw van de poort staan. De glazen deuren van het gebouw gingen open en dicht terwijl leerlingen langs liepen. De meesten hielden hun hoofd omlaag, terwijl ze zachtjes met elkaar fluisterden. Justin trok Tracy dicht naar zich toe, waardoor mijn buik begon te gloeien.

'En ik dan?' huilde ze. 'Ik zag jullie wel samen, op Nickerson Summit. Maar met mij wilde je niet springen.'

'Het is nu gewoon anders. Ik voel me anders.'

Tracy's hoofd schoot omhoog, en haar oog viel op mij. Ik draaide me met een ruk om, zodat mijn rug tegen het gebouw gedrukt was.

'Lenah!' gilde Tracy.

Ik kreunde.

'Wat?' zei Justin.

'Lenah. Ze staat daar naast de poort. Wat mankeert jullie toch, verdomme?' zei Tracy.

Het geluid van haar hakken op de keien tikte mijn kant op en toen langs me heen. Ze rende snel weg, over het grasveld, en was al op het voetpad voordat ik merkte dat Justin naast me stond. Ik wilde achter Tracy aan gaan en haar vertellen dat het me speet. Ik kreeg een tintelend gevoel in mijn maag, alsof er een knoop in zat, en toen raakten Justins vingers mijn schouder. Ik stapte bij hem vandaan, het grasveld op.

'Lenah...' Justins ogen brandden van verlangen... om me te troosten.

'Het was niet mijn bedoeling iemand pijn te doen,' zei ik.

'Dat heb je ook niet gedaan.' Hij stak zijn hand naar me uit. Ik wenste dat hij zijn armen om me heen sloeg en me dicht tegen zich aandrukte, maar alles voelde zo zwaar in mijn borstkas. Ik wees naar Tracy, die wegrende over de campus.

'Jawel, nu net.'

'Nee, dat heb ík gedaan.'

Ik liep nog verder het grasveld op. Het was zachtjes gaan regenen, niet meer dan wat spatjes, en door de druppels heen keken Justin en ik elkaar aan. Hoe kon een paar ogen me zo veel vertellen? Justins passie voor mij en zijn verbintenis met mijn hart zorgden ervoor dat ik in zijn ziel kon kijken. Achter het groen van zijn ogen, diep in zijn pupillen, daar was een ingang, een plek waar ik al Justins bedoelingen kon zien en voelen. Ik hield verbijsterd mijn adem in en hoopte dat ik die verbintenis met hem nooit zou kwijtraken, wat er verder ook gebeurde met mijn vampierblik nu ik steeds menselijker werd. Alsjeblieft, dacht ik. Laat me alsjeblieft nooit vergeten welk gevoel hij me geeft.

Ik moest toch ergens kijken, dus richtte ik mijn blik op Justins mond; zijn lippen vormden een rechte lijn. Ik had er werkelijk alles voor over gehad om het schuldgevoel uit te kunnen bannen dat door mijn aderen kolkte. Om de wereld stop te kunnen zetten, en de tijd die met hem meebewoog, en Justin gewoon te kussen, daar midden op de campus. Maar dat was mijn vloek, nietwaar? Om altijd dat schuldgevoel te hebben en te weten dat het allemaal door mij kwam. Ik wendde me van hem af, en het voelde alsof ik mezelf losscheurde. Snel liep ik naar de kas.

Tik tik. Tik tik.

Het was stil in de kas, op het geluid van de regen na die nu steeds harder tegen het gewelfde glazen dak kletterde. Het was warm geweest, voor de bui losbarstte, dus de ramen waren beslagen. Boven me hingen tientallen varens in potten aan metalen haken. De bladeren waren groen, met een lavendelblauw randje. Ik liep onder de varens door over het middelste gangpad van de kas. Aan weerszijden hingen rekken met planten, tot zo'n vier meter hoog. Om de paar minuten ging de sproeimachine aan die een nevel door de kas verspreidde, zodat de planten vochtig en warm bleven. Voor het eerst in lange tijd voelde ik me veilig.

Ik wist dat de magie van mijn BZW was verdwenen bij het bungeejumpen. Toen we daar op die brug hadden gestaan en Justins hand de mijne had gepakt. Op dat moment had ik mijn angst voor de coven laten varen en besloten deel te nemen aan het echte leven. Alweer een offer. Rhode had gelijk gehad. Het ging altijd om de intentie.

Die gedachten dwarrelden door mijn hoofd terwijl ik door de kas liep. Ik zag Vickens gezicht voor me, en dat riep de angst weer op. Ik strekte mijn hand uit naar een roos. Rozen in je thee brengen liefde. Ik deed de bloemblaadjes in mijn zak. Nu nog wat appelbloesem, voor geluk. Ik werd omringd door cactussen, orchideeën, varens, groene planten met massa's bladeren, allemaal in standaardpotten. Sommige planten hadden enorme bladeren die helemaal over het gangpad reikten. Andere hadden kleine blaadjes, nauwelijks met het oog waarneembaar – als het tenminste niet toebehoorde aan een vampier.

Het rook naar vochtige aarde. Maar het was niet langer iets wat ik verlangde, waar ik naar hunkerde. Misschien voor het eerst in een heel lange tijd begreep ik dat ik ook uit die aarde voortkwam. Ook ík was natuurlijk.

'Blij dat je de sprong gewaagd hebt?'

Ik draaide me met een ruk om. Justin stond in de deuropening van de kas. De dubbele deuren sloten langzaam achter hem, en toen waren we alleen. Ik draaide me weer om en keek voor me. Ik verroerde me niet. Hij liep naar me toe, waarbij zijn sneakers een zacht, zuigend geluid maakten op de vochtige vloer van de kas. Hij kwam zo dichtbij staan dat zijn borstkas mijn rug raakte. Justins lichaam was sterk en welgevormd, zo anders dan dat van een vampier, dat altijd blijft zoals het was op het moment van de dood.

Justins adem bezorgde me rillingen in mijn nek en op mijn rug. Op mijn armen en schouders voelde ik kippenvel. Ik keek naar rechts en zag een oranje bloem met mollige bloemblaadjes. Sommige waren oranjerood, andere bijna geel, en ze hadden een soort kartelrandje. Ze leken bijna van fluweel, als de bekleding van een comfortabele fauteuil.

'Calendula,' zei ik, terwijl ik Justins lichaamswarmte achter me voelde. 'Beter bekend als goudsbloem,' fluisterde ik nauwelijks hoorbaar, ademloos.

Justin legde zijn arm om mijn middel en trok me naar zich toe. Ik was nu zo dichtbij dat ik mijn hoofd tegen zijn borstkas liet rusten.

'Zeer geneeskrachtig. Goed als je gebeten bent,' vervolgde ik. Hij zei niets. Hij hield me alleen tegen zich aangedrukt en sloeg nu beide armen om me heen. Mijn lichaam tintelde, mijn vingertoppen gloeiden. Ik stapte naar voren, ademde in, en nog eens, en liet de lucht toen weer ontsnappen. Ik liep langzaam, zodat Justin me kon volgen.

Nu trok een andere bloem mijn aandacht, op een rek rechts van me. Ik draaide me langzaam helemaal om en keek Justin aan. Ik keek omlaag naar de bloemen die zich vlak onder zijn vingertoppen bevonden.

'Oost-Indische kers,' zei ik, en ik reikte omlaag. Ik plukte een sierlijk geel bloempje van een lange groene steel. Er was geen ruimte meer tussen ons. Dichterbij dan dit konden we niet komen. Ik hield hem het bloemetje voor in mijn handpalm. 'Je kunt het eten.'

Justin keek naar de bloem en toen naar mij. Hij opende zijn

194

mond en wachtte af. Ik legde de bloem op zijn tong en hij sloot zijn lippen.

Ik bracht mijn gezicht dichter bij het zijne zonder over de consequenties na te denken. Hij slikte de blaadjes door en ik zag zijn adamsappel op en neer gaan. Algauw lagen zijn handen op mijn heupen en werd mijn gezicht naar het zijne opgetild. 'Wat betekent dit?' fluisterde hij. Onze monden raakten elkaar bijna.

'Geluk. Waar jij bent.'

Een menselijke kus. Een mond die heet was van de peperige smaak van de Oost-Indische kers. Hij zorgde ervoor dat ik mijn lippen opende en weer sloot met de druk van zijn mond op de mijne. Ik was nooit eerder gekust. Niet op deze manier. Niet alsof ik leefde.

Blaadjes, speeksel, adem, zijn mond op de mijne. Een bonkend hart, mijn ogen gesloten.

Justins handen duwden tegen mijn heupen, gleden langzaam over mijn rug omhoog en begroeven zich in mijn haar. Ik kan je niet vertellen hoe lang we zo hebben staan kussen. Ik weet alleen nog dat Justin even zachtjes kreunde toen ik eindelijk naar achteren stapte.

Ik hoorde voetstappen, de ene stap net iets zwaarder dan de andere. Een geluid dat alleen ik kon thuisbrengen. Een laars die een heel klein beetje afweek van de andere. Ik keek over Justins rechterschouder, recht in Tony's ogen. Hij knipperde een keer, draaide zich om en marcheerde weg in de richting van het lacrosseveld en Hopper.

Een regendruppel rolde over mijn arm en mijn pols, langs een knokkel omlaag en viel toen van mijn vinger op de grond. Ik bleef zeker vijf minuten in de deuropening van mijn appartement staan terwijl ik steeds weer de kus opnieuw beleefde in mijn hoofd. Ik was zo doorweekt dat mijn kleren aan mijn lichaam plakten. Ik giechelde en bracht mijn hand naar mijn mond, verrast door het geluid. Het bloed stroomde naar mijn wangen. Justin Enos had me gekust...

Ik keek op, niet met opzet, maar mijn blik viel meteen op Rhodes zwaard. Ik liep er langzaam heen, stap voor stap, tot ik zo dicht bij het zwaard stond dat ik het kon likken. Ik zag mijn glimlach wegsterven in het spiegelende staal. Zelfs nu nog kon ik kleine restjes bloed zien zitten.

Ik reikte naar de ketting met het flesje, me afvragend of ik Rhodes overblijfselen nog nodig had rond mijn hals. Ik liet mijn handen vallen en liep naar mijn slaapkamer. Natuurlijk had ik die nodig. Het kon wel zijn dat Justin Enos me had gekust, maar ik was nog niet klaar om mijn verleden los te laten. Ik werd nog steeds gerustgesteld door de herinneringen aan mijn leven vol dood en verderf. Onderweg naar de slaapkamer vroeg ik me af wat het zou betekenen als ik dat zwaard van de muur haalde en wegstopte, het in een kist legde zodat het daar in het duister kon liggen, met de andere restanten van mijn vroegere bestaan. Nee. Ik was er nog niet klaar voor. Maar het was wel tijd om *iets* te doen. Ook al was het iets kleins.

16

Kleng – beng!

Staal knalde op staal. Ik draaide in een cirkel en hield mijn blik op mijn tegenstander gericht. Altijd de ander in het oog houden, had Rhode me geleerd. Ik wierp mijn gewicht achter mijn linkerarm, hief mijn zwaard in de lucht en greep het handvest nog wat steviger beet. Ik vocht met Rhodes zwaard. Met een daverende klap raakte ik Vickens zwaard. Mijn beweging stokte. Onze zwaarden lagen tegen elkaar aan, en we bleven allebei stokstijf staan.

'Je hebt geoefend,' zei hij.

Ik stapte naar achteren en liet mijn zwaard zakken. Het was het jaar 1875. Vicken en ik waren in de wapenkamer van Hathersage. Aan de muren hingen honderden zwaarden en dolken en allerlei ander wapentuig. Achterin was nog een aparte ruimte met een apothekerstafel, die was afgescheiden met een zwart gordijn. Voor de magie.

Dankzij mijn soepel vallende japon kon ik me gemakkelijk bewegen. Hij was zeegroen, de kleur zo helder, terwijl de rest van mijn wereld dat niet kon zijn.

Vicken vond het heerlijk zijn zwaardkunst te oefenen, ervan overtuigd dat hij die ooit nog nodig zou hebben. Die dag droeg hij een wit overhemd en een leren broek.

'Daarin kan ik me makkelijker bewegen,' zei hij, 'bij het zwaardvechten.'

De wapenkamer was op de begane grond en keek uit op de oprijlaan naar het huis. Toen ik mijn zwaard terug deed in de hoes hoorde ik gelach. Vicken stond al bij het raam.

'Wie zijn daar?' vroeg ik, terwijl ik me bij hem voegde.

'Een man en een vrouw,' zei Vicken.

Ze liepen hand in hand. Zij was een jong schepsel in een fel-blauwe japon. Haar metgezel was gekleed in een lichtbruin pak.

Ik trok mijn wenkbrauwen op en stapte bij het raam vandaan toen de jongeman om zich heen keek, bleef staan en de vrouw in zijn armen nam. Hij kuste haar zo innig dat ze naar adem hapte toen hij haar weer losliet. Toen deden ze het nog eens. 'Lust,' zei ik. 'De ondergang van elke onafhankelijke vrouw.' Ik draaide me om en leunde met mijn rug tegen de muur. Vicken steunde met zijn hand tegen het raamkozijn en keek naar me. Hij had van die diepliggende, donkere ogen. Zelfs als vampier lag er nog een warme gloed in.

'Dat is geen lust, Lenah.'

'Zoals hij haar kust? Haar de adem beneemt?'

Vicken ging voor me staan en liet zijn handen over mijn armen glijden. Ik wenste dat ik zijn aanraking kon voelen, maar het was voor mij als de wind die langs een grafsteen streek. De laatste tijd was Vickens gezelschap het enige waardoor ik nog enigszins bij zinnen bleef.

'Wens je nou nooit,' vroeg hij met gretige ogen, 'dat je me kon voelen?'

Ik keek omlaag naar Vickens gladde handen en dacht terug aan een moment in een operaloge, toen ik dat verlangen inderdaad had gevoeld. Toen ik mijn blik weer opsloeg naar Vickens ge-zicht zag ik dat zijn mondhoeken omlaag wezen. Misschien wist hij net zo goed als ik dat ik niet langer het vermogen bezat te verlangen. Ik wendde me van hem af en keek uit het raam.

'Ik verlang er in elk geval wel naar,' zei hij. 'Ik mis het om iemand aan te raken. Ik bedoel *echt* aanraken, zodat al mijn zenuwen tintelen.'

Buiten had het stel zich omgekeerd om het terrein weer af te lopen. De man stopte, plukte een wilde bloem en gaf die aan de vrouw.

'Dat is menselijke liefde,' fluisterde hij.

Ik snoof minachtend.

'Is het zo lang geleden dat je het niet meer herkent?' vroeg Vicken.

Een donkere schaduw vloog even door mijn ogen. Hij had gelijk. Het was liefde, en Rhode was nu al zo lang weg dat ik het niet eens meer kon zien. Ik klemde mijn kaken zo hard op elkaar dat een van mijn achterste kiezen barstte.

'Kom mee,' zei ik, naar de deur lopend.

'Waar ga je heen?' vroeg Vicken, en een glimlach verscheen op zijn gezicht. Zijn hoektanden kwamen omlaag.

'Onze nieuwe vrienden begroeten,' zei ik, en ik spuugde een deel van de gebroken tand uit zodat hij over de vloer weg stuiterde. 'Laten we een hapje gaan eten.'

Ik schudde mijn hoofd en richtte mijn aandacht weer op de anatomietafel. Het was maandag, en ik zat in de klas. Ik voelde met het puntje van mijn tong aan de holte van de gebroken tand achter in mijn mond en zuchtte. Ik was al vroeg in de klas gearriveerd. Ik had niet veel geslapen sinds Justin Enos had besloten alles op zijn kop te zetten en me te kussen. Eerst was de klas leeg geweest, maar tijdens mijn dagdromerij was bijna iedereen binnengekomen. Een zonnebril gleed over de tafel tegen mijn notitieblok aan. Ik keek op en zag Tony, die half naar me lachte terwijl hij ging zitten.

'Ik zag je niet bij het ontbijt,' zei ik.

'Deze was je vergeten. Gisteren, in de kunsttoren,' zei hij, wijzend naar de zonnebril.

'O,' zei ik. 'Dank je.' Dus daarom was hij me gevolgd, de kas in…

'Ben je er klaar voor?' vroeg hij, terwijl hij een pen en papier tevoorschijn haalde.

Ik deed hetzelfde, maar vroeg me af waarom we onze boeken niet pakten.

'Waarvoor?' vroeg ik.

'Kikkerdag. We moeten vandaag een kikker ontleden,' zei hij.

'Een levende kikker?' vroeg ik belangstellend. Ik voelde een scheut van opwinding. Moest ik een kikker doden? Zou het me iets kunnen schelen?

'Het is onze eerst test. Luister je nooit tijdens de les?'

Niet echt, dacht ik.

'Het brengt ongeluk als je hem in zijn ogen kijkt. Dus niet doen,' zei Tony.

'Waarom brengt dat ongeluk?'

'Mijn vader zegt dat je een ziel doodt als je een kikker doodt. Het is gewoon niet goed. Maar luister. Even iets belangrijkers, Lenah. Iets veel belangrijkers.' Tony draaide zich om en keek me aan.

Ik dacht dat het nu ging komen. Het moment waarop hij me zou aanspreken over Justin Enos. Tony's gezicht stond zakelijk.

'Ik wil dat je vandaag weer voor me poseert. Mijn leraar vindt dat ik nog iets moet verbeteren aan het portret.'

'Ik heb eh… een afspraak,' zei ik, denkend aan de kleine belofte die ik mezelf de avond ervoor had gedaan. 'Na de les.'

200

'Wat moet je dan doen?' vroeg Tony. 'Rondhangen in de kas?'

'Nee. Ik vertel het je nog wel.'

'Geheimen, Lenah. Zo veel geheimen.' Tony zuchtte. 'Kom je naar Hopper, rond etenstijd?'

'Goed,' zei ik. Net toen ik mijn boek met proeven en mijn pen pakte, voelde ik een kus op mijn wang. Ik keek op. Justin torende boven me uit. Hij zag er goed uit – te goed. Naast zijn ogen zaten lachrimpeltjes.

'Hoe is-ie, Sasaki?' zei Justin met een knikje.

Tony knikte terug en sloeg zijn anatomieschrift open. Ik had geen BZW nodig om vast te stellen dat zijn stemming ijzig was.

'Ik moet trainen na de les, maar je gaat vanavond toch met ons eten? Ik moet je iets vragen, en ik wil het niet vergeten,' zei Justin, net toen Mrs. Tate de klas binnenkwam.

'Ja, oké,' zei ik, zonder erbij na te denken.

'Je zei toch dat je me zou helpen met het portret?' zei Tony, en ik zag een rode blos vanuit zijn hals omhoog kruipen.

'Ja, dat is waar ook,' erkende ik, voordat Justin iets kon zeggen.

'Kan het misschien ook morgen?' vroeg ik Tony.

'Ook goed,' bromde hij.

'Niet vergeten, Lenah, samen eten. Ik moet je iets vragen. Het gaat over het Halloween-weekend,' zei Justin, terwijl hij naar voren liep, naar zijn plek.

Waarom moest hij er altijd zo goed uitzien?

'Hij wil vast alleen maar dat je hem lacrosse ziet spelen,' zei Tony spottend.

Kijken naar Justin die het veld op en neer sprintte met zijn lacrossebal? Ik zag hem al voor me, glinsterend in de zon. Het leek me een geweldig idee.

'Je wordt net als die anderen,' zei Tony, terwijl Mrs. Tate bezig was de koelbox uit te pakken.

'Net als wie?' vroeg ik.

'Die meisjes die achter Justin aan lopen. Een officieel lid van de Three Piece. Of wordt het iets nog dommers als jij erbij komt. Foursome of zo?'

'Ik ben niet zoals die meisjes.'

'Ik was niet degene die ging bungeejumpen met Justin Enos. Dat was jij. Waarom moest ik zo nodig mee?'

'Ik dacht...' begon ik, maar Tony onderbrak me.

'Voor je het weet zit je langs de zijlijn te kijken terwijl hij aan het sporten is. Je gaat je kleding afstemmen op die van de anderen en je hersens smelten weg. Let maar op.'

Mijn mond viel open van verbazing bij de terugkeer van twee oude vrienden – pijn en schaamte – die zich samenbalden in mijn buik.

'Ik ga echt niet...' begon ik, maar iemand zette een metalen schaal op onze tafel met een dode kikker die op zijn rug lag. Zijn huid was blauwgrijs van het liggen tussen de ijsblokjes. Hij zag er bevroren uit.

'Concentreer je, Lenah,' zei Mrs. Tate. 'De test begint nu.' Ze wendde zich af om een kikker op de tafel naast ons te deponeren.

Ik staarde omlaag in de schaal. Ik had niet verwacht dat hij er zo uit zou zien – ik had hem eigenlijk helemaal niet verwacht. Zijn kleine buikje was rond, en zijn pootjes waren gespreid.

Tony pakte een paar spelden en prikte de gezwollen tenen van de kikker vast aan de blauwe stof onder het kleine lijfje. Daarmee legde hij de buik bloot, zodat we die konden openen. Ik hapte naar adem, en mijn lichaam schokte, alsof ik een vreemd soort hik had. Wat gek, dacht ik. Die kikker was eerst nog aan het springen, hij had geleefd. En nu lag hij hier op tafel. Dood en weg van deze wereld, maar toch nog aanwezig.

Ik wil leven, dacht ik. Hoe vaak had iemand mij gesmeekt? Hoe vaak had ik genade kunnen schenken? Mijn handen vielen omlaag, naast mijn lichaam. Mijn pen rolde uit mijn vingers op tafel en kletterde op de vloer.

'Lenah?' vroeg Tony.

Ik staarde naar de troebele, roerloze ogen van de kikker. Heel eventjes, op dit onverklaarbare moment, was ik die kikker. Ik was zo lang dood en levenloos geweest. En nu was ik hier, betoverd en weer tot leven gewekt.

'Hebben we geen mooie momenten gekend?' fluisterde ik.

'Wat?' vroeg Tony.

Ik bleef staren naar het roerloze kikkerlijf. Mijn hart bonkte en mijn ogen knipperden. De kikker werd onscherp, en nu zag ik Tony's gezicht helder voor me. Ik proefde voedsel dat door mijn keel omlaag gleed, zag Tony die gretig hapte van zijn ijs, een oranje bloem op Justins tong, de regen... die heerlijke regen.

'Ik wil leven,' zei ik, mijn blik weer focussend op de kikker.

Ik trok de spelden een voor een uit de kleine pootjes met zwemvliezen. Toen schoof ik mijn stoel naar achteren en nam het koude lichaampje in de palm van mijn hand. Ik liep naar de ramen, maakte er een open en duwde het naar buiten. Alsof ik glasscherven vasthield, zo voorzichtig hield ik het slappe lijfje vast, dicht tegen me aan, mijn armen langs mijn zij.

Ik boog me uit het raam en reikte omlaag. Onder een rozenstruik, een bloem die de liefde symboliseert, legde ik de kleine kikker op de rozenblaadjes. Ik bedekte hem met een laagje aarde, zodat zijn lichaam met de grond en de rozenblaadjes zou vermengen. In het Latijn zei ik: *Ignosce mihi*... vergeef me. Ik draaide me om naar de klas. Zonder een woord te zeggen pakte ik mijn spullen bij elkaar en vertrok.

17

Ik zat op de sokkel van het beeld van madame Curie en keek uit over de campus van Wickham, maar al snel zagen mijn ogen niets meer. Terwijl ik naar duizenden grassprieten staarde, zag ik alleen de aangespannen biceps voor me van Vicken die met zijn zwaard zwaaide. Ik schudde mijn hoofd en keek weer naar de grassprietjes die wuifden in de wind, die ik allemaal afzonderlijk kon zien. Daar verloor ik al snel mijn belangstelling voor, en weer kwam een beeld uit het verleden opzetten – Rhodes ogen. Hij knipperde, waarbij zijn lange wimpers net even de bovenkant van zijn wang raakten. Het beeld verschroeide me bijna, en ik hapte naar adem. Ik zuchtte, schudde mijn hoofd en richtte me weer op de campus. Ik zag de barstjes in de stammen van de bomen aan de andere kant van het voetpad. Mijn adem voelde zwaar, terwijl ik inademde en de lucht weer uitblies. Zou ik gaan huilen? Ik wachtte al die tijd al tot het een keer zou gebeuren. Maar er kwamen geen tranen, nog niet tenminste.

Ik probeerde me te concentreren op iets wat moeilijk waarneembaar zou zijn met mensenogen, maakte niet uit wat. Dat ik mijn vampierzicht nog steeds had, betekende dat dat ik me nog niet helemaal had aangepast? Voor het eerst wenste ik dat het zou verdwijnen.

Ik bleef kijken naar de bladeren die ritselden in de wind. Er kwamen leerlingen voorbij met boeken en rugzakken. Ook leraren passeerden, en de mensen die de campus onderhielden. Ik keek naar hen allemaal, deed alles om mezelf af te leiden van wat er net was gebeurd in de anatomieles.

Toen kwam er iemand rechts naast me zitten.

'Je kunt een kat openrukken met je blote handen, maar je kon die kikker niet opensnijden?' vroeg Justin vriendelijk.

'Ik kon die kikker niet opensnijden,' gaf ik toe. Ik draaide mijn hoofd om en keek hem aan. Mijn handen hield ik tussen mijn knieën. Hij nam mijn ene hand in de zijne en zo bleven we even zwijgend zitten. Justin wreef met zijn duim over de rug van mijn hand. Dat gaf me rust en troost. Justin was in staat om me te laten voelen alsof alles, wat het ook was, goed zou komen. Alsof alles zichzelf zou oplossen, vanzelf zou verdwijnen; zelfs de spoken uit mijn verleden en alle manieren waarop ik had geprobeerd te ontsnappen aan mijn pijn. Justin. Hem kon ik echt voelen. Ik greep zijn hand nog steviger beet – ik kon hem voelen met mijn hele lichaam.

Zo bleven we zitten, en algauw was iedereen uit de anatomieles langsgekomen. Inclusief Tony. Hij stopte naast de vijver.

'Len...' begon Tony. Zijn blik vloog naar Justins hand, die verstrengeld was met de mijne. Hij keek voor zich, en gêne verspreidde zich over zijn gelaatstrekken. Hij keek weer op ons neer en beende toen weg naar Hopper.

'Ik moet zo gaan,' zei ik met een zucht. Ik stond op. 'Ik heb een afspraak.'

'Wat voor afspraak?'

'Familiegedoe,' legde ik uit, terwijl ik met mijn voeten een beetje rond wroette in de aarde. Ik keek nog even om naar Tony, maar hij was al halverwege het grasveld.

'Luister. Over twee weken is het Halloween,' zei Justin. 'Dat is altijd een hele toestand, in mijn familie, want dan is er een footballwedstrijd op de plaatselijke school en mijn vader is de trainer. Ik bedoel, hij is advocaat, maar hij is ook trainer. Die wedstrijd is heel belangrijk voor hem. Hoe dan ook,' zei hij met een zucht, 'ik ga naar huis voor die wedstrijd, en ik wil heel graag dat je meegaat.'

Ouders. Justins ouders. Ik zag een gouden oorring voor me in een handpalm – in de regen. Ik probeerde het beeld uit mijn hoofd te verjagen.

'Mee naar jouw huis?' vroeg ik, terwijl ik een losgeraakte haarlok achter mijn oor stopte. 'Voor Halloween?'

'Ja, op de 31ste. Het is maar een uur rijden.'

Ik zweeg, terwijl Justins woorden door mijn hoofd galmden.

Ja, op de 31ste.

Ik legde mijn hand op mijn hoofd en liet hem over mijn haren glijden. Plotseling wervelde de hitte omhoog in mijn wangen, en ik had de grootste moeite om rustig te ademen.

'En, wil je mee?' vroeg Justin.

Het is al oktober... dacht ik.

Mijn adem kwam door mijn neus naar buiten, in horten en stoten. Mijn hart bonkte zo hard dat ik het voelde in mijn borstkas.

'O,' bromde Justin, en hij slikte. 'Je hoeft niet mee, hoor.'

Justin reageerde kennelijk op mijn zwijgen. Zijn blik werd doffer. Hij zat nog steeds op de sokkel, hoewel ik al was opgestaan en mijn rugzak over mijn schouder had geslingerd.

'Nee. Ik wil wel mee,' zei ik moeizaam. Mijn stem klonk ademloos. Ik begon in de richting van het pad te lopen. 'Luister, ik moet nu ccht gaan. Ik kom wel even naar je kamer na mijn dienst in de bibliotheek,' zei ik. 'Rond zes uur?'

'Lenah, wacht!'

Ik keerde hem de rug toe en rende het pad af, in de richting van Main Street.

207

De waarheid was dat ik niet op de vlucht was voor Justin die me had meegevraagd naar zijn ouders. Ik was op de vlucht voor de datum, de klok die tikte in mijn hoofd en die ik stil had gezet. Justins uitnodiging had hem weer op gang gebracht. Het was oktober en Nuit Rouge was begonnen.

Ik kon me niet herinneren dat ik ooit eerder zo afwezig en verstrooid was geweest – Nuit Rouge was begonnen, en ik had het me niet eens gerealiseerd! Langzaam liep ik Main Street af, kijkend naar de stad waarvan ik inmiddels was gaan houden. Ik stopte mijn handen diep in mijn zakken terwijl ik langs de jachthaven en de woonbuurten van Lovers Bay liep. Het was verrassend eenvoudig geweest om mijn alertheid te verliezen. Justin Enos, Tony en alles wat Wickham verder te bieden had hielden mijn gedachten de hele dag bezet. Ik wist dat ik dieper in mijn menselijk bestaan moest duiken, nu de dagen van Nuit Rouge waren aangebroken. Dat ik de vampierwereld achter me moest laten. Zoals Rhode al had gezegd: mijn leven hing ervan af.

Ik liep door de smeedijzeren poort van het kerkhof van Lovers Bay. Terwijl ik de bordjes naar het kantoor volgde, wist ik diep vanbinnen dat ik hier goed aan deed. Even later stapte ik het kantoor binnen. Het was er vooral erg… wit. Alleen een paar bloemenschilderijen gaven de ruimte een lichtroze gloed. Een vrouw kwam overeind achter een antiek wit bureau. Ze was jong, begin dertig, en haar mondhoeken wezen permanent omlaag.

'Kan ik je helpen?' vroeg ze op kalme toon.

'Ja, ik wil een grafsteen laten plaatsen,' zei ik. 'Ter nagedachtenis,' voegde ik eraan toe, me plotseling herinnerend dat de overblijfselen van Rhode om mijn hals hingen.

'Heb je al een grafsteen?'

'Nee,' antwoordde ik. 'Niet echt, nee.'

De vrouw opende een brochure die ze van een stapel haalde op de rechterkant van haar bureau. 'Bel dit nummer maar. Het is van een plaatselijke handelaar in gedenktekens en grafstenen. Zij kunnen je helpen een grafsteen te ontwerpen.'

Ik haalde een envelop tevoorschijn die gevuld was met biljetten van honderd dollar. Rhode had me gezegd dat ik uitsluitend contant geld mocht gebruiken. En om eerlijk te zijn, ik had meer dan genoeg. De blik van de vrouw vloog naar het geld en toen naar mijn gezicht.

'Hoeveel kost een zerk, normaal gesproken?' vroeg ik.

De vrouw bekeek me van top tot teen en zuchtte.

'Hoe oud ben je?'

'Zestien,' zei ik.

'Ik kan dit helaas niet doen zonder toestemming van je ouders,' zei ze, en haar stem had een scherp, autoritair randje.

Ik had de pest aan zulke mensen.

'Deze grafsteen is voor mijn ouders. Die allebei dood zijn. Dus als u een paar duizend dollar wilt voor uw kerkhof geeft u me toestemming om die steen te plaatsen. Zo niet, dan ga ik ergens anders heen.'

'O,' zei ze slechts, terwijl ze haar hoofd boog zodat ik haar beschaamde blik niet kon zien. Ze haalde een vel papier tevoorschijn om de koop van de grafzerk te regelen. 'Neem me niet kwalijk.'

Ze liet me tweeduizend dollar betalen om Rhodes overblijfselen te laten rusten onder de takken van een dikke eik. Zelfs toen, toen ik begreep dat zijn dood absoluut en onomkeerbaar was, kon ik me niet voorstellen dat Rhode werkelijk zwak genoeg was geweest om door de zon te sterven.

Een week later liepen Justin en ik op een vrijdagmiddag naar het lacrosseveld. 'Ik ben blij dat je met me meegaat, met Halloween,' zei hij, zijn hand verstrengeld met de mijne. Justin droeg zijn lacrosse-uitrusting over zijn schouder. 'Je bent de afgelopen week toch niet van gedachten veranderd?'

'Ik vind het leuk om je familie te ontmoeten,' zei ik.

Justin bracht mijn hand naar zijn mond en kuste mijn knokkels.

Over het grasveld kwam Tracy onze kant op, samen met wat andere leerlingen die alleen door de week op school kwamen. Net toen we hen passeerden deed een van hen, een lang meisje met zwart haar en een bril met donker montuur, alsof ze moest hoesten, maar ze zei 'bitch'. Ik negeerde het. Tracy keek naar ons om, kneep haar ogen samen en gooide haar haren over haar schouder.

De week nadat Justin me had gevraagd mee naar huis te gaan om zijn familie te ontmoeten schreef ik een werkstuk voor anatomie. Het moest gaan over het totale ontledingsproces van de kikker. Mrs. Tate had gezegd dat ze begreep wat er was gebeurd in de klas (ze zou het *nooit* begrijpen, maar dat terzijde) en dat ik in plaats daarvan een werkstuk moest maken. De hele week zag ik Tony alleen bij de anatomieles. Hij was nooit thuis als ik aanklopte voor ontbijt of lunch. Zijn kamergenoot zei altijd dat hij 'er gewoon niet was'. Ook nam Tony zijn telefoon niet op. Hoe bestond het dat hij me zo succesvol wist te ontlopen? De kunsttoren leek een heilige plek voor Tony, en ik was niet van plan daar mijn gezicht te vertonen nu hij zo duidelijk zijn best deed me te vermijden.

Er ging weer een week voorbij, en die volgende vrijdag was het nog warmer dan eerst. Ik had alleen een dunne sweater en een spijkerbroek nodig.

'Mijn moeder gaat een heel diner maken, speciaal ter ere van jou,' zei Justin. We liepen weer over het voetpad en waren bijna bij het lacrosseveld. Het was een uur of drie 's middags.

'Je moeder?' Ik slikte, en voelde een steek van angst in mijn borstkas. Ik vermeed het meestal om aan de ogen van mijn moeder te denken of aan hoe ze had geroken naar kaarsen van bijenwas en naar zoete appels.

'Ja, ze blijft maar vragen wat je het liefste eet. Je eet trouwens best veel, voor iemand die zo dun is. Dus heb ik maar gezegd dat ze mijn favoriete eten moet maken. Stoofpot.'

Ik vroeg me even af hoe Justins moeder eruitzag. Hij kuste me op mijn wang, net toen we bij de rand van het lacrosseveld waren.

'We vertrekken om een uur of half zes, is dat oké?'

'Perfect,' zei ik, en ik ging zitten. Meteen ploften Claudia en Kate naast me neer, ieder aan een kant. Dat was geen verrassing, dat deden ze al de hele week. Ik bedoel, naast me zitten als Justin in de buurt was en me vervolgens min of meer negeren als Tracy erbij was. Het was vast heel vermoeiend voor ze. 'Lenah! Kijk eens wat we hebben!' zei Claudia. Haar ogen waren groot van opwinding. Kate en Claudia hadden ieder een piepklein flesje met elfenstof om hun hals hangen, dat spul dat je kunt kopen in de speelgoedwinkel.

'We hebben geprobeerd iets te vinden wat op een dolk lijkt, zoals die van jou. Maar dat is niet gelukt,' zei Kate. 'Ja, we vonden dat we moesten proberen alles op jou af te stemmen,' zei Claudia. 'Jouw stijl is absoluut... uniek.'

'Afstemmen?' vroeg ik. Ik rolde mijn mouwen op, terwijl de jongens van het lacrosseteam het veld op en neer begonnen te rennen en elkaar met hun netjes de bal toespeelden. Ik hief mijn kin naar de hemel. Ook Claudia keek naar de lucht. Ze besefte het niet, maar ik keek hoe laat het was, door de positie van de zon te checken.

'Geniet er maar van, zolang het duurt,' zei Claudia, die domweg aannam dat ik aan het weer zat te denken. 'Wacht maar tot het team binnen gaat trainen, in de winter.' Ik zette mijn zonnebril op, en we gingen achterover op het gras liggen.

'Het stinkt daarbinnen zo,' zei Kate. 'En alle meisjes komen kijken om de jongens te zien spelen. Losers.'

'Lenah! Kijk!' zei Justin, wijzend naar de felroze kniebeschermers van Curtis, die ook op het veld stond. Ik lachte even met hem mee, tot de coach schreeuwde dat Justin 'niet moest flirten met zijn vriendinnetje'.

'Dus, Lenah. Jij en Justin?' begon Claudia. Ze glimlachte op een manier die duidelijk moest maken dat er iets was wat ze niet hardop uitsprak.

'Wat?' vroeg ik, het niet begrijpend.

'Jullie kwamen net uit Seeker. Samen. Hebben jullie...'

'Hebben we wat?' vroeg ik, terwijl ik mijn kin omlaag bracht om haar over de glazen van mijn zonnebril heen aan te kijken.

'Hij kwam toch uit jouw kamer?' zei Claudia.

Ik schudde mijn hoofd. 'Hij is nog nooit in mijn kamer geweest.'

'Wat?' riep Kate uit, terwijl ze rechtop ging zitten. 'Echt niet?'

Weer schudde ik mijn hoofd.

Ik keek naar het veld. Justin rende naar het doel, met de bal in zijn net. Toen het hem lukte te scoren gingen Kate en Claudia rechtop zitten. We schreeuwden van vreugde. Wij waren geen losers. Ik was nu populair. Iedereen keek naar Justin en mij, overal waar we kwamen. Maar kon ik hem mijn kamer laten zien? En al die dingen in mijn leven die mij maakten tot... nou ja, tot mezelf?

Maar Kate had gelijk. Justin zou natuurlijk naar mijn kamer gaan vragen. Claudia leunde achterover op haar handen om van de zon te genieten. Ze keek onopvallend naar links, in de richting van Hopper.

'Gadver,' zei ze, onverwachts.

Kate en ik keken allebei naar haar. Ze tuurde omhoog, naar de kunsttoren.

'Is hij altijd zo aan het loeren?' vroeg Claudia. Ik draaide me om, om te kijken. Ik zag twee amandelvormige ogen die neerkeken op het lacrosseveld, vanuit de kunsttoren. Zodra ik Tony's blik had ontmoet, trok hij zich weer terug in het duister van het atelier achter hem.

'Hij houdt je al de hele week in de gaten. In de aula, in de klas. En nu hier,' zei Kate.

'Dat was me niet opgevallen,' zei ik, overeind komend. 'Ik ben zo terug.' Ik keek weer naar het lacrosseveld. Justin ging net met zijn team in de aanval.

'Laat hem nou maar, Lenah. Zo maak je het alleen maar erger,' riep Kate me achterna, terwijl ze de mouwen van haar zwarte trui omhoog schoof.

'Ik ben zo terug,' zei ik weer en ik keek even omhoog naar het torenraam. Daar was nu niemand te zien. Ik wist niet dat Tony al de hele week naar me keek, maar ik wilde dat ik het wél had geweten. Misschien had ik hem kunnen vertellen dat de Three Piece-leden míj steeds opzochten, en niet andersom. Het ging mij alleen om Justin, en ik was zeker geen lid van hun clubje.

Ik liep over het grasveld, ging Hopper binnen en beklom de wenteltrap naar het atelier. 'Hallo?' riep ik, onderweg naar boven. Er kwam geen antwoord. 'Tony, ik weet dat je me nu minacht, maar je moet niet zo naar me staren en je moet me ook niet steeds zo ontlopen.' Nog steeds geen antwoord. 'Je kunt toch naar mijn kamer komen...' Ik hapte naar adem toen ik over de drempel van het atelier stapte.

Aan de andere kant van de ruimte, recht tegenover de ingang, stond het schilderij. Ik bleef stokstijf staan. Ik wist niet wat ik moest denken of zeggen. Tony had het eindelijk af. Mijn portret. Het perspectief was van achteren, vanaf mijn middel. Mijn hoofd was naar rechts gewend, zodat mijn profiel te zien was, en ik lachte, met open mond, vrolijk en gelukkig. De hemel op het schilderij was blauw, en mijn tatoeage was op mijn linkerschouder afgebeeld. Niet op een angstaanjagende manier, maar juist artistiek. Ik wist dat hij het had nageschilderd van een foto. Dezelfde die ik had zien hangen in Justins locker in Hopper, twee verdiepingen lager. Hij was genomen op de dag dat we gingen bungeejumpen. Anders dan op de foto, waarop ik een T-shirt droeg, was op het schilderij mijn rug naakt, zodat mijn schouders zichtbaar waren. Ik zag de kromming van mijn ruggengraat, de zachte rondingen van mijn schouders. Tony was niet alleen bezig geweest met zijn kunstwerk, hij had mijn lichaam bestudeerd – en mijn ziel.

'Vind je het mooi?' vroeg Tony.

'Het is prachtig,' fluisterde ik. Ik kon mijn ogen niet van het schilderij afhouden. Hoe kon iemand me in vredesnaam op die manier zien? Als een meisje dat je wel móést bewonderen, omdat ze zo gelukkig was. 'Dat ben ik niet. Dat kan niet,' zei ik.

'Dat is hoe ik je zie.'

'Lachend? Gelukkig?' vroeg ik, en ik wendde mijn hoofd naar Tony. Hij was naast me komen staan.

'Jij maakt me gelukkig.'

Ik keek weer naar het schilderij, niet in staat mijn blik los te rukken van dat stralende, lachende profiel.

'Lenah...'

Tony pakte mijn rechterhand beet. Zijn bruine ogen keken in de mijne en zijn dunne mond was een rechte lijn. Hij lachte niet, glimlachte zelfs niet, hij keek alleen. Normaal gesproken werd ik vrolijk van zijn lach; dan volgde er namelijk altijd iets grappigs.

Tony's handen omvatten de mijne, en ik zag dat zijn vingers deze keer niet met verf besmeurd waren. Zijn honkbalpet zat achterstevoren en hij droeg een keurig, schoon overhemd. Hij had het schilderij kennelijk al dagen af.

'Ik wil je iets vertellen, voor het te laat is,' zei hij.

Ik keek naar onze handen. Toen kwam de plotselinge gedachte... het besef...

'Niet doen...' probeerde ik te zeggen.

'Ik...'

'Niet doen, Tony. Alsjeblieft.'

'Ik hou van je.' Hij zei het snel, alsof hij een pleister afrukte.

Hij zocht in mijn ogen naar goedkeuring. Er volgde een stilte, en aan zijn blik zag ik dat hij wilde dat ik iets zei.

'Tony...' begon ik, maar hij onderbrak me meteen.

'Ik hou al de hele tijd van je, zo'n beetje vanaf de eerste seconde, dus het heeft geen zin om me te gaan vertellen dat het niet waar is. En ik weet dat je denkt dat we vrienden zijn en dat is ook zo, ook al hang je nu steeds om die idioot heen. Maar ik wil meer. En ik denk ook dat dat kan. Misschien niet nu, maar...'

'Ik ga kennismaken met Justins ouders. Vanavond.'

Tony liet mijn handen los en deinsde achteruit. Hij nam zijn honkbalpet af en haalde zijn hand door zijn stekelige zwarte haar.

'O, dat maakt niet uit,' zei hij toen. 'Dat stelt niets voor.'

'Tony, wacht...' Ik stak mijn handen naar hem uit.

Hij was al bijna bij de trap.

'Ik moet weg.'

'Ga nou niet weg. Dat schilderij... het is prachtig.'

Hij draaide zich om en liep de trap af, zo snel dat het duidelijk niet de bedoeling was dat ik hem achterna ging.

18

Justins familie woonde in... hou je vast... Rhode Island. Een kleine staat tussen Massachusetts en Connecticut. Ik wist niet wat ik dat weekend moest verwachten, dus had ik veel te veel kleren bij me. Toen Justin voor kwam rijden bij Seeker begon hij breed te lachen bij het zien van mijn koffer.

'Heb je dat echt allemaal nodig?' Hij opende de kofferbak. 'Alles goed?' vroeg hij toen hij zag dat ik niet lachte, zoals anders. Hij boog zich voorover en kuste mijn wang.

'Ik heb ruzie gehad met Tony.'

'Waarover? Weer dat gedoe met dat portret? Gaat hij het ooit nog afmaken?'

'Geen idee.' Het was niet aan mij om Justin te vertellen dat Tony het portret al af had.

'Praat maar met hem na het weekend,' zei Justin. 'Hij moet gewoon even afkoelen.'

Curtis draaide zich naar me toe, op de achterbank. 'Hé, lady.' Zo noemden ze me, de laatste tijd.

Toen kwam er een kleinere, dunnere hand dan die van Justin naar voren vanaf de achterste bank. Die hand wuifde even slapjes, en ik besefte dat Roy daar op zijn rug lag. Ik ging in de passagiersstoel zitten, en we vertrokken.

Ik draaide het raampje omlaag terwijl Main Street in Lovers Bay overging in de oprit naar Route 6. We vlogen over de weg, sneller dan alle paarden die ik ooit had bezeten, en de bomen waren niet meer dan een groen waas. Ik deed het raampje helemaal omlaag en liet mijn handen naar achteren duwen door de druk van de wind. Justin keek naar me, glimlachte en kneep me in mijn knie. Ik beantwoordde zijn glimlach en hief mijn kin op naar het wegstervende zonlicht.

De schemer lag over een lange straat met aan weerskanten hoge eikenbomen. Aan de bladeren zaten oranjebruine puntjes. Voor de huizen lagen uitgestrekte gazons en op de witgeschilderde veranda's stonden pompoenen. In sommige pompoenen was een grote rafelige grijns uitgesneden, en in die mond brandde dan een kaarsje. 'Jullie doen in Engeland zeker niet aan Halloween, hè?' vroeg Curtis, terwijl hij een dun jasje over zijn T-shirt aantrok. We reden over een licht stijgende oprijlaan naar een grijs landhuis in koloniale stijl. 'Je zit alles met open mond te bekijken.' Justins huis had twee verdiepingen en de voordeur was lichtblauw. Langs het stenen pad naar de deur lagen de pompoenen in het gelid.

'Er komen hier altijd massa's kinderen langs, voor snoep,' zei Justin, terwijl hij mijn koffer en zijn tas naar de voordeur droeg. Hij maakte de deur open en liet mij eerst naar binnen, gevolgd door Curtis en Roy.

'Mam!' riep Justin. De enorme hal was gevuld met landschappen en portretten en mahoniehouten meubelen. Justins stem echode tegen het hoge plafond en kaatste tegen de glanzende houten vloer.

'We zijn er!' riep Curtis, en hij glipte langs me heen. Hij liep naar rechts, naar een knusse woonkamer. Hij liet al zijn tassen op de vloer vallen, plofte op de bank neer en zette de tv aan. Roy deed hetzelfde en vond een plekje aan het andere uiteinde van de lange, lederen bank.

Ik had nog nooit zo'n huis gezien. Het stond vol met elektroni-

218

sche apparaten, waarvan ik sommige al had gezien op Wickham, en er was veel moderne kunst. De woonkamer grensde aan de grote hal en een brede trap leidde naar de eerste verdieping. Een vrouw van midden of eind vijftig met prachtig blond haar en lachrimpeltjes kwam de trap af rennen.

'Ha, daar zijn jullie!' zei ze. De hakjes van haar sandalen klikklakten op de houten treden terwijl ze op ons af snelde.

'Hallo, mam,' zei Justin, en hij zette zijn tas neer bij de voordeur. Zijn moeder, Mrs. Enos, nam Justin in een innige omhelzing. Haar blonde haren waaierden als veren om haar gezicht heen. Ze kuste zijn voorhoofd en wangen.

'Ik zie jullie veel te weinig,' zei ze, terwijl ze hem in zijn wangen kneep en nog eens kuste. Toen stapte ze naar achteren en keek naar mij.

'Wauw,' zei ze, terwijl ze me van top tot teen opnam. 'Wat een schoonheid ben jij.' Het volgende moment nam ze me in haar armen. Ik beantwoordde haar omhelzing en voelde haar handpalmen tegen mijn rug drukken. 'Je hebt niet overdreven,' zei ze tegen Justin, terwijl ze me losliet en ons voorging naar de woonkamer.

Curtis en Roy kwamen overeind van de bank en omhelsden hun moeder.

'Lenah, ik wil alles, maar dan ook werkelijk alles horen over Engeland. En over jezelf,' zei ze. 'Kom mee naar de keuken, dan ga ik een salade klaarmaken voor het eten en kun jij me alles vertellen.'

Justin en ik wisselden een blik, en terwijl ik zijn moeder volgde naar de keuken beantwoordde ik netjes al haar vragen en vertelde haar alleen wat ze werkelijk hoefde te weten.

Na het eten kwam ik fris gedoucht de badkamer uit in een spijkerbroek en T-shirt. Ik had mijn tas met toiletspullen in mijn hand en liep door de donkere gang naar de logeerkamer. Ik zette een stap, aarzelde toen. Achter me hoorde ik geschuifel, maar het geluid stopte tegelijk met mij. Ik draaide me met een ruk om. Daar stond Justin, in het schemerduister.

Elk mens heeft weer een andere huid. Dat wist ik van de duizenden keren dat ik mijn tanden in iemands hals had gezet, zoals een mes dat door de schil van een appel glijdt. En daar in het donker gloeide Justins gebronsde huid op, onmiskenbaar. Heel langzaam liep hij naar me toe. Ik keek hoe de V-vormige spieren in zijn onderbuik bewogen onder zijn huid.

Hij had geen shirt aan en zijn spijkerbroek bleef maar net op zijn heupen hangen. Ik keek op en richtte mijn blik op de gebeeldhouwde spieren in zijn armen.

Hij greep mijn hand, en het volgende moment was de deur van de logeerkamer gesloten en lag ik op mijn rug op het bed. Ik was helemaal gekleed, maar ik wenste dat ik het niet was. Justins handen waren overal. Eerst hielden ze mijn armen boven mijn hoofd, zodat hij mijn hals kon kussen. Toen liet hij toe dat ik hem ook beetpakte, hem dicht tegen me aandrukte en mijn benen om zijn middel sloeg. Hij kreunde in mijn oor. Het was bijna een soort grom, alsof hij me ging verslinden. Ik drukte mijn lippen tegen zijn hals en likte hem, zodat ik de zilte smaak van zijn huid op mijn tong kon proeven. Zijn handen gleden over mijn dijen omhoog, zijn vingers frummelden aan de knoop van mijn spijkerbroek...

'Justin!' riep zijn moeder van beneden, uit de hal.

'Jullie moeten echt even een wandelingetje door de buurt maken,' zei Mrs. Enos tegen me terwijl ze een bakplaat met koekjes uit de oven haalde. Justin en ik wisselden een heimelijke glimlach terwijl we de keuken in liepen. Ik nam het koekje aan dat me werd aangeboden en besloot ter plekke dat de geur van verse chocoladekoekjes zo'n beetje de lekkerste geur ter wereld was. 'Er wonen echt honderden kinderen in deze buurt, en alle huizen zijn versierd voor Halloween.'

'Dat klopt,' zei Justin. Zijn wangen waren nog rood van onze ontmoeting in de logeerkamer.

Justins moeder woelde even door zijn haar en wierp me een samenzweerderig glimlachje toe terwijl ze de keuken uit liep. Die vanzelfsprekende vertrouwdheid tussen hen riep opeens een herinnering bij me op. 's Ochtends rook het in mijn vaders huis naar vers geploegde aarde en zomers gras. Terwijl ik mijn hoofd op het kussen liet rusten en nog even wegdroomde, fluisterde mijn vader 'Lenah' om me wakker te maken. Dan liepen we even later door de boomgaard, pratend over van alles en nog wat, en brachten we zo veel mogelijk tijd met elkaar door voor we aan het werk moesten.

Justins moeder – die ene blik van haar zei genoeg. Ik was vergeten wat het betekende om een dochter te zijn. Ik was zo lang koningin geweest.

Ik kon de appels uit mijn vaders boomgaard bijna proeven, voelen hoe dat stevige zoete vruchtvlees explodeerde op mijn tong. Toen pakte Justin mijn vingers beet. Die zachte aanraking verstoorde mijn gedachten en de beelden van mijn thuis vervlogen weer, zoals dat gaat met herinneringen.

We liepen naar buiten en wandelden de oprijlaan af. Het was bijna zeven uur, en dus renden er allerlei verklede kinderen rond in die lange straat.

'Verkleedde jij je vroeger ook?' vroeg ik Justin.

'Wel toen ik heel klein was,' zei hij.

'Waarom heb je me meegenomen naar je familie?' vroeg ik, lachend naar een klein meisje dat verkleed was als heks. Ik keek naar al die lichtjes op de veranda's en de kinderen in hun kostuums die opgewonden van het ene huis naar het andere renden.

'Omdat ik denk dat je nog heel lang deel zult zijn van mijn leven,' zei Justin. Ik wenste dat we weer in de logeerkamer waren. We liepen nog wat verder, hand in hand, kauwend op de koekjes die zijn moeder had meegegeven.

'Ik weet niet veel over jouw familie,' zei Justin. 'Je hebt het er nooit over.'

Een klein jongetje met slagtanden in zijn mond rende langs, naar een huis vlakbij. Ik kon mijn blik niet van hem losrukken.

'Mijn ouders zijn dood. Al heel lang.'

'Maar je zei dat je een broer had. Die dag in de regen.'

'Dat klopt. Maar hij is ook dood,' zei ik, terwijl ik voor me uit bleef staren. Ik voelde Justins blik op me rusten. 'Iedereen die ik familie zou kunnen noemen is op de een of andere manier gestorven.'

Justins wangen werden rood en zijn handen lieten de mijne los.

'Je moet geen medelijden met me hebben,' zei ik kalm.

'Dat heb ik ook niet,' zei hij, en hij hief zijn handen in protest. Hij fronste zijn wenkbrauwen en hij aarzelde om me aan te kijken. 'Ik denk alleen… ik weet het niet. Ik weet niet wat ik denk. Iedereen van wie je houdt is dood. Dat moet eenzaam zijn.'

222

'Dat is het ook. Maar het is niet iets wat mijn leven bepaalt. Dat laat ik niet toe.' Even was er een stilte. Ik luisterde naar de kinderen om ons heen, naar het geritsel van snoepgoed in kussenslopen. 'Nu ben ik niet eenzaam,' zei ik, en ik nam zijn hand weer in de mijne.

Justin knikte, maar het was een ontevreden knikje.

'Luister,' zei ik. Nu was het mijn beurt om stil te blijven staan. 'Dit is niet iets wat je kunt oplossen.'

'Maar dat wil ik.'

'Dat weet ik. En als het op de een of andere manier mogelijk was, zou jij de enige zijn die het voor elkaar zou kunnen krijgen '

Justin pakte mijn hand stevig beet.

We liepen verder en toen de koekjes op waren, gingen we terug. De avond was geëindigd in een kalme stilte. Justins vader kwam thuis, en we begroetten elkaar en zeiden meteen welterusten, want het was al laat en ik wilde mijn hoofd laten rusten. Het liefst op Justins schouder, dat zou ideaal zijn geweest, maar zijn familie was altijd in de buurt.

Nadat ik de trap op was gesloft, vol koekjes en Halloweensnoep, deed ik de deur van de logeerkamer dicht en liet me op het bed vallen. Ik bedacht hoe makkelijk ik werd geaccepteerd door Justins familie. De herinneringen aan mijn eigen familie waren zo vervaagd en zo moeilijk op te roepen dat ze nu niet meer waren dan wazige indrukken. Ik hoefde geen familie te creëren, ik werd hier toegelaten, gastvrij en warm. Terwijl ik mijn kleren uittrok, dwarrelden Justins mond en groene ogen door mijn gedachten. Toen mijn hoofd het kussen raakte, dacht ik terug aan wat hij op straat had gezegd. Dat hij mijn pijn zou wegnemen, als hij dat kon. Niemand kon ooit al mijn vreselijke daden ongedaan maken. Niemand behalve ik. Maar Justin Enos was nu een deel van mij en dat verzachtte de pijn die nog schrijnde in mijn hart. Al bijna in slaap stelde ik me Justin voor, ergens dichtbij. In zijn kamer, op zijn rug, denkend aan mij, hopend dat ik wakker was en ook aan hem dacht.

19

De volgende ochtend voelde ik de kilte in de lucht, zelfs onder de stapel dekens op het logeerbed. Ik draaide me op mijn buik en ging vervolgens op mijn knieën zitten. Boven het hoofdeinde van het bed zat een klein raampje, en ik tilde de gordijnen op met mijn vingertoppen. De hemel had de kleur van gipskruid, dus ik wist dat de familie Enos nog niet op was of aan ontbijten dacht. Ik besloot in mijn eentje een wandeling door de buurt te gaan maken. Ik trok mijn spijkerbroek en een van Justins Wickham-sweaters aan en nam niet de moeite mijn haar te borstelen.

Ik liep de oprijlaan af en stapte de straat op. De hemel was inmiddels blauwgrijs en er hing een ijle mist tussen de bomen. Justins sweater rook naar hem. Zoet, een beetje houtig, een geruststellende geur nu.

Ik keek nog even om naar Justins huis nadat ik een paar meter de straat in was gelopen. Ik was niet van plan heel ver te gaan – ik wilde alleen de buurt een beetje verkennen terwijl de familie nog lag te slapen.

Mijn maag maakte weer zo'n rare sprong, en ik dacht aan eieren en koffie. Ik wist zeker dat Justins moeder die straks klaar zou hebben staan. Ik glimlachte. Rhode Island. Natuurlijk moesten ze in *Rhode* Island wonen. Ik wilde de laatste tijd niets liever dan stoppen met denken aan Rhode en mijn vampierleven. En in zekere zin was dat gelukt. Mijn BZW was verdwenen, mijn vampierzicht begon af te nemen en meer dan ooit wilde ik gewoon verder, de sterveling zijn die ik had moeten zijn en nu misschien eindelijk ging worden. Zonder mijn BZW was ik in staat te vergeten hoe anders ik ooit was geweest en gewoon mijn leven te leiden zonder steeds alle emotionele intenties van iedereen om me heen te kennen. Net toen een tevreden glimlach zich over mijn gezicht verspreidde... bewoog er iets achter me.

Daar was het weer – dat onbestemde gevoel dat ik bekeken werd. Nee, laat ik het duidelijker omschrijven, het gevoel dat ik werd gevolgd. Het was het overweldigende besef dat een vampier heeft van de aanwezigheid van een andere vampier. Een vlaag van stilte, alsof je plotseling doof wordt, het gevoel dat je bedekt bent met een laagje ijs. De haartjes op mijn armen kwamen overeind en ik kon slechts met moeite slikken. Met een ruk draaide ik me om.

Daar, midden in deze buitenwijk, onder een straatlantaarn, stond Suleen. Ik hapte naar adem. De lucht spoelde mijn longen binnen. Ik hield mijn adem in, en toen was er stilte. Hij stond daar zo roerloos, zo verstild. Suleen droeg een witte tuniek, een witte broek en goudkleurige leren sandalen. Een witte tulband bedekte zijn haar. Hij had een rond gezicht, en hoewel zijn wangen vol waren was hij niet aantrekkelijk. Dat zou hij ook nooit zijn. Hij leek bijna een geest, in dat ochtendlicht. Hij was zo heilig, zo onaangeraakt door alledaagse zorgen dat hij geen rimpel op zijn gezicht had. Dit was een man die al had bestaan voor de geboorte van Christus.

Ik had geen idee hoe Suleen wist dat ik in Rhode Island was, maar daar stond hij. Meteen voelde ik me veilig, beschermd, alsof een stralend wit licht ons omhulde in die rustige straat. In de vampierwereld is Suleen bekend omdat hij het kwade overstijgt, omdat hij kan leven zonder de noodzaak zich te voeden met mensenbloed. 'Alleen de zwakkeren,' had Rhode me ooit verteld over Suleen. 'Hij drinkt alleen het bloed van de verwerpelijken.' Suleen liep naar me toe, in stilte, en legde zijn hand tegen mijn rechterwang. Hij had geen geur en zijn aanraking was niet koud of warm, maar volmaakt lauw. Zijn donkere bruine ogen staarden vriendelijk in de mijne, en hij glimlachte.

'Je transformatie doet me deugd,' zei hij. Zijn stem was traag, als dikke stroop. Uit zijn zak haalde hij een takje. Tijm. Paarse bloemetjes, kleiner dan een vingertopje, die vastzaten aan een lange groene steel. Tijm wordt gebruikt bij rituelen die zijn bedoeld voor de wedergeboorte van de ziel.

Ik nam de tijm voorzichtig aan tussen duim en wijsvinger. 'Aan wat heb ik deze eer in vredesnaam te danken?' vroeg ik verbijsterd. Zelfs in mijn hoogtijdagen als koningin van mijn coven had Suleen me nooit opgezocht. Hij deed een stap naar achteren, zodat er ongeveer een meter tussen ons was.

'Ik kom je waarschuwen,' zei hij, op zijn lijzige toon.

Ik sloeg mijn hand voor mijn mond. Mijn hart begon zo hevig te bonken dat Suleen naar mijn borstkas keek omdat hij het kon horen.

'Nuit Rouge. Mijn hemel, ik was het totaal vergeten,' zei ik. 'Gisteravond was de laatste avond van Nuit Rouge. Vandaag is het 1 november. Nuit Rouge is afgelopen,' zei ik, en ik keek naar de grond, naar de bomen, naar de slapende huizen waarin ik op dat moment veel liever wilde zijn, en toen weer naar Suleen. 'Heeft Vicken ontdekt dat ik geen winterslaap houd?' Suleen knikte langzaam.

Ik keek om naar het huis van Justins ouders, in de verte. Alles was daar nog donker.

'Als eenheid is jouw coven niet tegen te houden. Maar verdeeld, zoals ze nu zijn, zullen ze niet slagen.' Suleen pauzeerde even. 'De jacht op jou is begonnen.'

Het was terug. Mijn vampier-BZW nam het over van mijn menselijk bewustzijn. Ik nam aan dat dat was omdat ik zo dicht in de buurt van Suleens krachten was. Een beeld, niet uit mijn eigen geest maar uit die van Suleen, kwam me voor ogen: Rhodes open haard in mijn huis in Hathersage.

'Er is nog iets...' fluisterde ik, terwijl mijn geestesoog staarde naar die open haard. Een trilling in mijn stem verraadde mijn angst. 'Er is iets anders dat je me kwam vertellen.'

'Ze hebben een aanwijzing gevonden in de as van het haardvuur. Rhode had alle bewijzen van je transformatie verbrand, op één na. Eén woord op een zwartgeblakerde papiersnipper.'

'Wickham,' zei ik. Ik zag het beeld voor me. Een piepklein rafelig stukje papier uit de brochure van de school. De BZW-connectie met Suleen was uitzonderlijk krachtig. Ik voelde Suleens medeleven, iets wat me verbaasde – omdat ik al die jaren had geloofd dat hij niet geïnteresseerd was in dit soort onbeduidende zaken. Ik voelde wat er speelde, met mijn menselijke en met mijn vampierinstincten, en via de beelden die Suleen doorgaf kon ik op de een of andere manier Vickens woede bijna voelen.

Ik kreeg bijna geen adem meer. Ik boog me voorover en zette mijn handen op mijn bovenbenen. Suleen hield zijn hoofd schuin om me te kunnen bekijken. Mijn reactie was voor hem kennelijk heel interessant.

'Dus...' zei ik, terwijl ik diep inademde. Ik ging weer rechtop staan en legde een hand tegen mijn borstkas. 'Dus ze zitten achter me aan.'

'Ze zullen hun schepper komen opeisen. Ze weten niet dat je menselijk bent, Lenah.'

'Dat wordt dan nog een verrassing voor ze.'

Suleens vriendelijke ogen lachten, maar zijn gezicht bleef onbewogen. Zijn blik dwaalde naar het flesje met as om mijn hals. Heel even dacht ik verdriet te zien opvlammen in Suleens ogen. Hij deed een stap naar voren en reikte naar het flesje. Voorzichtig nam hij de hanger in zijn handen. 'Ze moeten er eerst achter zien te komen welk Wickham het is en waar, toch?' vroeg ik. Suleen liet het flesje los en legde zijn hand weer tegen mijn wang. Hij zei verder niets. Ik wist net zo goed als hij dat het niet lang zou duren voor ze me hadden gevonden. Ik wilde het alleen niet onder ogen zien.

'Jij was het mooiste in Rhodes bestaan,' fluisterde hij. Ik voelde een steek in mijn borst toen Suleen Rhodes naam hardop uitsprak in die stille straat. 'Sluit je ogen,' fluisterde hij vlak bij mijn oor, en dat deed ik. Een moment later zei hij: 'Ga voort, Lenah, in duisternis en in licht.'

Toen ik mijn ogen opende, was de straat leeg en was Suleen verdwenen.

Na een paar dagen werden de Halloween-versieringen weggehaald en vervangen door de meest belachelijke versieringen die ik ooit had gezien. Alle winkels in Lovers Bay hingen nu vol kalkoenen. Nog steeds stonden er overal pompoenen, maar nu zag je ook kartonnen platen van grote schepen, van mensen in vreemde kleren met zwarte laarzen en hoge hoeden en natuurlijk van nog meer kalkoenen.

'Thanksgiving,' legde Justin uit. We liepen over de campus naar de bibliotheek om daar te leren voor ons wiskunde-examen. Justin begon aan een lang verhaal over Thanksgiving bij zijn familie. Ik luisterde, maar mijn gedachten tolden door mijn hoofd. Dat was al zo sinds Suleen was verdwenen in Justins straat. Eerlijk gezegd wilde ik geloven dat Suleens bezoek een soort geestverschijning was geweest. Dat ik het maar verzonnen had. Ook Justins pogingen om te leren voor het examen konden me niet afleiden. Ik kon alleen nog maar denken aan Suleens waarschuwing. Ik droeg de tijm overal bij me, altijd in mijn zak.

'De wortel van 81 is 9, toch?' vroeg Justin. We wilden in de bibliotheek in een van de privéstudeerkamers gaan zitten. Justin ging er graag heen omdat hij dan de luxaflex dicht kon doen en een half uur lang mij kon zoenen, in plaats van worteltrekken.

'Ik snap niet waarom we al die stof moeten leren als ze ons vervolgens misleiden met allemaal verkeerde antwoorden,' zei ik.

'Daarom zijn die examens ook zo ellendig. Maar we hebben geen keus...'

Het maakte eigenlijk niet uit waarover Justin het had, en terwijl hij verder praatte was ik weer in de straat van zijn ouders in Rhode Island. Suleen legde zijn handen tegen mijn wangen, en ik beeldde me in hoe Vicken alle mogelijke verklaringen van het woord Wickham aan het natrekken was. Ik had me te lang laten afleiden door mijn nieuwe leven. Wat was ik dom geweest.

'Je concentreert je gewoon eerst op de vraag en dan kijk je pas naar de antwoorden.' Justin was nog steeds aan het uitleggen hoe je zo'n examen het beste kon maken terwijl we over het pad naar de bibliotheek liepen. Ik zag zijn mond bewegen, zag de manier waarop zijn krachtige kaak opvallend contrasteerde met zijn volle, sensuele lippen. Zijn profiel was ontspannen en

230

zijn haar was een beetje te lang, waardoor de frisse sportjongen er wat slordiger uitzag dan anders.

Het was tijd om hem de waarheid te vertellen.

'Kom mee naar mijn kamer,' zei ik, terwijl ik de deur van de bibliotheek dichthield. Justin had net zijn hand op de deurknop gelegd om hem open te trekken. 'Om te studeren,' lichtte ik toe.

Justin draaide zijn hoofd om en keek me aan.

'Jouw kamer?' In zijn blik lag een mengeling van shock en totale opwinding.

'Zo bedoel ik het niet,' zei ik, en ik trok hem weg voor de deur van de bibliotheek zodat de leerlingen achter ons naar binnen konden.

'Ik dacht dat niemand jouw kamer mocht zien. Iets met privacy, of zo.'

'Kom mee,' zei ik, en ik leidde Justin terug naar het pad dat naar Seeker voerde. Ik wist niet precies wat ik ging zeggen of hoe ik dat moest doen. Maar ik wist dat het tijd was om hem te vertellen wat ik geheim had gehouden.

We beklommen de trappen naar mijn appartement.

'Wacht even,' zei Justin, en hij stopte midden op de trap. 'Is dat de reden dat je me nooit je kamer hebt laten zien?' Hij maakte een ongelovig gebaar met zijn handen. In het trappenhuis was het donkerder dan het buiten was geweest. De hotelachtige lampen met hun blauwe kappen wierpen een zacht schijnsel op de trap en op Justins lichtgroene sweater. 'Is het omdat je in professor Bennetts oude appartement woont? Dat wist ik al.'

'De rest is er bang voor,' zei ik, terwijl ik verder liep. De rozemarijn en de lavendel hingen nog op hun vaste plekje. Ik rook aan beide kruiden terwijl ik de deur openmaakte en naar binnen liep. Justin kwam achter me aan. 'Gave kamer,' zei hij. 'Ook al is hij dan van een dooie geweest.'

Ik besloot Justin de tijd te geven om de inrichting van mijn kleine appartement te bestuderen en dus liep ik naar de balkondeur. Ik schoof het gordijn opzij en keek naar buiten. Ik zag de wiegende bomen met hun vallende bladeren en wat laatste, kapotgeslagen pompoenen die over waren van het Halloweenfeest.

'Wauw,' hoorde ik, en ik nam aan dat Justin naar Rhodes zwaard keek. Ik draaide me om en zag dat ik gelijk had. Justin stond vlak voor het glanzende staal. Ik liep weer naar binnen en ging rechts van hem staan.

'Is dat echt?' Justins stem was vol ontzag, en zijn ogen dansten over het zwaard. Toen keek hij op naar de metalen wandkandelaars, vormgegeven als in elkaar verstrengelde takken met rozen eraan.

'Ik moet met je praten,' zei ik, en ik pakte Justins warme vingers.

'Ik heb nog nooit een meisje ontmoet dat iets met wapens had,' zei Justin, nog steeds naar het zwaard kijkend. Hij besteedde geen aandacht aan me.

'Goed,' zei ik. 'We moeten dus praten.'

'Gaat het over Tony?' vroeg Justin, en eindelijk draaide hij zich naar me om.

'Tony?'

'Dat jullie niet meer met elkaar praten. Dat heb ik wel gemerkt. Iedereen heeft het gemerkt.'

232

'Nee,' zei ik hoofdschuddend. 'Daar gaat het niet over.'

'Of ga je me vertellen waarom je me nooit eerder hebt meegenomen naar je kamer? Ik wilde er niet op aandringen, want het leek zo belangrijk voor je om het geheim te houden.'

'Geheim?'

'Ja. Tracy bleef maar beweren dat je miljonair bent, of dat je van koninklijken huize bent of zo.'

Weer schudde ik mijn hoofd en ik stak mijn handen omhoog, met de palmen naar Justin gekeerd. 'Kijk eens goed rond in deze kamer. Ik bedoel dat je echt goed moet kijken. En vertel me wat je ziet.'

'Dat heb ik al gedaan. Het is een beetje gothic, maar dat is wel logisch. Je hebt altijd zwarte kleren aan.' Justin glimlachte, maar zijn plagerige toon deed me beseffen dat hij werkelijk niets begreep van mijn ware aard. 'Zeg op dan, ben je van adel?' vroeg hij, waarmee hij zijn onwetendheid nog eens bevestigde.

'Toe. Kijk nou eens echt goed.'

Justin zuchtte en wendde zich af van het zwaard. Hij draaide langzaam een rondje en nam de kamer in zich op. Mijn slaapkamer was achter hem. Door de open deur waren een zwart dekbed en een eenvoudig houten nachtkastje zichtbaar. Justin draaide zich om naar de voordeur en zag op de salontafel mijn zonnebril en autosleutels liggen. Hij liep door de kamer naar het bureau.

'Je hebt kennelijk iets met oude foto's.' Hij boog zich voorover en pakte de foto van Rhode en mij op. 'Hé,' zei hij. 'Die vent heb ik eerder gezien.'

Stilte.

'Wat?' fluisterde ik toen. Ik kon mijn oren niet geloven.

'Een paar dagen voor de school begon. Hij liep hier rond op de campus. Hoe ken je hem? Ex-vriendje?'

'Nee. Nou ja, zo'n beetje,' zei ik, niet in staat mijn teleurstelling te verbergen omdat Justin Rhode niet recent had gezien. Op de een of andere manier had ik toch nog een sprankje hoop gehad.

'Zo'n beetje?'

'Hij is dood,' zei ik. 'Blijf nou maar gewoon goed kijken.'

Hij zette de foto neer en begon de andere te bestuderen. Er waren er een paar bij waar ik alleen op stond, poserend op verschillende plekken in Engeland. Toen pakte hij de foto van de coven op, de enige die er was. Ik droeg daarop een heldergroene japon (hoewel de foto natuurlijk in zwart-wit was). Gavin en Heath stonden rechts van me, en Vicken en Song links. Terwijl Justin de foto bekeek, concentreerde ik me op Vickens gezicht. Zijn arm hing losjes om mijn middel. De zon was net onder, dus de lucht achter ons was lichtgrijs en het grote landhuis domineerde de achtergrond als een monster van steen. Ik kon mijn blik niet van Vickens gezicht afhouden. Die krachtige jukbeenderen. Die ogen die me hadden vertrouwd, die avond waarop ik hem tot vampier maakte, in Schotland. Nu, in mijn afwezigheid, bereidde hij zich voor om de hele wereld af te zoeken, op jacht naar mij.

'Hoe kan het dat deze foto is gemaakt? Het is niet eens een foto, het ziet er gek uit.'

'Dat heet een daguerreotype. Vroeger werden afbeeldingen gemaakt op glasplaten. Rond de eeuwwisseling.'

'Ze zien er zo echt uit…'

Ik sloeg meteen toe. 'Omdat ze dat ook zijn.'

Justin draaide zich om en keek me aan. 'Hoe heb je iemand

gevonden die zulke foto's kon maken? Je ziet er een beetje raar uit op die foto, bovenmenselijk of zo. Is dat je familie?' vroeg hij, wijzend op de coven.

'Die mannen zijn inderdaad een soort familie van me. Dat is mijn huis, in Hathersage.'

Justin keek nog een keer naar de foto.

'Waarom is de foto niet met een gewone camera gemaakt?'

'Die bestonden toen nog niet.'

Justin keek me ongelovig aan.

'Bestonden nog niet?' zei hij. 'Fotografie bestaat al een eeuw of zo.'

Dit ging moeilijker worden dan ik had gedacht.

'Die foto's zijn van meer dan een eeuw geleden,' zei ik ernstig.

'Dat kan niet,' antwoordde Justin.

Ik liep naar het midden van de kamer terwijl ik zo rustig mogelijk probeerde te ademen. Ik wees om me heen. 'Kijk dan. Zwarte gordijnen. Ouderwetse spullen. Foto's van mij, van ruim honderd jaar geleden. Gotische kunstwerken en in mijn slaapkamer portretten van mij die dateren uit de 18de eeuw. Waarom vraag je me niet waar je nu volgens mij aan denkt?'

'Wat zou ik moeten vragen? Ik weet niet wat er aan de hand is.' Justin raakte in paniek. Vroeger zou ik het geweldig hebben gevonden hem zo veel angst aan te jagen. Nu wilde ik alleen maar ter zake komen.

'Denk na. Toen we gingen snorkelen... waarom had ik nog nooit het licht in de zee zien schijnen?'

Justin slikte zo heftig dat ik de spieren bij zijn oren zag samentrekken. 'Dat weet ik niet. Ben je ziek? Heb je die rare ziekte waarbij je niet in de zon mag komen?'

'Is het echt zo makkelijk om mijn gedrag te verklaren?' vroeg ik.

'Jezus, Lenah. Wat wil je me nou eigenlijk vertellen?' Justins groene ogen werden donkerder.

'Die mannen,' zei ik, terwijl ik dichterbij kwam. 'Die mannen die naast me staan en die man die je had gezien voor de school begon, zijn vampiers.'

Justin keek naar de foto's en toen weer naar mij. 'Nee...' zei hij. De bekende reactie. Elke sterveling aan wie ik het had verteld en die ik vervolgens had vermoord had precies diezelfde reactie gehad.

'Tot acht weken geleden was ik een vampier. Een van de oudste in mijn soort. Die mannen daar, die vormen mijn coven, mijn vampierkring.'

Justin legde een hand op de rugleuning van de bank, alsof hij steun zocht.

'Denk je dat ik getikt ben? Dat ik zou geloven...' begon Justin.

'Het is de waarheid,' zei ik. 'Je kent me. Je weet dat ik niet lieg.'

'Dat dacht ik, ja. Maar kennelijk heb ik me vergist, want nu moet ik dus gaan geloven dat jij een vampier was. Een bloedzuigende, onsterfelijke vampier. Dat je mensen hebt vermoord. Klopt dat, heb je mensen gedood?' Zijn toon was sarcastisch, een beetje kwaadaardig zelfs.

Ik slikte. 'Duizenden. Ik was de machtigste vrouwelijke vampier die er bestond. Als je me als vampier zou ontmoeten, zou ik niet zijn zoals nu. Dan zou ik meedogenloos zijn. Ik zou alle tactieken en middelen inzetten om je te raken, om je zo veel mogelijk pijn te doen. Want ik was pijnlijk verdrietig om het leven dat ik had verloren.' Ik gebaarde naar de foto. 'Rhode geloofde dat een vampier kwaadaardiger werd naarmate zij meer gehecht was geweest aan haar menselijk leven. En ik was afschuwelijk. Die mannen in mijn coven had ik zorgvuldig uitgezocht. Jongens waren het, net als jij. Ik koos ze uit vanwege hun kracht, hun snelheid, hun ambitie.'

'Dus die kwam je zomaar tegen? Die medevampiers van je?' Zijn sarcasme was kwetsend.

'Nee, zo ging het niet.'

'Hoe dan wel?'

'Ik heb ze tot vampiers gemaakt.'

'Dit is gestoord!' Justin schreeuwde nu. 'Waarom lieg je hierover?'

Ik liep naar de keuken en pakte de blikjes, haalde het deksel eraf en liet hem de gedroogde paardenbloemen zien en de witte kamille.

'Waarom weet ik zo veel van kruiden, denk je? En waarom ben ik zo geobsedeerd door natuurlijke geneeswijzen? Hoe wist ik dat je die bloem op je tong kon leggen en kon opeten?'

'Weet ik veel,' zei Justin, en hij deinsde achteruit.

'Waarom zou ik een echt zwaard aan de muur hebben?'

Ik zuchtte, keek de andere kant op. Hij wilde me inkapselen in dat perfecte, onschuldige beeld. Lenah uit Engeland. Lenah die niet kon autorijden. Lenah die viel voor een jongen die haar meenam naar ongebruikelijke plekken zodat ze kon voelen dat ze leefde.

Ik marcheerde naar het bureau en pakte de urn. Ik opende hem zo ruw dat de glinsterende as door de lucht dwarrelde.

'Deze urn is gevuld met as. De overblijfselen van een dode vampier. Waarom heb ik dit, als ik lieg?'

'Waarom doe je dit?' schreeuwde Justin.

'Ik probeer je te beschermen!' schreeuwde ik terug, en ik gebaarde wild met mijn armen. De urn viel, raakte met een doffe klap de grond, en Rhodes prachtige as eindigde in een slordig hoopje op het kleed. Tegelijkertijd raakte mijn pink de zijkant van het zwaard. Ik voelde een verzengende pijn. Ik gilde en viel op mijn knieën. Pijn, glorieuze, ondraaglijke, helse pijn. Het was 592 jaar geleden dat ik menselijke pijn had gevoeld. Ik draaide mijn hand om. De pijn ging over in een heet, kloppend gevoel. Ik had me in mijn vingertopje gesneden. Het was een kleine snee, maar er vloeide wel bloed uit. Een onschuldige hoeveelheid, maar daar was het dan, het bewijs dat ik menselijk was vanbinnen.

Justin ging voor me staan en zakte op zijn knieën. Samen knielden we in Rhodes overblijfselen. Ik staarde naar de snee en deed waarnaar ik zo hevig verlangde – ik bracht mijn hand naar mijn lippen, likte het bloed op en sloot mijn ogen. Eerder was dit de smaak van voldoening geweest – een van de weinige smaken in mijn leven. Ik boog mijn hoofd achterover en zuchtte, genietend van die heerlijke dubbelzinnigheid. Ik haatte die roestige, metalige smaak, maar ik vond het geweldig dat ik me die smaak zo goed kon herinneren.

Ik opende mijn ogen en deelde de stilte met Justin. Ik keek naar het bloed, dat nu al bijna verdwenen was, en toen weer naar Justins prachtige gezicht.

'Wat is er?' vroeg hij.

'Het smaakt anders,' fluisterde ik. In dit leven betekende de smaak van bloed niets meer dan een moment van nieuwsgierigheid, iets vertrouwds dat even opwelde. De opluchting spoelde weg in kleine golfjes van herinneringen – het had vrijwel geen impact op de persoon die ik nu was. De vampier was weg, ze was verdwenen tijdens het ritueel.

'Anders?' vroeg Justin.

'Vroeger smaakte het beter.'

Justin pakte mijn hand, maar ik rukte hem los, waarbij ik mijn bloed aan de binnenkant van zijn pols smeerde. Het was niet meer dan een roestkleurige veeg, dwars over zijn onderarm. En op dat moment, terwijl Justins huid voor mijn ogen een waas werd, weerklonk Rhodes stem in mijn oren.

Je ziet niet wat je hebt gedaan!

En toen kwam Vicken.

Jouw gelaatstrekken, meisje, horen niet in deze streek thuis.

Vervolgens klonk mijn eigen gepassioneerde stem, die ik herkende van die dag in de weide.

God sta me bij, Rhode, want als jij het niet doet, loop ik het zonlicht in tot het me verschroeit.

Toen sprak Justin in mijn hoofd, hoewel hij vlak voor me zat.

Iedereen van wie je hield is dood. Dat moet eenzaam zijn.

Hoeveel herinneringen kunnen er tegelijk bij je opkomen voordat ze één grote chaos vormen van woorden en gezichten, vermengd door jaren van pijn?

Die avond, die avond waarop ik Vicken tot vampier maakte, was ik gefascineerd geweest door hoe gelukkig hij was. Net zoals ik dat bij Justin was geweest. Ik focuste mijn blik weer op Justins pols, mijn bloed op zijn huid. Onder die veeg bloed zag ik zijn ader, helderblauw.

'Je zou perfect zijn geweest,' zei ik. Ik liet mijn duim over het bloedspoor glijden. Het was nog plakkerig. 'Ik zou je hebben achtervolgd, ik zou je ademhaling zo nauwlettend hebben bestudeerd dat ik precies zou weten hoeveel seconden er tussen

elke ademteug zaten. Zelfs nu doe ik dat soort dingen nog.'
Ik keek in zijn ogen. Zijn blik was strak, zijn lichaam roerloos.
Zijn grote handen lagen in de mijne. 'Zelfs nu weet ik dat je je enkels over elkaar doet als je ontspannen bent. Dat dat je een gevoel van macht geeft. Dat de ader aan de rechterkant van je rechterpols eerst naar buiten kronkelt en dan diep je arm in duikt. Er zit tweeënhalve seconde tussen elke ademhaling. Exact. Al die dingen weet ik, en nog veel meer. Ik zou je met genoegen hebben gedood. Ik zou je gedood hebben en je dan hebben meegenomen.'
Ik keek naar de vloer, maar ik wist dat Justin was opgestaan. Hij zei zoiets als 'Ik moet gaan, ik spreek je nog,' en nog wat andere zinloze dingen. Ik wist alleen zeker dat de deur met een klap achter hem dichtsloeg.

Justin was ergens vroeg in de middag vertrokken, maar het was al half vijf toen ik eindelijk opkeek van de vloer. Ik wreef over mijn onderrug, rekte mijn nek en strekte mijn armen uit. Ik schoof het gordijn opzij en liep het balkon op. De hemel maakte zich klaar voor de zonsondergang, en weer dacht ik aan Süleens waarschuwing.
De jacht is begonnen…
Dus ik zou tegenover de coven komen te staan en alleen sterven. Daar was ik op voorbereid. De vraag was alleen nog wanneer. Ik leunde tegen het balkonhek en zag al die leerlingen van Wickham genieten van de namiddag. Ik hoopte dat ik Tony voorbij zou zien komen zodat ik naar hem kon roepen, maar ik wist dat hij mijn balkon zou mijden. Ik zag hem alleen nog bij de anatomieles. En dan praatte hij uitsluitend over de proefjes die we moesten doen. Telkens als ik het over iets anders pro-

beerde te hebben, stond hij op om naar de wc te gaan of maakte hij een sarcastische opmerking. Dat ik een lemming was, dat ik de nieuwe leidster was van de Three Piece. Ik schudde mijn hoofd en richtte mijn blik weer op de bomen. Hoe dan ook, ik miste hem.

'Ga je weg?' zei ik... alleen waren die woorden een herinnering die in mijn hoofd opkwam. Ik sprak ze niet werkelijk uit.

Hathersage, Engeland – de dagen van George II
1740

'Je bent roekeloos,' siste Rhode. Hij liep weg van het huis naar de eindeloze glooiende heuvels. Toen ik mijn belangstelling had verloren voor alles behalve het 'perfecte' bestaan, was ik ook de controle over mijn geest kwijtgeraakt. Ik was geobsedeerd, ik kon nog maar aan één ding denken. Ik concentreerde me op perfectie als de pijn te ondraaglijk werd. Dat was de enige manier waarop ik mezelf kon afleiden. En wat betekende perfectie? Bloed. Alleen van mensen. Geen dieren. Alleen kracht.

'Ik weet wat ik doe,' zei ik. Ik stak mijn kin in de lucht.

'O ja?' zei Rhode, terwijl hij zijn gezicht vlak bij het mijne bracht. Hij ontblootte zijn hoektanden en fluisterde: 'Gisteravond heb je een kind vermoord. Een kind, Lenah.'

'Jij zegt zelf altijd dat kinderbloed het zoetst is. Het puurst.'

Rhode keek me vol afschuw aan. Zijn mond viel letterlijk open. Hij deinsde achteruit.

'Dat was gewoon een feit dat ik noemde, het was geen uitnodiging. Je bent niet meer hetzelfde meisje. Je bent niet meer dat meisje in je vaders boomgaard in die witte nachtjapon.'

'Ik heb dat kind behoed voor een leven vol verdriet. Nu hoeft ze tenminste niet oud te worden. Haar familie te missen. Haar moeder.'

'Je hebt haar behoed? Door haar te doden? Je hebt haar vermoord, nadat je haar hier in dit huis had laten spelen!'

Rhode haalde diep adem, en aan de wazige blik in zijn ogen kon ik zien dat hij de juiste woorden zocht. 'Ik heb je gezegd dat je je op mij moest concentreren. Als je je zou focussen op de liefde die je voor mij voelt, zou je jezelf kunnen verlossen van de pijn. Maar daar ben je niet toe in staat, dat zie ik nu in,' zei Rhode. Ik probeerde iets te zeggen, maar hij ging verder voor ik de woorden kon uitspreken. 'Ze zeggen dat vampiers na zo'n driehonderd jaar hun verstand beginnen te verliezen. Dat de meesten een dood in het zonlicht verkiezen boven langzaam gek worden. Het vooruitzicht van de eeuwigheid is gewoon te veel voor ze. Voor jou geldt dat het leven dat je verloren hebt je gek maakt. Het eeuwige leven op deze aarde heeft je geest naar een plek gevoerd waar ik je niet langer kan bereiken.'

'Ik ben niet gek, Rhode. Ik ben een vampier. Misschien moet jij je daar ook eens naar gedragen.'

'Je zorgt ervoor dat ik spijt heb van wat ik heb gedaan in die boomgaard,' zei Rhode, en hij wendde zich van me af en begon zijn lange afdaling het heuvellandschap in.

'Heb je spijt van mij?' riep ik hem na, kijkend naar zijn rug.

'Hervind jezelf, Lenah. Als je dat doet, keer ik terug.'

Ik had gehuild, als ik het had gekund. Maar mijn traanbuizen vulden zich met een helse, verzengende pijn, als bijtend zuur dat oprees en zich verzamelde in mijn ogen. De pijn was zelfs zo hevig dat ik dubbel klapte, terwijl Rhode verdween

242

in de velden. Ik had nog kunnen kijken terwijl hij wegliep. Ik had zijn figuur met mijn ogen kunnen volgen tot hij uit mijn vampierzicht was verdwenen, maar de pijn was te erg. Daarom draaide ik me om en liep terug naar het huis, de duistere hal in. Daar, in de schaduwen tussen de wandkleden en zilveren bokalen, besloot ik dat ik nooit meer verlaten zou worden. Op dat moment besloot ik mijn coven te vormen. Dus ging ik naar Londen, waar ik Gavin vond.

20

Klop klop klop. Drie korte klopjes op de deur. Ik keek op van de vloer. Ik had net de as van Rhode weer in de urn gedaan. Vreemd, dat zijn hele prachtige leven met een paar handbewegingen bijeen kon worden geveegd. Ik liep naar het bureau en zette de foto's weer netjes neer.

Mijn bezoeker, wie het ook was, klopte nog een keer. Ik stond mezelf niet toe te denken dat het Justin was. Het kon hem niet zijn. Het was gewoon iemand die me zocht, vanwege huiswerk of mijn baantje bij de bibliotheek. Eén angstaanjagend moment dacht ik dat het Vicken was of een ander lid van de coven. Er was nog wel daglicht, maar ik had geen idee hoe krachtig ze inmiddels waren. Misschien konden ze nu allemaal tegen de zon.

Ik zette de urn terug op het bureau en opende de deur. Justin stond daar in de deuropening met één hand in zijn zak en de andere tegen de deurpost.

'Hoe weet ik dat je niet gek bent?'

'Dat weet je niet.'

Justin liep het appartement in en ging meteen naar de foto's op het bureau.

'Leg me uit waarom ik nu al drie uur over de campus rondloop en probeer mezelf te overtuigen dat ik je niet moet geloven. Leg me dat uit. Waarom zou ik je geloven?'

'Dat kan ik niet uitleggen.'

'Zijn die mannen ook vampiers?' Hij wees naar de foto van mijn coven.

Ik knikte.

'En jij bent nu geen vampier meer?' Hij sloeg zijn armen over elkaar en leunde tegen het bureau. Zijn blik was nu wat meer ontspannen. Geen gefronste wenkbrauwen of strakke lippen. Zijn ogen keken belangstellend in de mijne, op zoek naar antwoorden.

'Absoluut niet,' zei ik zo resoluut mogelijk.

'Laten we even aannemen dat ik je durf te geloven. Dat wat je zegt waar is, in een of ander gestoord universum.' Justin haalde diep adem. 'Hoe kan het dan dat je geen vampier meer bent? Is het niet zo dat vampiers eh… eeuwig leven?' Zijn woorden waren onhandig; hij was duidelijk bang dat hij iets verkeerd zou zeggen.

'Over het algemeen wel,' zei ik, met een glimlach. Ik voelde de spanning tussen ons vervliegen, en de lucht leek open te breken. Een golf van opluchting spoelde door mijn lichaam en mijn schouders ontspanden zich. 'Het was een oeroud ritueel,' zei ik zuchtend.

'Ritueel?'

'Een offer. Een ritueel dat nog ouder is dan Rhode en ik bij elkaar.' Ik ging op de bank zitten, met mijn handen tussen mijn knieën. Een moment later kwam Justin naast me zitten.

'Rhode, is dat die man op de foto?' Hij knikte naar het bureau.

'Hij was mijn beste vriend,' zei ik, en mijn stem brak. Ik schraapte mijn keel. 'Hij stierf zodat ik weer menselijk kon zijn.'

'Ik begrijp het niet,' zei Justin.

We keken elkaar aan, en de onzekerheid over wat er voor ons lag hing als een mist tussen ons in.

'Laten we het gewoon stap voor stap bekijken,' zei ik.

Justin knikte en liet zijn hand in de mijne glijden.

'Dit is waanzin,' fluisterde hij. Hij streelde met zijn vingertoppen over mijn huid, zodat ik kippenvel op mijn armen kreeg. 'Ik weet het,' antwoordde ik, genietend van het glorieuze besef dat ik mijn lichaam daadwerkelijk kon voelen. Was dit genot of troost, of misschien allebei? Glimlachend keek ik naar onze verstrengelde vingers. Ik vroeg niet eens of hij gek was. Of ik nog meer moest uitleggen. Ik was gewoon blij dat hij er was en me niet in mijn eentje had laten piekeren over de schaamte en verwarring van mijn vorige leven.

'Laten we vanavond iets gaan doen,' zei Justin. 'Even wat afleiding van dit alles.'

'Ja,' zei ik, meteen een stuk opgewekter. Ik ging rechtop zitten en lachte stralend.

'Kom mee dan.'

'Waar gaan we heen?' vroeg ik, terwijl ik overeind kwam.

'Mijn broers gaan uit eten, en dan nog naar een club. Ja, ik denk echt dat we er even uit moeten.'

Ik liep mijn slaapkamer in en deed heel strategisch de deur niet dicht. Ik kleedde me niet meteen helemaal uit, maar keek even om het hoekje van de deur met alleen mijn onderbroek en beha aan.

'Waar gaan jullie meestal heen?' vroeg ik.

'Dat zul je wel zien,' zei Justin. Zijn mond viel een beetje open toen hij me zag, en ik verstopte me weer achter de veilige slaapkamermuur. 'Alleen, als je besluit om te dragen wat je nu aan hebt, wat ik trouwens een geweldig idee vind, zorg dan wel dat je comfortabele schoenen aan hebt.'

Tot mijn verbazing en vreugde kwamen we in Boston terecht.

Toen we eenmaal uitgestapt waren, liepen we met zijn allen een lange straat met grijze gebouwen af. Claudia en Kate flankeerden me. Het was zo vreemd dat ze zich nu steeds net zo kleedden als ik. Ik zou liegen als ik zou zeggen dat ik er niet door gevleid was. Die avond droeg ik een korte zwarte jurk met zwarte hoge hakken. Zodra de meisjes hadden gezien wat ik aan had, waren ze teruggerend naar hun kamer om ook een jurk aan te trekken.

Claudia haakte haar arm door de mijne. 'Ik hoop dat het vanavond druk is in de club,' zei ze, terwijl we verder liepen. We kwamen bij een lange rij mensen en hielden achteraan halt.

'Wat is het voor club?' Ik stapte bij de meisjes vandaan en vroeg het Justin.

'We komen hier bijna elke vrijdag. De laatste tijd niet meer zo vaak, maar we gaan hier meestal heen om even weg te zijn uit Lovers Bay.' Justin gebaarde naar het gebouw naast ons.

'En wat voor leden heeft die club?'

Justin lachte en kuste mijn voorhoofd. 'Zo'n club is het niet,' zei hij. Hij legde zijn arm om mijn schouder. 'Het is een club waar je kunt dansen. Ik denk dat ze dat in jouw tijd een bal noemden?'

'O,' zei ik, en plotseling begreep ik het. Justin legde zijn arm om mijn middel en ik kroop weg in zijn omhelzing. We waren een eenheid, opnieuw onafscheidelijk, en hij kende de waarheid. Ik was zo blij, zo ongelooflijk gelukkig. En ik was dol op dansen, zelfs al in de 15de eeuw, toen ik voor het eerst een mens was geweest.

We stonden buiten de club, die Lust heette, in de rij te wachten tot we erin mochten. Om mij heen stonden mannen en vrouwen, gekleed in strakke kleren. Sommige meisjes droegen een rokje en een naveltruitje. Het was begin november en ik wist dat ze stonden te rillen, ondanks de ongebruikelijke najaarswarmte.

Die gedachten gingen door mijn hoofd toen ik iets voelde tintelen in mijn maag en er een vreemd soort stilte viel. Ja, ik werd in de gaten gehouden. Gezien Suleens waarschuwing was dat niet onverwacht. Ik leunde op Justins warme arm om mijn middel, maar mijn ogen speurden ondertussen de straat af. Alles leek normaal. Mannen en vrouwen liepen van club naar club, een straatverkoper probeerde hotdogs en pretzels te slijten. Taxi's en auto's reden door de straat en de muziek uit de vele clubs vulde de lucht met bonkende ritmes. Ja, alles leek normaal.

Maar ik hield mezelf natuurlijk voor de gek. Vampiers van Vickens leeftijd, een jaar of tweehonderd, konden zo ver kijken als ze maar wilden. Hij kon op kilometers afstand staan. Ik draaide me om en speurde de straat weer af. Hoewel mijn vampierzicht was afgenomen, kon ik toch nog wel een kilometer of drie ver kijken. Vijf of zes blokken verderop zag ik mensen lopen. Het rook naar sigaretten, drank en hotdogs. Ik verkende de omgeving, wachtend tot mijn ogen die van Vicken zouden ontmoeten, die bruine ogen die me betoverden en mijn ziel terug sleurden naar de 19de eeuw. Misschien was het Suleen die een oogje in het zeil hield? Die gedachte bezorgde me even een gevoel van kalmte.

'Ga je ons nog een keer vertellen wat die tatoeage betekent?' vroeg Claudia. Ik had mijn jas uitgedaan en was de tatoeage van de coven helemaal vergeten. 'Ik mag er geen van mijn moeder,' voegde ze eraan toe.

'O, eh…' begon ik, maar ik hoefde gelukkig geen antwoord te

geven omdat we eindelijk bij de ingang waren en Justin iets hards, iets als een creditcard, in mijn hand stopte.

'Geef dit maar aan de portier,' fluisterde hij in mijn oor. 'Je moet twintig zijn om erin te mogen.'

Aha... hoe ironisch.

Ik keek omlaag. Mijn foto zat op een rijbewijs uit Massachusetts met een valse geboortedatum, zodat het leek of ik eenentwintig was. 'Curtis heeft het gemaakt,' voegde Justin eraan toe, en ik gaf het kaartje aan een potige portier. Hij was echt enorm, als een bodybuilder. Maar Gavin was nog groter geweest, de laatste keer dat ik hem had gezien. Ik glimlachte ontwapenend en de portier gebaarde dat ik Lust binnen mocht gaan.

We liepen de club in, en ik voelde de bassen van de muziek dreunen onder mijn ribben. Het ritme bonkte in mijn binnenste. Honderden mensen, nee, misschien wel bijna duizend, vulden de club. Lust had twee verdiepingen. Op straatniveau bevond zich de bovenste verdieping. Daar was geen dansvloer, maar een soort galerij, een balkon dat helemaal rondliep. Enorme schilderijen sierden de muren, allemaal afbeeldingen van stellen gevangen in een moment van passie. Ik greep de leuning van het balkon vast. Justin kwam links van me staan.

'Je mond hangt weer open,' zei Justin, en toen keek hij omlaag. Zijn huid lichtte groen, goud, rood en zwart op door de wisselende lampen aan het plafond.

'Zoiets heb ik echt nog nooit gezien,' zei ik, en toen keek ik ook naar beneden.

De mensen die aan het dansen waren zagen er allemaal uit alsof ze de liefde met elkaar bedreven. Lichamen werden zo dicht tegen elkaar aan gedrukt dat ik niet kon zien waar de een ophield en de ander begon. Handen waren verstrengeld, benen om elkaar geslagen, en dat allemaal op het ritme van de muziek die uit de gigantische luidsprekers kwam die rondom langs de muren hingen. In mijn tijd hadden de mensen nooit op die manier gedanst. Plotseling veranderde de muziek. Er klonk nu opeens een heel ander ritme. De drums waren zo snel dat ik besefte dat het geluid door een apparaat moest zijn geproduceerd. Muziek gemaakt door machines? Doek – doek – doek. De menigte begon te springen. Alle lichamen op de vloer gingen op en neer, steeds weer, allemaal tegelijk. En opeens stormden de mensen die hadden staan kijken ook de dansvloer op.

Claudia, die rechts van me was komen staan zonder dat ik het doorhad, gilde van opwinding.

'O, gaaaaaf! Dit nummer is zo geweldig!'

Meteen ging ze op een roltrap staan die vanaf het balkon omlaag leidde, tot ze beneden op de dansvloer was.

'Kom op, Lenah!' riep Claudia. Ze glimlachte naar me, en ik voelde een steek in mijn borstkas. Ze wilde dit zo graag met me delen, maar ik had geen idee hoe ik de bewegingen van de mensen op de dansvloer moest maken.

Curtis, Roy en Kate volgden Claudia. Veel mensen op de bovenste verdieping liepen nu naar de roltrappen (er was er een aan beide uiteinden van het balkon) en gingen naar beneden, naar de dansvloer.

Toen legde Justin zijn hand in de mijne. 'Kom mee.'

Ik trok me van hem los. 'Vergeet het maar. Ik weet niet hoe ik op die manier moet dansen.'

'Dat weet niemand hier,' zei hij, en hij trok me mee naar de roltrap. Terwijl we omlaag zoefden, probeerde ik het uit te leggen. 'Het laatste bal waar ik heen ging, was voordat er muziek

250

kon worden afgespeeld op een stereo. Als je muziek wilde horen moest je naar een concert. Justin!'

Voor ik het wist waren we midden op de dansvloer. Het ritme van het nummer was snel, dan langzaam, en dan weer snel. Op het moment dat we de dansvloer op liepen was het net langzaam. Justin en ik waren omringd door tegen elkaar aan gedrukte mensen. Iedereen wiegde heen en weer, wachtend op het moment waarop de muziek weer zou versnellen, tot het ritme weer onweerstaanbaar zou bonken zodat ze konden dansen. Nu klonk er alleen een serie zachte drumbeats.

'Doe je ogen dicht,' zei Justin. 'Het nummer wordt hier even wat langzamer, en daarna gaat het weer los. Als dat gebeurt, gaat iedereen uit zijn dak.'

Ik sloeg mijn armen stevig om Justins middel. Ik denk dat ik mijn knieën een beetje boog, maar vergeleken met Justin stond ik min of meer stil. Hij was verbazingwekkend bezig, zwaaide en pompte met zijn lichaam op het ritme van de muziek. Het tempo ging omhoog, de drums versnelden en de lichamen op de dansvloer bewogen mee in de maat.

Een meisje naast ons hield haar ogen gesloten terwijl ze danste en stak haar armen omhoog. Terwijl het tempo toenam ging ze steeds sneller bewegen, en dat deed ze zo wild dat ik uit Justins omhelzing werd gestoten door haar rond zwiepende heupen en armen. Er kwamen nu zo veel mensen de dansvloer op en de bas dreunde zo hard dat ik van Justin weg werd gedreven voordat ik besefte wat er gebeurde.

'Lenah!' riep hij, maar ik zat vast tussen twee stellen die dicht tegen elkaar aan gedrukt stonden. Ik ging op mijn tenen staan en zag Curtis op en neer springen, maar geen Justin. Het tempo van de muziek ging nog verder omhoog en die klonk nu zo luid dat het dreunde in mijn borstkas.

Ik werd fijngeplet, daar midden op de dansvloer. Wanhopig keek ik om me heen. Iedereen danste, en ik stond daar maar. Toen hoorde ik iemand mijn naam fluisteren.

'Laat gaan...' zei de stem, maar ik wist niet zeker of het wel tegen mij was.

Misschien zat het alleen in mijn hoofd. Ik weet het niet. Misschien bedoelde de fluisteraar dat ik moest kalmeren. Ik haalde diep adem. Ik rook drank, zoete parfums, lichaamsgeuren. De laatste keer dat ik in een ruimte was geweest met zo veel personen was ik bezig geweest ze op te hitsen tegen een arme, hulpeloze vrouw. Iemand om te doden.

'Laat je gewoon gaan.'

Dat deed ik dus. Midden op de dansvloer sloot ik mijn ogen en liet me meevoeren op het ritme van de muziek. En toen het tempo nog verder werd opgeschroefd en de hele menigte uit zijn dak ging, deed ik vrolijk mee. Mijn armen hield ik boven mijn hoofd. Ik wiegde. Ik sprong. Ik duwde mijn rug tegen mensen aan die ik niet kende en voelde ze terugduwen. Hoewel het nummer een pompend ritme had, waren mijn bewegingen langzaam. Ik stond schouder aan schouder met vreemden, en iemand pakte zelfs mijn hand beet. Het zweet droop langs mijn neus en rug, en ik ging helemaal kopje-onder in die zee van onbekenden. Ik wist niet eens meer hoe ik eruitzag. Het kon me ook niet meer schelen.

Geen bungeejump of iets anders spannends had me dit besef gebracht. Ik was Lenah Beaudonte. Niet langer een vampier van het ergste soort. Niet langer de leider van een troep nachtelijke jagers.

Ik was bevrijd.

21

Een Chinese vaas versplinterde tegen een muur in een kamer die in schaduwen was gehuld. Vicken haalde diep adem en plofte neer in een luie stoel.

Tussen opeengeklemde tanden door gromde hij: 'Waar is ze?'

'Misschien is het Rhode niet gelukt om haar te wekken,' probeerde Gavin hem te sussen.

'Onzin,' blafte Vicken. 'Ze heeft nooit in dat graf gelegen. Of in elk geval niet lang.'

Hij kwam overeind en begon te ijsberen. Ze waren in de bibliotheek. Alle boeken op de eindeloze planken gingen over het occulte, over geschiedenis of over andere onderwerpen die de coven leerzaam achtte. Het had me jaren gekost om die bibliotheek te perfectioneren. In de hoek van de kamer laaide het vuur in de open haard. De coven zat in een halve cirkel. Twee stoelen waren leeg: die van Vicken en die van mij.

Vicken bleef op en neer lopen. Zijn tred was soepel, en hij hield zijn handen op zijn rug. Hij zag er tamelijk decadent uit met zijn designkleding en moderne kapsel. In zijn hand hield hij een zwartgeblakerd stukje papier met daarop één woord… Wickham. Zijn handen waren bedekt met modder en er zat aarde onder zijn vingernagels. Hij had in de bodem zitten graven met zijn blote handen.

'Misschien is ze dood,' zei Gavin nogmaals.

'Dwaas. Dat zouden we toch voelen?' zei Vicken.

Heath knikte en Song bromde instemmend.

'Hebben we alle informatie nu bij elkaar?' vroeg Vicken. 'Ik wil dat jullie alles nog een keer doornemen. Ik wil elke mogelijke omschrijving opsporen van wie of wat Wickham kan zijn.'

'Ik denk dat Rhode dood is. Dat voel ik wel,' zei Gavin.

Nu was het Vickens beurt om te knikken.

'En niemand heeft iets van Suleen gehoord of gezien?' vroeg Vicken.

'Hij negeert al onze pogingen om contact te krijgen. Maar denk je nou echt dat hij zich aan ons zou vertonen?' vroeg Heath.

'Hij bemoeit zich niet met dit soort zaken.'

'Hij is de enige die mijn vragen kan beantwoorden.'

'Niet de enige,' zei Song. 'Er zijn nog anderen die kunnen helpen.'

'Ik ben niet van plan de hulp van anderen in te roepen, tenzij het echt niet anders kan,' verklaarde Vicken. 'En trouwens, Suleen is een ingewijde. Hij *kent* Rhode.'

Nu zweeg iedereen.

'Het is tijd,' zei Vicken, en hij ging weer zitten en leunde achterover. 'We gaan haar zoeken.'

Ik hapte naar adem en opende mijn ogen. De kille bries die door het autoraam naar binnen kwam streek langs mijn rechterwang. Ik had mijn hoofd tegen het raampje laten rusten en was zo in slaap gevallen, al voor de oprit naar de snelweg. Toen voelde ik een kneep in mijn linkerknie. Ik keek naar Justin, en de beelden uit mijn droom leken te vervliegen.

'Je hebt wel een uur geslapen,' zei hij. Toen ik door de voorruit keek, zag ik dat we terug waren in Lovers Bay. We reden over de campus van Wickham en Justin draaide net zijn auto op de parkeerplaats voor Seeker. Hij had de anderen al bij hun studentenhuizen afgezet, en ik had overal doorheen geslapen.

'Heb je eigenlijk nog gedanst?' vroeg hij, terwijl hij het zonnedak van de SUV opende. Ik keek omhoog naar de herfsthemel.

Ik knikte. 'Dat was een van de gaafste dingen die ik ooit heb meegemaakt,' zei ik, en ik leunde achterover in mijn stoel. 'Ik wou alleen dat Tony erbij was geweest,' bekende ik, terwijl ik met mijn handen aan mijn haar voelde. Snel probeerde ik wat orde te brengen in de zweterige, klitterige slierten die aan mijn schouders en voorhoofd plakten. Nadat ik mijn haar naar achteren had gedaan, glimlachte ik. 'Maar in elk geval bedankt,' zei ik. 'Gaan we volgende week weer?'

Justin gooide zijn hoofd in zijn nek en lachte luid. Hij kneep met zijn rechterhand in mijn schouder, en daarna waren we allebei even stil. Ik luisterde naar de nachtgeluiden van Wickham. Ergens in de verte rolden kleine golfjes op het strand.

'Er is iets wat ik je al een tijdje wil vragen,' zei Justin, en hij verplaatste zijn hand, die nog steeds op mijn schouder lag en drukte hem in mijn rug, zodat ik wat naar voren kwam. 'Wat betekent die tatoeage?'

Die vraag overviel me nogal, ja, maar als ik het aan iemand kon vertellen was het Justin wel. Ik nam aan dat hij het uit respect voor mij niet eerder had gevraagd. Of misschien had hij de waarheid niet willen kennen. Ik haalde diep adem.

'Lang geleden was Rhode, de vampier die je herkende op die foto, lid van een broederschap van ridders. Ergens in de 14de eeuw stierven er vele mannen, gezonde mannen. Aan de pest. Hun lichaam werd bedekt door enorme zweren. Kinderen leden onbeschrijflijke pijnen. Nadat Rhode de verwoestende kracht van de pest had gezien, besloot hij vampier te worden. Hoe dat precies in zijn werk is gegaan weet ik niet. Maar toen hij terugkeerde vertelde hij zijn heer, koning Edward de Derde, wat hij had gedaan. Het is niet zo eenvoudig om een transformatie tot vampier te verhullen.'

'Waarom niet?' vroeg Justin, zijn hand nog steeds op mijn rug, alleen wreef zijn duim nu over mijn huid.

'We zien er anders uit, als vampier. Onze gelaatstrekken krijgen iets ongrijpbaars. Het verbazingwekkende van Rhodes verhaal is dat koning Edward het accepteerde. Stel je voor dat je te horen krijgt dat je favoriete ridder, je rechterhand, besloten heeft zijn ziel aan de duivel te verkopen. Toen Rhode terugkeerde en het zijn heer vertelde, zei Rhode: "kwaadaardig is alleen hij die kwaadaardig denkt", en zo ontstond die uitspraak. Voor Rhode was de dood de ultieme...'

Ik stokte. Mijn stem brak. Ik slikte moeizaam, en mijn ogen brandden. Ik knipperde een paar keer met mijn ogen, en het brandende gevoel ebde weg. Ik keek op naar Justin. Zijn glimlach was verdwenen, en vanuit zijn vermoeide gezicht keken zijn ogen me kalm aan.

'De dood was iets wat hij niet onder ogen kon zien. Dus beschermde hij zichzelf ertegen,' maakte ik mijn verhaal af.

'Hij werd vampier zodat hij nooit zou hoeven sterven?'

Ik keek naar buiten. Het lange, bochtige pad naast Seeker was donker, en de bomen zwaaiden in de wind. Wat een vredige wereld, daar buiten de auto.

'Maar voor jou is hij gestorven,' zei Justin.

'Ja, inderdaad. Hoe dan ook, die zin "kwaadaardig is alleen hij die kwaadaardig denkt" werd het motto van de Orde van de Kousenband, die nog steeds bestaat in Engeland. Het werd ook het motto van mijn coven. En ik heb die woorden flink verdraaid en verloochend.'

Ik trok mijn knieën op tot aan mijn borstkas en liet mijn kin erop rusten. Ik staarde naar het dashboard tot de kleine wijzertjes en lichtjes een waas werden.

'Rhode geloofde erin. Je was pas kwaadaardig als je het kwaad opzettelijk verspreidde. Als je het meende, vanuit je ziel.'

'En heb jij dat gedaan?' vroeg Justin.

'Ja.'

Ik zag Rhode voor me, op de bank in mijn kamer. Zijn ingevallen wangen en krachtige kaak zo knokig, zo kwetsbaar. En zijn ogen – het blauw van zijn ogen had zich al jaren eerder in mijn bloed gebrand. Maar die avond hadden ze dof gekeken. Ik zou die kleur nog steeds overal herkennen, in bloemen, in de hemel en in alle details van de wereld. Ik probeerde te slikken, maar merkte dat het niet lukte. Ik moest naar buiten. Justins SUV was te klein. Ik was te klein. Ik sprong bijna uit mijn vel.

'Ik moet gaan,' zei ik, terwijl ik het portier opende. Ik stapte de parkeerplaats op.

Justin deed het raampje omlaag en riep me na.

'Hé, Lenah! Wacht.'

Ik hoorde de motor verstommen, het bestuurdersportier openen en sluiten, het gedreun van Justins schoenen op de grond achter me. Ik draaide me naar hem om en balde mijn handen.

Het licht van Seeker wierp een zachte gloed op de bankjes en de ingang achter me.

Kennelijk zag ik er angstaanjagend uit, want Justin stopte op een meter afstand. Mijn kaken waren op elkaar geklemd, mijn ogen toegeknepen, en ik stond te briesen als een stier, ademend door mijn neus.

'Wat is er?' vroeg hij. 'Wat heb ik verkeerd gezegd?'

'Jij hebt niets gedaan. Het ligt aan mij. Ik wou dat ik uit mijn vel kon springen. Mijn geest in een ander lichaam kon planten.

Ik wil alles vergeten wat ik ooit heb gedaan, tot drie maanden geleden.' Dit alles zei ik met mijn tanden op elkaar. Er kwam spuug uit mijn mond, maar dat kon me niets schelen.

In Justins ogen blonk even pure paniek. Zijn mond viel een beetje open, terwijl hij naar de grond staarde. Toen zei hij: 'Het is een beetje zoals bungeejumpen.'

'Wat?' Dit was verbijsterend, op zijn zachtst gezegd.

'Je staat daar op die brug en je weet dat je iets extreem stoms gaat doen. Maar toch doe je het. Je moet wel. Om iets te voelen. Omdat zoiets waanzinnigs doen beter is dan maar een beetje rondhangen en je leven leiden met al je vergissingen en je stomme verantwoordelijkheden. Je springt omdat je moet, omdat je die opwinding moet voelen. Je weet dat je gek wordt als je het niet doet.'

'Beweer je nou dat mijn besluit om mens te worden na zeshonderd jaar als meedogenloze vampier net zoiets is als bungeejumpen?'

Even zwegen we allebei.

'Zie je de overeenkomst niet?'

Ondanks mezelf barstte ik in lachen uit. Hoe kreeg hij het voor elkaar om me het op zijn manier te laten bekijken? Op dit moment van wanhoop en chaos had hij me laten inzien dat dit leven, het leven dat ik nu leidde, gevuld was met vrolijkheid en geluk.

Ik wierp mijn armen om Justins nek en kuste hem zo innig dat ik, toen hij kreunde, de trilling van het geluid kon voelen. Een huivering trok door mijn lichaam, tot in mijn tenen. Ik kuste hem in zijn hals, vlak naast zijn schouder. Toen trok ik me terug, tot er een paar centimeter tussen ons was.

'Kom mee naar boven,' fluisterde ik, voor ik goed en wel besefte wat ik eigenlijk zei.

258

Justins ogen werden groot. Hij glimlachte, zodat zijn kuiltjes dieper werden dan ik ze ooit had gezien.

'Weet je het zeker?'

Ik knikte. Ik wist het zeker.

Nadat hij voorbij de nachtwaker was geslopen zag ik Justin weer boven aan de trap. Ik stond voor mijn deur. Ik stak mijn vinger in het bosje rozemarijn en haalde er een enkel takje uit. Dat gaf ik aan Justin.

'Droog het. En bewaar het in je portefeuille. Als je ernaar kijkt – zul je aan vannacht denken.'

Algauw stonden we tegenover elkaar in de woonkamer, omringd door de talismannen uit mijn leven. Het zwaard, de foto's, het flesje met Rhodes as om mijn hals.

'Ik ben blij dat je de waarheid kent,' fluisterde ik. 'Je beseft het niet. Je kunt niet beseffen wat het voor me betekende, vanavond op die dansvloer.'

Justin stapte naar voren en legde zijn hand tegen mijn rechterwang. Huiveringen trokken door mijn armen. Die heerlijke aanraking. Justins aanraking – ik wist niet of ik zonder die aanraking nog zou kunnen leven.

'Ik hou van je, Lenah,' zei hij. Tot mijn schrik zag ik dat zijn ogen vochtig waren.

'Dat heb ik nog nooit tegen een mens gezegd,' zei ik, en ik keek naar de vloer. Ik kon niet naar het bureau kijken, waar Rhodes ogen de mijne zouden ontmoeten. Dit was een andere liefde, een die ik kon voelen met mijn kloppende hart.

'Dat geeft niet, je hoeft het niet te zeggen,' zei Justin, en hij boog zich voorover om me weer te kussen. Ik legde een hand tegen zijn borstkas om hem tegen te houden en stapte naar achteren. Ik moest eerst Rhodes as van mijn hals halen. Kwestie van respect. Of misschien gewoon een vampierding. Ik legde de ketting op de salontafel.

Toen Justin me kuste en me optilde, zodat ik mijn benen om zijn middel kon slaan, wist ik dat hij op weg was naar mijn slaapkamer. Eenmaal in de kamer schopte Justin met zijn voet de deur dicht.

22

'Lenah?' fluisterde Justin. Hij aaide over mijn hoofd, dat op zijn borstkas lag. Ik luisterde naar het kloppen van zijn hart, dat aan het terugkeren was naar een normaal tempo. Buiten was de hemel bezaaid met sterren.

'Ja?' antwoordde ik. Ik was weggedoezeld, bijna in slaap onder mijn warme, donzige dekbed.

'Ga je met me mee naar de winterprom?'

'Natuurlijk,' fluisterde ik, ervan overtuigd dat ik elk moment in slaap zou vallen. 'Justin?'

'Mmm?' zei hij, zelf ook bijna in slaap.

'Wat is een prom?'

Hij moest zo hard lachen dat mijn wang op en neer danste op zijn borstkas.

Het late ochtendlicht scheen door de gordijnen van de slaapkamer. Er was iets veranderd. De spullen in mijn kamer leken wazig – ik wreef in mijn ogen en glipte zo stilletjes mogelijk het bed uit. Justin lag nog te slapen, op zijn buik, en alleen zijn onderlichaam was bedekt door het dekbed. Ik haalde een nachthemd van een hanger in mijn kast. Ik liet het zwartkatoenen geval over mijn hoofd glijden en wreef in mijn ogen terwijl ik naar het erkerraam liep. Toen pas zag ik hoe anders mijn wereld in één nacht was geworden.

De bomen zagen er solide uit. Ik kon de vezels in de bast niet meer onderscheiden. De grassprieten bewogen met duizenden in de wind, maar het zwaaien en trillen van elke afzonderlijke spriet kon ik niet meer zien. Ik zag het strand in de verte, maar het zand was nu één vlakte, zonder scherpe details. Niet langer kon ik de barstjes in de verf zien op de kapel, aan de andere kant van de campus. Weer wreef ik in mijn ogen, maar het zicht bleef hetzelfde. Rhode had gelijk gehad; ik was mijn vampierzicht kwijt en eindelijk was ik de mens geworden die hij zich had gewenst.

Ik geloof dat er uren verstreken terwijl ik daar zat in de vensterbank en naar de campus keek. Na een tijdje wikkelde ik een deken om mijn schouders, en daarna ging ik weer zitten staren. Uiteindelijk hoorde ik achter me iets bewegen.

'Lenah?' vroeg Justin, maar hij was nog half in slaap.

Ik draaide me naar hem toe. Zijn haar was warrig en zijn borstkas was ontbloot. Hij sloeg een laken om zijn onderlichaam en kwam bij me zitten in de vensterbank. Ik draaide me terug naar het raam en staarde weer naar buiten. Hij keek uit het raam, en toen naar mij.

'Wat is er?'

Ik keek hem aan. 'Het is weg,' zei ik, mijn blik weer richtend op het uitzicht, dat nu zo anders was.

'Wat? Wat is weg?'

'Mijn vampierzicht.'

Justin zuchtte. 'Wauw.' Even bleef het stil. 'Is dat… is dat mijn schuld?'

Bijna lachte ik hardop, maar ik deed het niet. Ik glimlachte en zei: 'Nee.' Ik keek weer naar de glinsterende oceaan en het wazige rollen van de golven. 'Misschien zijn mensen daarom wel altijd zo met hun eigen gedachten bezig,' zei ik, nog steeds naar buiten starend. 'Ze zien helemaal niet hoe de wereld echt is. Als ze dat wel zouden zien, zouden ze wel wat verder kijken dan hun eigen dromen en zorgen.'

Ik keek naar Justin, die niets zei. Zijn ogen, die wilde groene ogen die altijd op zoek waren naar de volgende sensatie, stonden rustig en kalm.

'Ik hou van je, Lenah.'

Ik haalde diep adem. Nu had ik de keus om lief te hebben. De keus om te beslissen of ik het meende of niet. Geen vloek meer die me voor eeuwig bond.

'Ik hou ook van jou.'

Justin leunde naar voren en haalde de deken van mijn lichaam.

In de drie weken na Halloween ging de herfst snel over in de winter. Toen iedereen naar binnen ging om de warmte op te zoeken, deden Justin en ik dat ook. We waren zo goed als onafscheidelijk. Ik dacht steeds minder aan mijn coven. Misschien had Suleen zich vergist. Misschien hadden ze de as in de haard niet gezien. Misschien had Suleen verkeerde informatie gekregen?

Het is verbazingwekkend wat je jezelf wijs kunt maken als je de waarheid liever niet onder ogen ziet.

Ik keek naar de lacrossetraining, aan het einde van het seizoen. Het was nog maar een paar dagen tot Thanksgiving en binnenkort zouden de trainingen binnen plaatsvinden. Er klonk muziek uit de studentenhuizen. Leerlingen liepen over het grasveld, langs de kas. Ik bewaarde niet langer bloemen in mijn zakken. Het enige wat ik nog bij me droeg was het flesje met Rhodes as om mijn nek. Die dag zat ik aan de rand van het lacrosseveld. Ik had een schrift op mijn knieën en was bezig met een eerste versie van een werkstuk voor Engels. Justin rende het veld op en neer, de bal overgooiend vanuit zijn net naar de andere spelers.

Claudia, die uit de Union kwam met een kop koffie voor mij en thee voor zichzelf, ging rechts naast me zitten. 'Tony Sasaki staat tegen Hopper geleund. En hij staart hierheen.'

Ik nam de koffie aan en draaide me om, om te kijken. Naast de ingang van Hopper stond een grote eik. Net als de andere bomen was hij zijn bladeren aan het verliezen. Nog maar een paar treurige oranjerode blaadjes klampten zich aan de kale takken vast. En daar stond Tony met een zwarte wollen muts over zijn haar. Hij ving mijn blik op en gebaarde met een snel handgebaar dat ik naar hem toe moest komen.

Ik duwde mezelf omhoog van de grond.

'Ik ben zo terug,' zei ik tegen Claudia. Haar ogen vertelden me dat het weinig goeds kon betekenen wat Tony met me te bespreken had, wat het ook was. Al weken had hij me ijzig genegeerd.

'Hé,' zei ik, hoewel ik naar mijn koffie keek, en toen pas naar Tony.

'Kan ik je ergens over spreken?' vroeg hij. Zijn lippen waren op elkaar geperst en hij keek me recht aan.

'Je wilt al een maand niet met me praten,' zei ik. Een ijzige windvlaag deed mijn haar om mijn mond en wangen wapperen. Ik omklemde de kop koffie wat steviger. 'Nou ja, drie weken dan.'

'Kom mee naar binnen,' zei Tony, en hij draaide zich om naar Hopper. Ik keek even om naar het lacrosseveld. Justin wierp me een vragende blik toe, en als antwoord haalde ik mijn schouders op. Ik volgde Tony naar binnen.

Tony's voeten lieten zijn karakteristieke ritme horen terwijl hij de wenteltrap in de kunsttoren beklom. Ik kende dat zware geschuifel van zijn voeten en de klank van zijn laarzen op het hout. Ik volgde hem, en mijn voeten maakten aanzienlijk minder lawaai, hoewel ik ook laarzen droeg.

Toen we het atelier binnenkwamen liep Tony meteen naar de andere kant. Daar hing mijn portret, nu ingelijst, aan de muur. Tony ging rechts van een ezel staan. Achter hem bevonden zich de open hokjes waar de leerlingen hun teken- en schilderspullen bewaarden. Het hokje van Tony was vlak achter de ezel.

'Goed, waar wil je over praten?' vroeg ik. Ik was maar een klein eindje het atelier in gelopen. Ik sloeg mijn armen over elkaar.

'Ik moest het weten. Niet dat het verder alles goedmaakt, maar ik moest het weten. Ik bedoel, al die tijd al was er gewoon iets raars aan jou,' zei Tony, alsof hij het zichzelf probeerde uit te leggen.

'Wat?'

'Toen je begon rond te hangen met de Three Piece en Justin. Dat was jij niet. Tenminste, ik dacht niet dat jij dat soort mensen aardig vond. Mensen die iedereen uitlachen. Die mij uitlachen.'

'Ik heb ze inmiddels leren kennen, Tony. Jij hebt ook met ze opgetrokken. Ze vallen best mee, vooral Justin.'

'Jij dwong me om met ze op te trekken. Dat wilde ik niet.'

Mijn wangen begonnen te gloeien en ik wilde Tony niet aankijken. Zijn vingers, zoals gewoonlijk bedekt met verf en houtskool, schoven de ezel opzij, waarbij de houten poten over de vloer krasten. Achter de ezel onttrok een rood fluwelen gordijn Tony's hokje aan het zicht.

'Wat heeft dit te betekenen?' vroeg ik.

265

Tony trok het gordijn naar rechts. In het hokje lag een stapel van een stuk of acht boeken. Bovenop zag ik een dik, gebonden boek dat me erg bekend voorkwam. De leren band, de vergulde bladzijden. Het was het boek over de Orde van de Kousenband uit de bibliotheek, en daarbovenop stond een foto van Rhode en mij.

'Zeg jij het maar, Lenah. Ik weet dat het verkeerd van me is. Echt. En ik ben niet gek of zo. Het was die dag dat ik wegliep, nadat ik je had verteld dat ik van je hield,' zei Tony, terwijl hij het boek en de foto uit het hokje haalde en op een van de tafels legde. 'Een paar weken geleden was ik mijn foto's aan het uitzoeken, om ze op te bergen. Op al die foto's was je zo bleek. Ik bedoel, je verbergt je gewoon voor het zonlicht. Dat was mijn eerste aanwijzing. Maar goed, die dag ging ik naar je kamer en klopte aan. Maar je had de deur niet op slot gedaan. Dus draaide ik aan de deurknop, omdat ik dacht dat je me niet had gehoord. Ik ging naar binnen om op je te wachten. Ik ging op je bank zitten en wachtte op je omdat ik mijn excuses wilde aanbieden, dat ik je er zo mee had overvallen toen ik zei...' Hij pauzeerde. 'Toen ik zei dat ik van je hield. En toen... toen zag ik dit.'

In het boek lag een rood leeslint, en toen Tony het opensloeg, voelde ik hoe mijn hart als een razende begon te bonken. Met zijn wijsvinger opende hij het boek op de pagina met de gravure van Rhode. Ik hapte naar adem. Het werd een soort hik, je weet wel, als je geen adem krijgt omdat de schok te groot is.

'Dit boek lag open op tafel. Ik had het eerder gezien, maar het verband niet gelegd. Dus keek ik naar de pagina waarop jij het open had laten liggen. En het was puur toeval dat ik daarna naar je bureau keek. Daar zag ik diezelfde man, op een foto.'

266

'Heb je die spullen gestolen? Wanneer?'
'Een paar dagen geleden. Ik was wanhopig. Ik wilde met je praten, weer vrienden zijn, maar toen ik dit had gezien, werd het een chaos in mijn hoofd. Ik kon aan niets anders meer denken.'

Tony wees naar de gravure.

'Leg me dit eens uit, Lenah. Hoe kan een man die in 1348 leefde dezelfde man zijn die daar met jou op die foto staat? En dat zwaard aan de muur. Dat flesje om je nek. Je woont in professor Bennetts appartement. Je haat zonlicht.'

'Hoe kon je dat doen?' fluisterde ik. Mijn oren gloeiden. Mijn vingers trilden. 'Je weigerde met me te praten. Je wilde mijn vriend niet meer zijn.'

Tony had alle symptomen opgenoemd... al mijn geheimen.

Hij nam zijn muts af en haalde zijn hand door zijn haar. Ik stond in de deuropening. Mijn adem ging met horten en stoten, mijn ogen waren groot. Ik voelde hoe het zweet zich onder mijn muts verzamelde.

'Ben je... O, Jezus.' Hij haalde diep adem. 'Ben je een vampier?'

Ik zei niets. Zwijgend staarden we elkaar aan. Buiten klonk harde muziek en het geklets van de andere leerlingen. Ik likte langs mijn lippen. Alles voelde droog.

'Kom op nou, Lenah. Je hebt de hele herfst in de schaduw gezeten, dat doe je nog. Je weet alles van bloedcirculatie, biologie en katten ontleden.'

'Hou op.'

'Je houdt van messen, en die dag dat we elkaar voor het eerst zagen zei je dat je vijfentwintig talen kende. Ik heb je er minstens tien horen spreken.'

'Hou op, zei ik!'

'Je bent een vampier! Geef toe!'

In mij kolkte een woede die al een hele tijd naar buiten wilde barsten. Tony was er niet op voorbereid toen ik op hem afvloog en hem tegen de wand met hokjes smeet. Ik pinde hem vast door mijn onderarm tegen zijn keel te drukken. Hij had me waarschijnlijk wel af kunnen schudden, maar hij verroerde zich niet. Zijn bruine ogen staarden me aan en zijn mond ging half open, van schrik.

'Wil je de waarheid horen? Wil je weten wat ik denk? Dat jij een zielig geval bent, een verliefde jongen die stinkend jaloers is. Jij zit toch al vol bijgeloof. En dus geloof je dit soort achterlijke dingen. Hou je van me? Denk je dat je me kent?'

Ik liet hem los en liep naar achteren, hem ondertussen strak aankijkend. Ik griste de foto van tafel. Tony wreef over zijn hals, op de plek waar ik hem tegen de muur had gedrukt.

'Je was mijn vriend,' zei ik. Ik hield zijn blik nog even vast. Toen draaide ik me om en rende zo snel ik kon de kunsttoren uit.

23

Het strand van Wickham was verlaten. Ik ging op het stenen muurtje zitten. De golven waren laag, maar ze braken in een geruststellend ritme op het strand. Verderop in de baai stonden er koppen op het water.

Ik wist maar al te goed hoe ik ervoor stond. Als Tony mijn geheim had ontdekt, zou het niet lang duren voordat iedereen het wist. In de tijd die het me had gekost om van Hopper naar het strand te rennen had ik besloten om naar een bank te gaan en daar mijn vampierfoto's en andere schatten in een kluis op te bergen. Het was tijd om mijn appartement opnieuw in te richten.

Ik haalde de ketting met Rhodes as van mijn nek en hield hem omhoog in het zonlicht. Rhodes overblijfselen glommen en glansden nog net zo helder als op de dag waarop hij was gestorven. Even overwoog ik om de ketting in mijn zak te stoppen, maar ik kon de gedachte niet verdragen dat ik misschien een stukje van Rhode zou verliezen. Nog niet. Dus hing ik de ketting weer om. Het opnieuw inrichten van mijn appartement moest maar even voldoende zijn.

Toen kwam er iemand naast me zitten.

Ik was zo in gedachten verzonken geweest dat ik niet had gemerkt dat er iemand naderde. Een paar maanden eerder zou ik het hebben gevoeld, maar er was zo veel veranderd.

Het was Tony.

'Ik... ik ben een ongelooflijke klootzak,' zei hij.

Ik zei niets.

'Een vampier?' Tony lachte spottend. 'Hoe haal ik het in mijn hoofd?'

'Geen idee,' zei ik, maar ik kon de brandende schaamte die ik voelde niet negeren. Ik vond het vreselijk om zo tegen hem te liegen. Alweer.

'Ik denk dat ik een beetje wanhopig was. En je hebt gelijk. Ik ben te bijgelovig.'

Ik knikte.

'Maar hoe zit het met die man op de foto? Hij lijkt zo op die gravure.'

Ik liet de foto in mijn achterzak zitten.

'Dat is gewoon een tekening, Tony. Het zal wel toeval zijn.'

'Toeval,' zei hij.

'Hou er nou maar over op, goed? Ik ben een heel gewoon meisje.'

Tony knikte.

'Wil je koffie?' vroeg hij.

'Ja,' zei ik, en Tony stond op. Hij bood me zijn hand en trok me omhoog van de koude stenen muur.

Het liefst had ik Tony alles verteld, geloof me. Maar nu Suleen me gewaarschuwd had en de coven de jacht had geopend, moest ik zwijgen. Voor mijn eigen bestwil.

Tony en ik gingen aan een tafel midden in de Union zitten.

'Heb ik al gezegd dat het me speet?' zei hij, terwijl hij zijn dienblad tegenover me neerzette. Op zijn bord lag een stomende berg kalkoen met jus.

'Ongeveer vierhonderd keer.'

Hij nam een enorme hap van zijn kalkoen, als een klein kind dat te veel in zijn mond wilde proppen.

'Ik heb je gemist,' zei hij, nadat hij zijn hap had doorgeslikt.

Zijn wangen werden rood, toen hij dat zei.

270

Ik glimlachte en keek omlaag naar mijn bord. Toen mijn blik afdwaalde, ving ik een glimp op van Tony's laarzen, onder tafel.

'Ik wou je nog wat vragen,' zei ik.

'Wat?' Een stukje sla viel uit zijn mond op het bord.

'Zijn dat nieuwe laarzen? Hoe lang heb je ze al? Ik wil ook een paar van die legerlaarzen.'

Tony slikte. 'Ja, dat was gek. Ik was in de zomer een laars kwijtgeraakt – echt balen. Maar toen had ik mazzel. Ik ging terug naar de schoenwinkel en daar verkochten ze diezelfde laarzen met een korting van vijftig procent. Dus heb ik ze weer gekocht, en die andere laars heb ik thuis in mijn aquarium gezet. De guppies vinden het geweldig.'

Plotseling verstijfde Tony. Hij liet zijn vork vallen en staarde over mijn schouder. Ik draaide me om en volgde zijn blik. Tracy kwam langslopen met een troep meisjes uit de hoogste klas die me zoals gewoonlijk vuile blikken toewierpen omdat ik tegenwoordig omging met Justin Enos.

'Tony?' vroeg ik.

Hij bleef staren. Toen gebeurde er iets ongelooflijks. Tracy draaide haar hoofd om en glimlachte naar Tony. Geen brede grijns, maar een verstolen lachje. Een lachje dat ik niet anders kon betitelen dan... uitnodigend.

Ik boog me naar voren. 'Tony!' fluisterde ik.

Zijn ogen schoten weer naar zijn bord.

'Heb jij iets met Tracy Sutton?'

'Nee,' zei hij, met een mond vol eten.

'Leugenaar!' zei ik glimlachend, en ik begon mijn eigen eten naar binnen te werken. Er blonk iets ondeugends in Tony's ogen, en alles leek weer een beetje goed te komen.

'Nou ja, oké, laatst kwam ze naar me toe om me te begroeten. En een paar dagen later weer.'

'Vertrouw je haar?'

'Ze valt wel mee,' zei Tony, en hij nam nog een hap.

'Ga je met haar om, dan? Heb je daadwerkelijk gesprekken met haar?'

Tony bleef naar zijn bord kijken.

'Je bent verliefd!' zei ik en ik glimlachte.

Tony legde zijn vork neer. 'Doe normaal.'

Ik lachte weer en nam nog een hap.

'Lenah, hou toch op. Het is niet zo.'

'Tuurlijk niet…' zei ik, nog steeds lachend.

Even was het stil, en toen zei Tony: 'Ik heb nog steeds foto's van haar in bikini.'

Ik spuugde bijna mijn eten weer uit, van het lachen. Ja, eindelijk leek alles weer goed te komen.

24

Een sneeuwbal kwam op mijn gezicht af suizen en raakte me vol op mijn voorhoofd. Claudia en Tracy vielen achterover in een van de bergen sneeuw die de campus van Wickham bedekten. Ze hielden hun buik vast van het lachen. Tony was bezig een nieuwe sneeuwbal te maken, terwijl ik mijn gezicht afveegde met mijn warme wanten. Het was 15 december en de avond van de winterprom van Wickham. Over een paar weken hadden we vakantie en ik zou dan op de campus blijven. Het was niet veilig om te ver van de campus af te gaan. Nu Nuit Rouge voorbij was leek het me verstandiger om dicht bij Wickham te blijven, zeker na die droom die ik had gehad in de auto, toen we terugkwamen van de club.

Rechts van me smeet Justin een sneeuwbal naar Tony, en daarna kwam hij naar me toe. Hij fluisterde: 'Maar je hebt dus niets gehoord?'

Ik schudde mijn hoofd.

'Die man, Sul...'

'Suleen,' zei ik.

'Ja, die. Hij zei toch dat ze zouden komen? Moeten we ons niet voorbereiden of zo?'

Ik keek hem spottend aan, en het volgende moment doken we allebei weg voor een sneeuwbal.

'En hoe denk je dat we ons kunnen verdedigen tegen de vier meest getalenteerde vampiers ter wereld?'

Justins gezicht betrok. En ik begreep precies waarom. Ik zou totaal weerloos zijn tegenover mijn coven. Ik zou niets kunnen uitrichten.

'Als ze komen, komen ze voor mij,' zei ik.

'Als ze voor jou komen, kunnen ze mij net zo goed meteen ook pakken. Gaan ze proberen je te doden?'

'Mijn instinct zegt van niet. Ze weten niet dat ik mens ben.'

Ik had een paar dagen eerder zo goed mogelijk uitgelegd wat het ritueel inhield. Maar Justin had nog steeds grote moeite om het allemaal te begrijpen.

'Je zei dat Rhodes ritueel een geheim was. Enig idee hoe hij het voor elkaar heeft gekregen?'

'Jawel,' zei ik. 'Ten eerste moet je vijfhonderd jaar oud zijn en ten tweede moet je je bloed laten opdrinken door die andere vampier. De magie van het ritueel ligt besloten in de vampier zelf. Het gaat om de intentie. Als je intenties niet zuiver zijn, slaagt het ritueel niet en sterf je allebei.'

Justins uitdrukking was moeilijk te doorgronden.

'Dus wat doen we nu?'

'Laten we proberen daar niet aan te denken, tenzij het niet anders kan,' zei ik. Als de coven kwam, en ik begon te denken dat dat helemaal niet ging gebeuren, zou het tussen hen en mij gaan. Ik zou Justin achterlaten als dat moest – om hem te beschermen. En Tony ook.

Een sneeuwbal landde midden in Justins gezicht, waardoor zijn ogen en neus bedekt werden met een smeltende witte massa.

'Jawel! Ik ben een sneeuwgod!' riep Tony, en hij begon een rondje te rennen over het grasveld voor Quartz. Hij rende tegen Tracy op en gooide haar op de grond.

'Tony!' gilde Tracy vanaf de grond. Tony hielp haar overeind en toen kuste ze hem op zijn wang.

'Kom op, Lenah!' riep Claudia naar mij. 'We moeten ons haar

nog laten doen.'

'Ja, ik heb voor één dag wel genoeg in de sneeuw gelegen,' zei Tracy.

Toen Tracy en Tony eenmaal iets met elkaar hadden, was de situatie met mij en de Three Piece een stuk rustiger geworden. Niet dat ik nu Tracy's beste vriendin was, maar we waren beleefd tegen elkaar. Ik kwam er maar niet achter of ze nou echt belangstelling had voor Tony of dat ze gewoon het gezelschap van de groep gemist had. Ik denk dat ze wel wist dat ik zo mijn twijfels had. Ze deed in elk geval nooit meer rot tegen me. Hoe dan ook, als Tony gelukkig was, was ik het ook. Tracy kuste Tony gedag en Claudia, Kate, Tracy en ik lieten de jongens achter bij Quartz om elkaar te bestoken met sneeuwballen.

Claudia haakte haar arm door de mijne. 'Laat me raden, Lenah,' zei ze. Ze glimlachte veelbetekenend naar me. 'Je draagt zeker een zwarte jurk, hè?' Ik trok haar zachtjes wat dichter naar me toe, terwijl we het pad naar ons studentenhuis op liepen.

Eenmaal op Tracy's kamer kleedde ik me om. Mijn jurk was zwart en reikte tot op mijn voeten. Tony had me geholpen bij het uitzoeken. Ik hield een paar oorhangers naast mijn gezicht. In de spiegel keek ik naar mijn hand, die een oorbel naast mijn wang hield. Mijn ogen bleven even rusten op Rhodes ring met de onyx.

'Die zijn perfect, Lenah,' zei Claudia, me uit mijn gedachten halend. Ze zag eruit als een filmster in haar felroze jurk.

Toen Claudia wegging om Kate en Tracy met hun make-up te helpen had ik even een moment voor mezelf. Ik keek in de passpiegel aan de binnenkant van Tracy's deur. Ik had mijn jurk al aan en droeg de hoogste zwarte hakken die ik ooit had gezien. Ik liet mijn haar over mijn schouders vallen, waardoor mijn lange, lenige lichaam werd benadrukt. De jurk volgde al mijn rondingen. Aandachtig keek ik in mijn eigen ogen. Ik reikte naar mijn nek en maakte de ketting met het flesje los. Ik hief het omhoog en richtte mijn blik op de kleine spikkeltjes goud in de as.

Overal waar jij gaat, ga ik ook... echode het in mijn hoofd.

'Het spijt me,' zei ik tegen de as, en voorzichtig deed ik de ketting in mijn tasje. Toen keek ik weer naar mijn spiegelbeeld. Ik raakte even de plek op mijn borstkas aan waar het flesje al die maanden had gerust. Als een trommel in de verte voelde ik mijn hart bonken onder mijn vingertoppen.

Een paar minuten later ging ik de trap af om in de hal te wachten op de jongens. Curtis en Roy, allebei in smoking, kwamen de hoek om met in hun handen een doosje met een bloem erin. Tony was de volgende, en toen hij Tracy zag lachte hij, op die speciale brede Tony-manier die me altijd een warm gevoel bezorgde. Hij keek naar me, terwijl hij Tracy omhelsde. De liefde die Tony voor mij voelde was duidelijk op zijn gezicht te zien, maar het was een soort liefde die de rest van ons leven zou blijven. De liefde die beste vrienden met elkaar delen. Toen kwam Justin met zijn lange lichaam en soepele tred om de hoek.

Langzaam liepen we naar elkaar toe. Hij was gekleed in smoking, en zijn gezicht was op de een of andere manier nog steeds gebronsd.

Hij glimlachte naar me en ik werd vervuld van liefde, van bewondering voor zijn levenslust, voor zijn verlangen mij lief te hebben en zijn talent om me weer tot bloei te brengen.

'Je bent...' zei hij, toen hij eenmaal vlak bij me was. 'Je bent zo mooi dat ik het niet... dat ik het niet kan uitleggen...'

Ik keek omlaag. Justin had een doosje bij zich met daarin een orchidee die vastzat aan een polsbandje. De andere meisjes hadden ook zulke polsbandjes.

'Dat is een corsage,' zei Justin, terwijl hij het plastic dekseltje opende. 'Je zei eh...' Hij was nerveus. Wat schattig. Hij keek de ene kant op, toen de andere. Hij voelde zich duidelijk niet op zijn gemak. 'Je zei dat bloemen symbool staan voor allerlei verschillende dingen. Dus heb ik een orchidee gekozen, want die staat symbool voor...'

'Liefde,' maakte ik zijn zin af.

De winterprom vond plaats in de feestzaal van Wickham.

'Je zou toch denken dat ze er wel wat geld tegenaan zouden smijten. Dat ze ons zouden meenemen naar een hotel of zo,' klaagde Tony. Met zijn allen liepen we over het met sneeuw bedekte pad naar de feestzaal. Die was in een modern gebouw met enorme ramen die uitkeken op de oceaan.

Voor de hoofdingang reden auto's van leveranciers af en aan. We openden de deur en liepen een lange gang af, naar de feestzaal. Er werd al muziek gedraaid door een dj. Toen we naar binnen liepen, keek ik omhoog. De zaal was gevuld met glimmende witte sneeuwvlokken, gemaakt van allerlei materialen. Zilverglitter en discoballen wierpen duizenden wervelende lichtvlekjes door de hele zaal. Aan de rechterkant was een rij ramen, en daarbuiten zag ik de zee zich mijlenver uitstrekken. Nou ja, ik kon niet meer mijlenver kijken, maar de zee was er, en de maan wierp zijn schijnsel op het ijskoude water.

'Vind je het mooi?' Justin pakte mijn hand.

'Het is perfect,' zei ik. Algauw was het diner achter de rug en waren we zo enthousiast aan het dansen dat mijn benen er pijn van deden. We dansten allemaal samen in een grote kring. We waren ondoordringbaar. Tony begon met zijn benen te schoppen in een of andere idiote dans, waardoor het leek alsof hij een beroerte kreeg. Om ons heen stonden Mrs. Tate en onze andere docenten, inclusief de onuitstaanbare professor Lynn. Ze keken naar ons, vanaf de zijkant. Iedereen zag er zo mooi uit, en de muziek zorgde ervoor dat vrijwel niemand op zijn stoel bleef zitten.

Het was al laat op de avond, en ik zweette me suf. Mijn haar was helemaal losgeraakt, dus verliet ik die waanzinnige danskring om me even op te frissen.

'Ik ga mijn haar even goed doen!' riep ik lachend naar Justin. Hij glom van het zweet. Hij knikte, en ik draaide me om.

'Nee, Lenah, wacht! Geen plaspauzes. Je hebt het mooiste nog niet gezien,' zei Tony, terwijl hij zijn billen naar achteren stak, vlak voor Tracy. Ze droeg een glanzende, blauwgroene jurk. Ze sloeg op Tony's billen op de maat van de muziek en algauw moest ik onbedaarlijk lachen.

Ik lachte zo hard om Tony en Tracy dat ik, eenmaal bij de ingang van de zaal, even moest blijven staan om op adem te komen. Ik keek nog een keer om en wierp Justin een kushandje toe. Hij glimlachte en bleef dansen met de groep. Hij moest wat naar achteren uitwijken, om Tony meer ruimte te geven.

Ik deed een stap de gang in, en op dat moment kwam mijn vampierziel tot leven. Ik had hem zo lang niet gevoeld, niet sinds die koele oktoberochtend in Rhode Island toen Suleen naar me toe was gekomen. Meteen voelde het alsof mijn haar statisch was. Zelfs mijn zicht was scherper. Elke ademteug schroeide mijn keel.

Er was een vampier in het gebouw.

278

Ik bleef staan, vlak voor de deuropening van de zaal. Ik stond daar in de gang en langzaam, heel langzaam, keek ik naar rechts.

Daar, tegen de muur aan het eind van de gang, stond Vicken. Zijn haar was kortgeknipt, als bij een moderne jongeman – en zijn witte, rimpelloze gezicht deed me naar adem happen. Mijn hele lichaam beefde. Het hete branden in mijn ogen dat me honderden jaren had gekweld kwam nu eindelijk onstuitbaar, ontroostbaar naar boven en verspreidde zich gul over mijn wangen. Ik bracht mijn vingertoppen naar mijn gezicht, omdat ik niet kon geloven dat dit het moment was waarop ik eindelijk huilde. Ik haalde mijn hand weer weg en keek naar de tranen, die glommen in het heldere licht. Prachtige, volmaakte druppeltjes rolden langs mijn vinger omlaag naar mijn handpalm. Mijn handen trilden, mijn ogen waren groot; zeshonderd jaar lang had ik mijn eigen tranen niet gezien. Vicken liep zo langzaam naar me toe dat ik van top tot teen beefde toen hij me eindelijk had bereikt.

'Dus de geruchten kloppen,' zei hij. Ik was bijna vergeten hoe zijn stem klonk. Zijn dikke, Schotse accent en ernstige toon waren vroeger als warme stroop geweest, maar verkilden me nu tot diep in mijn ziel. De geruchten waar hij op doelde waren dat ik menselijk was, en mijn tranen hadden me verraden.

Hij leunde met een elleboog tegen de muur boven me en boog zich naar voren zodat zijn volle lippen de mijne bijna raakten.

'Een school? Je maakt jezelf wel belachelijk, hoogheid,' siste hij.

'Als je me komt doden, doe het dan maar gewoon,' zei ik tussen klapperende tanden door. Ik bleef hem in zijn duistere ogen staren.

Hij boog zich naar mijn rechteroor en fluisterde: 'Over twintig minuten buiten, Lenah. Anders gaat die jongen eraan.'

Ik stortte neer, daar midden in de gang. Op mijn knieën draaide ik me om en keek Vicken na, die de gang uit liep en door de dubbele deuren naar buiten verdween zonder op of om te kijken. De muziek schalde uit de feestzaal. De mensen binnen vermaakten zich geweldig, en ik zat hier te huilen met mijn rug naar de zaal.

Het was duidelijk wat ik had gedaan na Suleens waarschuwing. Roekeloos had ik mezelf, Justin, Tony en de rest in gevaar gebracht. Ik had het hun allemaal moeten vertellen – ik had hen moeten beschermen. Had ik dan niets geleerd? Zou ik altijd mezelf op de eerste plaats blijven zetten?

Ik haalde een paar keer diep adem. Ik moest mezelf bij elkaar rapen. Ik had maar twintig minuten. De muziek van het feest was zo hard, en ik moest nadenken. Keuzes maken. Een dode Justin, dat was wel mijn allerergste nachtmerrie. Ik had Rhode al verloren, en nu misschien ook nog Justin? Die gedachte was ondraaglijk.

Ik stond op en veegde mijn tranen weg. Ik zou afscheid nemen en me aan mijn lot overleveren. Ik had zo veel onbeschrijflijke dingen gedaan, het was tijd dat ik ging boeten voor al het bloed dat ik had laten vloeien. Nu moest ik mijn verlies nemen.

Op de een of andere manier slaagde ik erin door de gang terug te strompelen. Ik kon de tranen niet meer tegenhouden. Het was te laat. Ik hield me vast aan de deur van de balzaal om mezelf te ondersteunen. De dj draaide net een langzaam nummer, en terwijl Curtis en Roy zich voegden bij Kate en Claudia, keek ik naar Tony en Tracy die al in elkaars armen rond schuifelden. Haar gezicht lag tegen zijn hals gevlijd. Ik zag hoe haar lange wimpers naar de vloer wezen. Misschien had ik me in haar vergist – misschien hadden we allemaal alleen maar iemand nodig die om ons gaf. Justin stond op van zijn stoel, bij onze tafel. Toen hij mijn blik zag, stierf zijn lach meteen weg. Dwars over de dansvloer rende hij naar me toe.

'Wat is er?' vroeg hij.

'Dans met me,' zei ik. Ik wilde geen scène veroorzaken en ik wist dat ik nog maar een paar minuten had.

'Oké,' zei hij, en we liepen de dansvloer op. We werden omringd door andere stelletjes, en heel even was ik opgelucht toen ik Justins sterke handen om mijn middel voelde.

We begonnen te dansen, en de tranen begonnen weer te komen.

'Luister goed. Ik moet je iets heel belangrijks vertellen,' zei ik. Elke minuut telde nu.

'Lenah, wat is er?' Hij probeerde de tranen weg te vegen, maar ze stroomden nu over mijn wangen en ik had die druppels met geen mogelijkheid kunnen tegenhouden. 'De coven?' fluisterde hij.

'Je moet heel goed naar me luisteren.'

Justin knikte. 'Als het de coven is...'

'Sst. Ik moet je iets vertellen,' zei ik. 'Over wat er is gebeurd. Tussen ons. Wat je voor me gedaan hebt.'

Justins gezicht stond somber. Hij perste zijn lippen op elkaar. Hij had geen idee waarom ik huilde. Ik kon het niet uitleggen. Dat weigerde ik. Ik wilde zijn woede en vastberadenheid niet loslaten op een coven van vampiers die hem binnen luttele seconden zouden vermoorden.

'Je hebt me laten zien wat leven is. Weet je wat dat betekent voor een vampier? Besef je dat?'

'Ik begrijp het niet.'

'Jij hebt me weer tot leven gewekt.' De tranen waren niet meer te stuiten, en ik had bijna geen tijd meer. Ik liet zijn lichaam los en legde mijn handen tegen zijn wangen. Even keek ik in zijn ogen en toen kuste ik hem zo hevig en innig dat ik hoopte dat het me de kracht zou geven om weg te lopen. 'Ik moet even wat frisse lucht hebben. Ik ben zo terug. Echt.'

'Lenah...'

'Zo terug,' kon ik nog net uitbrengen.

Ik wendde me van hem af en keek niet meer om. Dat kon ik niet. Ik liep de feestzaal uit, de lange gang in. Onder het lopen hief ik mijn hoofd hoog in de lucht, balde mijn handen en zo ging ik de ijskoude nacht in. Vlak voor het gebouw stond mijn auto op het pad, de blauwe auto die wekenlang voor mijn studentenhuis geparkeerd had gestaan. Vicken reed in mijn auto. Het raampje ging omlaag, en Vicken zei: 'Stap in.' Zijn stem klonk ijzig.

Ik deed wat me gezegd werd, en Vicken reed weg van de feestzaal, zoefde over de campus alsof hij al jaren niets anders deed en draaide de poort uit. Verlangend keek ik naar Seeker, voor we linksaf sloegen, Main Street in.

Ik weigerde naar hem te kijken. In plaats daarvan legde ik mijn hand tegen de koude ruit en keek naar al die geliefde plekken die voorbijvlogen. De snoepwinkel, het pleintje waar normaal de boerenmarkt stond, de restaurants en kledingwinkels.

'We hebben een hoop te bespreken,' zei hij.

'Waar breng je me naartoe?' vroeg ik. Mijn stem was nu iets krachtiger. Ik zou ervoor zorgen dat hij me niet meer zag huilen. Op de een of andere manier wist ik dat Justin op dat moment buiten de feestzaal mijn naam stond te roepen.

'Maar liefje toch. Naar huis natuurlijk.'
Binnen twee uur zaten we in een privévliegtuig en was ik verdwenen.

D

eel 2

'Mijn gift is zo eindeloos als de zee.
Mijn liefde net zo diep.
Hoe meer ik je geef, hoe meer ik heb,
want beide zijn eindeloos.'
– JULIA, *ROMEO EN JULIA*, TWEEDE BEDRIJF, SCÈNE TWEE

25

Twee dagen na mijn terugkeer naar Hathersage leunde ik tegen het raamkozijn en staarde over de velden vanuit een kamer op de bovenste verdieping. Een dun laagje sneeuw bedekte maar nauwelijks het gras. Achter me prijkte een groot bed op leeuwenpoten, met rode lakens en een bijpassend dekbed. Op het nachtkastje stond een kristallen karaf. Hij was leeg, maar ik wist wel wat hij binnenkort zou bevatten.

De lucht was bewolkt, en een treurig grijs licht kwam de kamer binnen. De luxaflex was modern, wit, en ik had hem helemaal opgetrokken. Ik had overwogen door het raam te ontsnappen, maar in mijn vampierbestaan had ik nooit iets laten installeren waarmee de ramen van het huis geopend en gesloten konden worden. Ze zaten dus potdicht. Het centrale luchtsysteem zorgde voor een permanente temperatuur van zo'n achttien graden in huis.

Zoals ik al zei, was het twee dagen na de winterprom. Terwijl ik naar het landschap keek, dacht ik aan Tony die danste met Tracy en de uitdrukking op hun gezichten onder de glitterlichten in de feestzaal. Ik dacht aan ons sneeuwballengevecht en aan hoe koffie smaakte, hoe die warme vloeistof door mijn keel sijpelde. De eerste twee dagen hier op Hathersage was ik goed gevoed, maar ik mocht niet buiten het landhuis komen. Het voedsel dat ik kreeg werd besteld bij restaurants in de hoofdstraat in het stadje. Ik had niet eens geweten dat we die inmiddels hadden daar. Ik nam aan dat die ontwikkeling had plaatsgevonden tijdens mijn honderdjarige winterslaap.

Nadat we van het vliegveld waren aangekomen leidde Vicken

me naar de keuken en droeg me op de school te bellen en te zeggen dat ik pas in de lente terug zou komen. Pas dan zou ik in staat zijn mijn bezittingen op te halen. Niemand op Wickham leek ermee te zitten, vooral niet toen Vicken een enorme som geld bood. Dat kon de school niet afslaan. Ik vroeg me af of het al bekend was. Ik vroeg me af of Justin op mijn deur had geklopt, wachtend, hopend dat ik op de een of andere manier toch zou opendoen.

Ik bleef uit het raam kijken. De grazige weiden strekten zich nog steeds mijlenver uit. Mijn dierbare velden waren gespaard gebleven voor de moderne ontwikkelingen.

'Kwaadaardig is alleen hij die kwaadaardig denkt,' zei Vicken vanuit de deuropening achter me, maar ik draaide me niet om. 'Geloof je dat nog steeds?' Hij kwam de kamer binnen slenteren. Ik droeg een T-shirt en een spijkerbroek, maar aan de kwaliteit van de kleding kon ik zien dat het dure spullen waren. Vicken bezuinigde nooit op mode.

Ik wendde me van het raam af en leunde met mijn rug tegen het koude glas. Het was moeilijk om Vickens macht te negeren. Hij had zijn krachten onder controle – die langzame bewegingen, die berekenende blik. Ik was vergeten hoe hoekig zijn kaak was, hoe puntig zijn vastberaden kin. Vroeger vond ik het heerlijk om mijn handen over zijn ruggengraat te laten glijden en hem te vragen de namen van de sterrenstelsels op te noemen – zodat ik mezelf even kon vergeten. Ja, zelfs op dat moment, terwijl ik daar voor het raam stond, wist ik nog precies waarom ik Vicken had uitgekozen.

'Ik heb het je al gezegd. Als je me gaat doden, doe het dan gewoon,' zei ik.

Tot mijn verrassing zag ik nu dat de andere leden van de coven zich in de deuropening hadden opgesteld. Gavin rechts, Heath links en Song in de gang.

'Rhode bewaarde zijn papieren hier in Hathersage, op zijn kamer,' zei Vicken. Ik weigerde mijn blik van hen af te wenden, hoewel elke molecuul in mijn lichaam trilde van angst. 'Maar er was niets te vinden. Niets in die hele kamer, behalve een snipper die we vonden in de as, in de open haard,' vervolgde Vicken. Hij voelde met zijn duim en wijsvinger aan het dekbed. 'Hij was niet van plan ooit nog terug te keren.' Zoals Vicken het zei klonk het bijna als een vraag, maar ik zou er nooit antwoord op geven.

Vicken richtte zich nu tot de anderen.

'Laat ons alleen,' zei hij kalm. Ze volgden zijn bevel op en sloten de deur. Hij kwam bij het raam staan en leunde aan de andere kant tegen het kozijn. 'Hij is spoorloos verdwenen. Er was geen informatie over hoe ik je uit je winterslaap moest halen. Ik had het kunnen weten.' Vicken haalde zijn hand door zijn haar. Toen ik niet reageerde, zelfs mijn blik niet van hem afwendde, besprong hij me, legde zijn hand achter mijn hoofd en kuste me. Ik dacht dat ik geen adem meer zou krijgen. Zijn lippen duwden de mijne uit elkaar. Zijn tong, koud en smakeloos, wikkelde zich om de mijne. Ik dacht aan Justin, aan die avond nadat we in de club waren geweest, hoe hij me soepeltjes had opgetild zodat ik mijn benen om zijn middel kon slaan.

Vicken duwde me van zich af, met mijn rug tegen het ijzig koude raam.

'Waag je het te denken aan dat zielige hoopje mens?' snauwde hij.

Mijn hart bonkte tegen mijn ribben, alsof het me liet weten hoe graag het wilde bestaan. Hoe noodzakelijk het was dat ik in leven bleef. Ik vergat even dat Vickens liefde voor mij een vloek was – een verbintenis die het hem onmogelijk maakte mij te doden. Wel kon hij me makkelijk weer tot vampier maken, en ook dat zou mijn einde betekenen. Maar hij kon me niet iets aandoen, alleen om zijn eigen belang te dienen. Zo werkte de magie, en die keerde zich nu tegen hem.

'O…' Hij lachte, nogal vreugdeloos. 'Zielig hoopje mens. Mijn excuses.' Hij wierp me nog een blik toe en begon toen door de kamer te ijsberen.

Ik ging op het bed zitten en keek naar mijn voeten. De hakken van Vickens schoenen tikten tegen de houten vloer. Vlak voor me bleef hij staan.

'Mijn hemel, kijk nou hoe je erbij zit. Ik weet niet wat ik met je aan moet. De machtigste vampier ter wereld kan haar eigen hulpjes niet eens in de ogen kijken. Pathetisch.'

Die tactiek kende ik. Haal ze emotioneel onderuit, dan geven ze de moed op. Dan willen ze verlost worden van hun pijn. Dit was pas de eerste fase. Maar het kon me niet schelen. Ik was gevoelloos.

Het was niet Rhodes bedoeling geweest om bewijs achter te laten. Hij had zo zijn best gedaan om me te beschermen. Hij had zelfs alle sporen van het ritueel uitgewist.

'Zeg iets,' beval Vicken, nu met stemverheffing.

'Ik heb niets te zeggen.' Eindelijk sloeg ik mijn blik op.

'Waarom ben je niet bang?' Hij schreeuwde zo hard dat de kroonluchter ervan schudde. 'Vecht terug!'

'De dood is onvermijdelijk,' zei ik kalm, hoewel mijn stem mijn gevoelens verraadde. Hij trilde een beetje. Vicken kwam naast me op het bed zitten. We keken elkaar aan en de duisternis in Vickens ogen herinnerde me aan het feit dat deze man, die hier vlak voor me zat, geen ziel bezat. Ik kon slechts hopen dat de liefde die Vicken voor me voelde dit alles minder pijnlijk zou maken, al was het maar een klein beetje.

'Ben je niet bang om te sterven?' vroeg hij. Ik zag hem even naar mijn hals kijken.

Ik schudde mijn hoofd, en een enkele traan ontsnapte over mijn rechterwang. Vicken keek toe hoe de traan omlaag biggelde naar mijn kin, met hunkering in zijn ogen. Wat zouden vampiers wel niet willen geven voor een enkele traan; voor die bevrijding, even verlost te zijn van de pijn, al was het maar één moment.

'Waarom niet?' vroeg hij.

Ik keek naar Vicken. Ik bedoel dat ik echt goed naar hem keek. Ergens in dat monster huisde de jongen die dol was op landkaarten en navigatie. Die in een oorlog had gevochten en liedjes zong in de kroeg.

'Omdat ik eindelijk heb geleefd.'

Vicken verbrak het oogcontact, boog zich naar voren en drukte zijn lippen tegen mijn hals. Hij begon met kussen, kleine kusjes in mijn nek en toen op mijn keel, tot hij me recht in mijn ogen keek. In een oogwenk had hij mijn hals opengereten en zoog hij mijn bloed met zo veel kracht op dat ik geen adem meer kon halen.

Mijn hart bonkte in mijn oren. Dat ritme – dat was alles wat ik kon horen tot het geluid wegstierf. Er was geen pijn, alleen hete, plakkerige adem tegen mijn hals waar Vicken het levensbloed uit me wegzoog. Nog even en ik zou weer een vampier zijn en alleen nog verlangen naar pijn en haat. Mijn vingers begonnen te tintelen en werden toen gevoelloos. De spieren in mijn nek verkrampten zo hevig dat ik mijn hoofd nog maar nauwelijks overeind kon houden. Vicken hield mijn hoofd in zijn handen. Toen begon de rochelende ademhaling. Het bloed steeg op en sijpelde mijn longen in.

Ik concentreerde me op mijn gedachten, zolang ik nog kon denken. Je gedachten, dat was het laatste wat je kwijtraakte. Justins gezicht bij de winterprom. Het wiegen van zijn heupen tegelijk met die van mij, terwijl we langzaam over de dansvloer bewogen. Zijn huid die altijd rook naar versgemaaid gras, zijn volle, gulle mond.

Nu begaf mijn zicht het, en de beelden die ik zag bestonden alleen nog in mijn hoofd. Ik zag Vicken, die avond in Schotland, toen ik hem kwam halen. Ik zag hoe zijn vader zijn hand tegen zijn wang legde. Ik had hem moeten laten gaan, zodat hij bij zijn familie kon blijven. Hoewel hij me aan het vermoorden was, wenste ik hem vrede en vrijheid toe.

Als laatste begaf mijn gehoor het, en de zuigende geluiden verstomden. In die stilte zag ik Rhode. Meer dan wat ook wenste ik dat zijn ziel, waar die zich ook bevond, beschermd zou zijn. Dat hij verlost was van zorgen en pijn.

Ik hoopte dat iedereen naar de hemel zou gaan, zelfs vampiers die het slachtoffer werden van hun eigen kwaadaardigheid. Misschien kon ik er ook heen, op een dag. Maar op dat doodsmoment dacht ik eigenlijk dat ik nooit vergeven zou worden voor mijn wreedheden, dat ik misschien zelfs zou sterven als de transformatie mislukte. De hel zou toch niet zo erg zijn? Ik had duizenden door een hel laten gaan. Als ik stierf, zou ik tenminste niet meer in staat zijn iemand pijn te doen. Dan zou ik niet langer dood en verderf kunnen zaaien.

Toen werd alles zwart.

Ik werd wakker en knipperde twee keer met mijn ogen. Waar ik ook was, ik lag op mijn rug. Ik had verwacht dat ik in de slaapkamer zou zijn met Vicken, maar boven me zag ik de hemel. De lucht was te blauw, bijna alsof hij was ingekleurd met verf in de kleur van een peilloos diepe oceaan. Er was geen zon, hoewel het duidelijk dag was. Mijn handen lagen naast me. Ik keek omlaag. Overal om me heen zag ik gras. Maar de sprieten waren scherp, en te groen. Ik keek naar mijn benen. Ik droeg de groene japon, de diepgroene japon van de laatste Nuit Rouge.

Snel ging ik overeind zitten – mijn vampierzicht was terug. Ik lag in het gras bij mijn huis in Engeland, maar het was anders. Als in een droom. Ik lag onder aan de heuvel bij Hathersage en voor me, kilometers verderop, renden een paar herten die me erg bekend voorkwamen door de open velden. Als de herten er waren, en die groene japon… kon het dan zijn dat…

Het moet op dat moment zijn geweest dat mijn hart versplinterde. Ik draaide me met een ruk om.

Daar, boven op de heuvel, stond Rhode. Ik lachte – zo breed dat al mijn tanden zichtbaar waren, dat mijn mondhoeken schrijnden. Tranen welden op in mijn ogen, maar zoals ik al had verwacht, vloeiden ze niet. Er was geen pijn. Misschien was dit de hemel.

Daar stond hij. Rhode droeg een lange overjas en zijn haar was kort en stekelig, zoals het was geweest de laatste keer dat ik hem had gezien op Wickham. Hij zag er gezond uit.

Ik tilde mijn rokken op en haastte me de heuvel op. Hoewel mijn huis achter hem had moeten staan zag ik nu alleen maar velden, zo ver ik kon kijken. Het grasveld leek erg op het veld voor Quartz, het jongenshuis op Wickham.

Ik was betoverd. Ik kon mijn blik niet van Rhodes ogen afhouden. De vreugde die me overspoelde, de verbijstering dat ik hem nu voor me zag staan, die hoorden bij een universum dat ik niet begreep. Was het mogelijk om hier voor altijd te blijven? Want dan zou ik het doen, zonder twijfel.

'Zijn we op avontuur?' vroeg Rhode, toen we vlak voor elkaar stonden, op slechts enkele centimeters afstand.

'Ben jij hier echt?' Mijn stem klonk ademloos.

Hij legde een warme hand tegen mijn rechterwang. Plotseling welde schaamte op in mijn borstkas.

'Je bent vast erg teleurgesteld in me,' zei ik, terwijl ik hem bleef aankijken.

'Teleurgesteld?' Rhodes ogen glimlachten. 'Integendeel.'

'Maar ik heb gefaald. Vicken heeft me opnieuw tot vampier gemaakt. Dat weet ik bijna zeker.'

'We hebben weinig tijd, dus ik moet het kort houden,' antwoordde hij.

Rhode begon te lopen en ik bleef aan zijn zijde terwijl we voortgingen over de heuvel, waar de velden en de weide van Wickham in elkaar overgingen.

'Vertel eens,' zei hij. 'Wat dacht je toen Vicken je weer tot vampier aan het maken was?'

'Ik weet het niet. Daar wil ik niet over praten. Jij bent er nu.' Ik hield Rhodes hand vast onder het lopen. Ik wilde hem nooit meer loslaten.

'Je moet wel, Lenah. Denk na.'

Ik sloot mijn ogen en probeerde me mijn gedachten te herinneren. Justins gezicht flitste door mijn hoofd, zijn glimlach bij de winterprom, Tony die aan het dansen was, wild trappend met zijn benen. Toen dacht ik aan Vickens familie en zijn huis in Schotland en natuurlijk aan Rhode, in de boomgaard van mijn ouders. Ik had niet gedacht dat ik Rhode over Justin zou vertellen. Het was een vreemde gedachte dat ik Rhode zou vertellen over iemand anders van wie ik hield.

'Ik dacht aan jou. Ik hoopte dat je veilig was, waar je ook was.' Rhodes ogen vertelden me dat ik door moest gaan.

'Toen dacht ik aan Vicken. Ik wenste dat ik hem die avond met rust had gelaten. Hij had gewoon zijn leven moeten leiden.' Ik stopte weer. Rhodes glimlachje zei me dat hij al wist van Justin.

'Eigenlijk dacht ik eerst aan Justin. Dat het me speet dat ik hem zo veel pijn deed. Ik dacht aan al mijn vrienden, het verdriet dat ik ze bezorgde. Waarom vraag je me dit?' Rhode slaakte een zucht van opluchting.

'Omdat je erin geslaagd bent. En dat maakt een wereld van verschil.'

'Ik begrijp het niet,' zei ik. 'Waar zijn we? Komen alle vampiers hier terecht?'

'Nee. Ik heb je laten komen. Maar ik wist dat de roep niet beantwoord zou worden, tenzij je in staat was de proef te doorstaan. En dat heb je gedaan, zelfs beter dan ik voor mogelijk had gehouden,' zei hij, en toen pauzeerde hij even. Hij keek me met zo'n intense blik aan dat de rest van de wereld wazig werd. Op dat moment bestond er niets anders meer dan het blauw van Rhodes ogen. 'Ik kom je waarschuwen,' zei hij. 'De komende maanden zullen gevuld zijn met ongelooflijke uitdagingen. Je zult bepaalde...' Hij aarzelde even. 'Bepaalde gaven krijgen. Krachtige, gevaarlijke gaven. Wees niet bang om ze te gebruiken, wat je ook doet. Ze zullen je leven redden.'

'Maar als ik hieruit ontwaak, ben ik weer een vampier. Dan

ben ik weer kwaadaardig.' Mijn adem stokte in mijn keel. 'Ga ik degenen van wie ik houd vermoorden? Justin? Tony?' Bij die gedachte greep ik naar mijn borstkas.

'Onthoud nou maar wat ik je heb verteld. Wat er ook gebeurt – het gaat om de intentie.'

'Maar ik zal kwaadaardig zijn. Dan doet mijn intentie er niet toe.'

'Je zult merken dat het deze keer onmogelijk zal zijn om kwaadaardig te zijn.' Rhode aaide over mijn wang, kennelijk verloren in een nieuwe gedachte. 'Ik heb je gemist,' fluisterde hij. Hij keek weer in mijn ogen, en toen naar de lucht, waar hij iets zag wat ik niet kon zien. 'Waarom denk je dat ik je vroeg waar je aan dacht, tijdens Vickens ritueel?' Zijn ogen zochten de mijne weer.

Ik schudde mijn hoofd. Vanuit mijn ooghoek zag ik dat de herten nu dichtbij waren, op minder dan tien meter afstand.

'Vicken beroofde je van het leven, maar toch dacht je aan zijn tragiek. Je rouwde om hem. Toen dacht je aan mij. Niet om me iets te verwijten, maar in de hoop dat ik op de een of andere manier rust had gevonden. En Justin, die jongen? Je wilde hem behoeden voor pijn en verdriet. Je dacht geen moment aan jezelf.'

'Dat heb ik wel genoeg gedaan.'

'Het gaat om de intentie,' zei hij, zich naar voren buigend. 'Vergeet dat nooit.' Hij kuste mijn voorhoofd. Terwijl hij dat deed, sloot ik heel even mijn ogen. Toen ik ze weer opende, liep Rhode achterwaarts in de richting van het Quartz-grasveld.

'Blijf ik menselijk?'

Rhode stopte.

'Nee, liefste. Zelfs ik kan zulke oude magie niet ombuigen.'

Hij wees naar het grasveld. 'Kijk,' zei hij. 'Herten.' Ik draaide me om en zag dat een van de dieren zo dichtbij was dat ik hem over zijn kop had kunnen aaien. Toen ik weer omkeek was Rhode veel verder weg, maar ik kon zijn gezicht nog steeds zien.

'Ga je weg?' Mijn ogen werden groot, en ik deed een stap naar voren.

'Nee, jij gaat weg.'

Hij liep nog wat verder achteruit. Ik rende naar hem toe, maar op de een of andere manier was hij veel te ver om te bereiken, dus na een paar passen stopte ik weer.

'Maar ik wil nog zo veel zeggen. Ik mis je.'

Rhode grijnsde even, als antwoord. Hij was nu bijna uit het zicht verdwenen.

'Zal ik je nog terugzien?' Mijn stem brak.

'Wees niet verrast door je grootsheid, Lenah Beaudonte,' riep Rhode. 'Wees verrast dat niemand het had verwacht.'

26

Ik knipperde met mijn ogen. En nog eens.

Met mijn ogen dicht liet ik mijn tong over mijn tanden glijden. Ze voelden glad aan, als ijs. Ik opende mijn ogen. De tegels aan het plafond waren glimmend zwart. Ik draaide mijn hoofd naar rechts en keek naar het nachtkastje. Er stond een karaf op, gevuld met dieprood bloed. Ik pakte hem op, negeerde de beker die ernaast stond en dronk direct uit de tuit. Ik dronk snel. Het bloed was dik, dikker dan het sap van een boom, en zat vol ijzer. Het rook roestig en smaakte hemels, en ik liet me er door opvullen. Maar na twee of drie slokken merkte ik dat ik al vol zat. Barstensvol zelfs, er kon echt geen druppel meer bij. Vreemd. In mijn eerdere vampierbestaan had ik altijd bekers vol nodig gehad, minstens de hoeveelheid bloed uit één lichaam, om me zo vol te voelen. En dat om de paar dagen. En nu had ik genoeg aan drie kleine slokjes?

Ik zette de karaf terug op het nachtkastje. Ik had mijn BZW terug. Het was stil, maar ik wist dat de coven wachtte op mijn ontwaken. Langzaam bewoog ik met mijn armen en ik raakte de dingen voorzichtig aan, zodat ik geen geluid maakte. Een paar momenten alleen, dat was wat ik nodig had om weer vertrouwd te raken met mijn omgeving.

Wat had Rhode bedoeld met die gaven? Terwijl ik de vragen over mijn korte ontmoeting met Rhode door mijn hoofd liet wervelen, ging ik voorzichtig weer achterover liggen zodat het bed niet zou kraken. Ik herkende mijn oude kledingkast; ik wist zeker dat Vicken hem voor me had gevuld met kleren. Aan de muur tegenover het bed hing een breedbeeldtelevisie en op het nachtkastje lag een afstandsbediening. Ik zag de vezels in de vloer en de microscopisch kleine luchtbelletjes in de verf op het plafond. Ik zag een laptop, een bureau van prachtig mahoniehout, en de glans van de houten vloer deed bijna pijn aan mijn – O, mijn god. Meteen stopte ik met het verkennen van de kamer. Want opeens besefte ik... dat ik menselijke gedachten had. Ik had mijn ziel behouden. Ha! Ik giechelde, sloeg toen mijn hand voor mijn mond. Ik had nog wat meer tijd alleen nodig om hier over na te denken. Het was avond, een uur of negen. Dat zag ik aan de helderheid van de sterren buiten. Ik ging rechtop zitten en trok de gordijnen dicht. Toen zag ik op de vloer links van mijn bed mijn tasje van de winterprom liggen. Ik hoefde niet eens te kijken om te weten wat erin zat. Wat geld, mijn promkaartje, Rhodes as en de gedroogde tijm die Suleen me had gegeven. Ik schoof het onder mijn kussen. Mijn benen voelden stevig, mijn buikspieren waren strak. Ik was keihard en vampierachtig. Maar mijn geest was honderd procent menselijk.

Ik ging weer op bed liggen en strekte mijn benen uit. Niets had nog textuur. Er was geen weefsel meer dat langs mijn arm kon glijden en mijn zenuwen kon beroeren, me kippenvel kon bezorgen. Ik was weer gevoelloos, maar op basis van mijn herinneringen wist ik dat dit bed zacht was. Ik bleef roerloos liggen en luisterde, maar mijn hart was stil. Ik focuste me weer op de tegels aan het plafond.

Wees niet verrast door je grootsheid, Lenah Beaudonte. Wees verrast dat niemand het had verwacht.

Wat betekende dat? Kennelijk was ik nu een vampier die maar heel weinig bloed nodig had om te overleven en ik was in staat mijn menselijke gedachten te behouden. Waren dat mijn gaven? Het leek me een vreemde combinatie. Ik stak mijn hand uit om de lamp op het nachtkastje aan te doen, toen plotseling een fel licht op het gordijn voor het raam scheen. Ik ging rechtop zitten, mijn rug verstijfd. Ik keek naar links, naar een kaptafel met een spiegel erop, en toen naar rechts, naar het nachtkastje. De meubels waren in duisternis gehuld. Er was maar één lamp, naast me op het nachtkastje, en die was uit. Waar kwam dat licht vandaan?

Ik reikte weer onder de kap om de lamp aan te doen. Mijn handpalm was naar het raam gekeerd en mijn vingers kromden zich onder de lampenkap. Weer werd het gordijn verlicht door een fel schijnsel!

Toen voelde ik de hitte van mijn handpalmen af stralen.

Ik ging op de rand van het bed zitten en keek naar mijn handen. Mijn vampierzicht was weer volledig op sterkte, en alles wat ik zag waren de kleine poriën in mijn huid. Maar toen ik mijn hand vlak bij mijn oog hield, zag ik dat ze anders waren. Mijn poriën glommen. Een vreemde glinstering, alsof de poriën waren gevuld met… licht.

Ik stond op. Angst vloeide door mijn huid. Met de energie die het bloed me had gegeven staarde ik naar mijn handpalmen en zwiepte zo hard ik kon mijn armen opzij. Ik strekte mijn vingers, zodat mijn handpalmen strak stonden. Licht stroomde door mijn handen en vingertoppen en scheen op de muur en de gordijnen. Ik deed het nog eens. Licht zo fel als de ochtendzon.

Toen werd er op de deur geklopt.

Ik draaide me met een ruk om en stopte mijn handen onder mijn armen.

'Lenah?' Ik hoorde Gavins stem, en de deurknop van de slaapkamer bewoog. Hij was altijd de rustigste van de vier geweest.
Ik haalde diep adem en waarschuwde mezelf dat ik op mijn
hoede moest zijn. Ze mochten niet weten dat ik mijn ziel had
behouden. Als ze dat wisten, zouden ze me meteen doden. Zo
werkte de magie van de coven. Als een lid van de coven ook
maar een klein beetje menselijkheid behield, betekende dat
dat er een zwakke schakel was. Zwakte moest gedood worden,
en dan vervangen. Ik had de coven zo geconstrueerd dat we
oppermachtig waren en niets ons kon tegenhouden. Ik moest
dus kwaadaardig zijn, net als zij. Ze verwachtten tenslotte hun
koningin.

'Kom binnen,' zei ik, en ik wendde me naar de deur. Mijn haar
viel over mijn schouders en ik bleef mijn handen voor mijn
borst gekruist houden, mijn handpalmen weggestopt onder
mijn armen. Gavin was ruim een meter tachtig lang, met jon-
gensachtige trekken. Ik had hem in 1740 tot vampier gemaakt,
in Engeland.

Gavin liet de deur open. Hij boog, heel even, zodat ik de bovenkant van zijn korte bruine haar kon zien.

'Hoe voel je je?' vroeg hij.

Ik liep naar hem toe, zonder zijn blik los te laten. Ik ging voor
hem staan en kuste hem op de wang.

'Perfect,' zei ik met een sluwe grijns, en ik liep de deur uit.

Terwijl ik mijn gedachten ordende, liep ik de lange gang af.
Ik moet toegeven dat ik tijdens mijn verblijf op Wickham was
vergeten hoe prachtig mijn huis was. Er waren vier verdiepingen, elk met een eigen thema. Deze verdieping was voor mij
alleen. Sommige kamers had ik laten bekleden met fluweel,
andere met zwarte onyx. Ik had een eigen slaapkamer, een stu-

deerkamer, een zitkamer en een badkamer, hoewel ik die nooit gebruikte. Mijn favoriete kamer was de wapenkamer, een paar verdiepingen lager.

Terwijl ik voortliep hoorde ik Gavins voetstappen achter me. Onder aan de brede trap stond Vicken met zijn armen over elkaar, geflankeerd door Heath en Song, alsof ze hem bewaakten. Ik legde mijn handen op Vickens schouders en trok hem naar me toe. We omhelsden elkaar, terwijl de anderen toekeken. Hij trok zich een beetje terug, net genoeg om me aan te kunnen kijken. De liefde die hij voor me voelde stroomde door mijn armen en verspreidde zich door mijn nieuwe lichaam als een troostende warme gloed. Maar ik wist dat het aan mijn kant was verdwenen. Toen Rhode me tot mens had gemaakt, was de band tussen mij en Vicken van mijn kant verbroken. Ik hoopte maar, terwijl ik zijn blik vasthield, dat hij dat niet zou merken.

'Welkom terug,' zei hij. Hij stapte naar achteren en pakte me bij mijn onderarmen. Zijn aanraking was enthousiast, en ik voelde dat ze allemaal blij waren. Ik omhelsde ook de andere vampiers en zorgde ervoor dat ik ze stuk voor stuk in de ogen keek om ze ervan te overtuigen dat ik weer de boosaardige vampier Lenah was. Ik hield mijn geest gefocust en mijn ogen kalm. Terwijl we naar de woonkamer liepen, wierp ik een snelle blik op de sneeuw die voor de ramen omlaag dwarrelde en ik voelde een steek in mijn hart. Dat kon ik niet toelaten. De coven en ik waren nu weer door magie verbonden, en misschien voelden ze wel waar ik aan dacht.

Vicken gaf een rukje aan mijn hand en hield me tegen.

'Ben jij het echt?' vroeg hij, terwijl de anderen een vuur aanstaken in de haard en de stoelen klaarzetten. Vickens blik was

vol verlangen. Hij had me alleen maar voor zichzelf terug veranderd in een vampier. Iets wat ik ook zou hebben gedaan.
'Dwaas,' zei ik. Ik pakte zijn hand en leidde hem de woonkamer in. Hij grinnikte en greep mijn hand stevig beet.

Er was niets. Geen blos op mijn wangen, geen zin in voedsel.
Er was alleen een onstuitbaar verlangen om terug te keren. Als
Rhode het ritueel kon toepassen, waarom ik dan niet? Ik had
iets nodig om mee bezig te zijn. Ik moest een manier vinden
om naar huis terug te keren. Naar Wickham.
Ik bracht mijn tijd door met onderzoek doen naar Rhodes ritueel. Het doodde de tijd en bood me een excuus om alleen
te zijn. Ik verzon allerlei dingen om de coven te misleiden. Ik
loog over wat ik wist van het ritueel. Ik beweerde dat ik wakker was geworden op Wickham en dat Rhode toen al verdwenen was – ik zei van alles om hun een rad voor ogen te draaien.
Vooral Vicken had veel belangstelling voor het ritueel en hij
verkeerde dagenlang aan mijn zijde terwijl ik op onderzoek was
in de bibliotheek.
Dagen gingen over in weken… de sneeuw viel gestaag door, en
de coven organiseerde feestjes voor me. Ik kwam het huis niet
uit. Om eerlijk te zijn wist ik ook niet zeker of dat was toegestaan. De coven bepaalde wat ik deed. De ene dag kwam ik beneden en bleek de vloer van de woonkamer bezaaid met lijken,
de volgende dag zat mijn coven daar rustig te lezen, omringd
door boeken. Was ik hier werkelijk gelukkig mee geweest, in
mijn vorige vampierbestaan?
Ik had ze natuurlijk op elk gewenst moment kunnen trotseren.
Ik had ze tenslotte gemaakt, ik had de magie gecreëerd die ons
verbond. Maar ik besloot mijn grenzen niet op te zoeken, en

dat deden zij ook niet. Had ik dat wel gedaan, dan had ik mijn ware aard onthuld en zou de hiërarchie doorbroken worden. Zo was de regel. Als een vampier in onze coven haar menselijkheid behield, haar capaciteit om rationeel te denken, moest ze gedood worden. Of ik nou hun koningin was of niet. Anders verzwakte ze de coven.

Ik wist niet precies wat er met me gebeurd was, daar op dat grasveld met Rhode. In het begin dronk ik één glas bloed, om de paar dagen. Ik vroeg de anderen niet waar ze het vandaan hadden. Ik stond hun simpelweg toe mij van bloed te voorzien. Egocentrisch, ik weet het, maar ik wist dat ik het nodig had en ik wilde zelf niemand doden. Na verloop van tijd nam het verlangen naar bloed af. Ik had het nog maar één keer per week nodig, en toen één keer per maand. Op 1 april dronk ik één glas en was ik helemaal verzadigd. Eén glas maar, voor een hele maand. De coven bleef me bloed brengen, maar dat spoelde ik door de wasbak.

Zoals ik al zei was alles aangescherpt – mijn zicht, mijn vermogen om gedachten te volgen. Dus kon ik ook snel en makkelijk lezen. Ik was een supervampier.

Tegen het einde van april begon ik me zorgen te maken dat Vicken vermoedde dat ik niet mezelf was. Ik zat in de bibliotheek, op de benedenverdieping van het landhuis. Ik zat aan een lange tafel, en achter me brandde een laaiend vuur. Het zou stil zijn geweest als de regen niet tegen de ramen had geroffeld. Oude kaarsen in hoge ijzeren kandelaars stonden in een rij op tafel, over de hele lengte.

Het boek dat ik las was in het Hebreeuws geschreven. Ik las het van rechts naar links en volgde de tekst: *De vampier kan de ban van het vampierbestaan alleen in het vijfhonderdste jaar breken...*

Dat wist ik al. Rhode had ontdekt dat een vampier vijfhonderd jaar oud moest zijn, anders werkte het ritueel niet. Ik sloeg het boek met een klap dicht. Stof uit het antieke omslag wervelde omhoog en kleine deeltjes knetterden in de kaarsvlammen. In drie maanden tijd had ik niets gelezen wat ik niet al wist.

'Weer aan het lezen?'

Ik keek op. Vicken liep langs de tafel en ging tegenover me zitten.

'Al iets gevonden?' vroeg hij, met een scheef lachje.

'Stel dat ik ja zou zeggen. Dat ik het ritueel had ontdekt. Wat zou je dan doen?'

Vicken vouwde zijn handen voor hem op tafel en leunde naar voren.

'Ik zou gaan waar jij gaat. En daarom ben ik hier, in de bibliotheek.'

'Aha,' zei ik. Ik keek weer naar het boek voor me. 'Zelfs als ik iets zou vinden, zou ik het toch niet kunnen toepassen. Het ritueel vereist dat de vampier die het uitvoert vijfhonderd jaar oud is.'

'Je was erg machtig, dus misschien is die leeftijd niet zo belangrijk, in jouw geval.'

'Wat bedoel je?'

'Denk je niet dat het bij jou toch wel zou werken?'

Ik boog me naar hem toe.

'Suggereer je nu dat ik het maar gewoon moet proberen, hoewel ik een pijnlijke dood zal sterven als het mislukt?'

Vicken zweeg. Op de een of andere manier had mijn reactie zijn positie ondermijnd, en hij durfde me niet uit te dagen.

Ik sloeg het boek weer open, op een willekeurige pagina. Ik keek naar de inkt, maar focuste niet op de Hebreeuwse woor-

den die er stonden. 'Ik heb nog niets gevonden,' zei ik.
'Misschien zoek je niet op de juiste plekken,' zei hij, kijkend naar de vlammen van de kaarsen, en toen naar mij. 'We hebben trouwens lampen laten installeren, toen de elektriciteit werd uitgevonden.'
'En televisies en computers,' zei ik, achteroverleunend.
'Zeg me wat je hebt gevonden. Ik weet dat je iets hebt, je bent al maanden op zoek.' Ik hield mijn blik strak op Vicken gericht.
'Het was maar een ingeving,' zei hij, zonder dat ik iets hoefde te vragen. Omdat ik zijn schepper was, kon hij onmogelijk informatie voor me verbergen. Er kwam nog iets anders mee met die bekentenis, een emotie die ik niet van hem verwacht had – verlangen.
'Waarom heb je zo veel belangstelling? Het duurt nog eeuwen voor jij het ritueel zou kunnen toepassen.'
'Hoe was je leven op Wickham?'
Ik moet toegeven dat ik geschokt was door de oprechtheid van die vraag. Mijn eerste reactie kwam in beelden: de groene campus, Justin die door het water zwom nadat hij de bootrace had gewonnen, Tony's schilderij.
'Ben je kwaad omdat ik je niet heb meegenomen?' vroeg ik.
Gebiologeerd keek hij me aan. Meteen wist ik hoe Vicken zich voelde, zijn emoties spoelden in golven over me heen. Hij was niet kwaad, hij was gebroken omdat ik hem niet had verteld over mijn plan om mens te worden.
'Wil jij menselijk worden?' vroeg ik. 'Dat heb je nooit laten merken.'
'Je was opeens verdwenen,' zei hij. Hij leunde achterover. 'Ik had niet meer gedacht aan mijn menselijkheid, tot ik besefte dat jij niet meer elke dag bij me zou zijn. Pas toen voelde ik het

306

verlangen om terug te keren.'

'We kunnen niet terug, Vicken. Zelfs niet met het ritueel. Niet echt. In welke eeuw we ook terechtkomen, het zal altijd in een wereld zijn waarvoor wij niet waren bestemd.'

Er viel een stilte. Er hing iets in de lucht, iets zwaars. Misschien de vele herinneringen en bedoelingen die daar in de bibliotheek ooit waren ervaren. Of misschien waren het de onzichtbare jaren die Vicken en ik aan elkaars zijde hadden doorgebracht.

'Je bent niet zoals je eerst was,' zei hij. 'Je bent anders.'

Ik boog me naar voren, ondanks de angst die nu mijn dode hart binnensloop.

'Ik heb je gewaarschuwd dat ik ben veranderd tijdens mijn menselijk bestaan. Jij hebt jezelf wijsgemaakt dat ik precies hetzelfde zou zijn.'

'Je voedt je niet meer met bloed. Je voelt niet eens het verlangen om anderen pijn te doen. Hoe kun je op die manier je gedachten verdragen?' vroeg Vicken.

Ik stond op en zette het boek terug. Ik pakte een paar andere boeken en legde die op tafel, terwijl Vicken naar me keek.

'Wat ik verkies te doen in mijn eigen tempo, Vicken, gaat jou niets aan.'

Vicken leunde weer achterover, zijn duistere blik op tafel gericht.

'Natuurlijk,' fluisterde hij, en hij kwam overeind. Voordat hij bij de deur was, zei hij: 'Vanavond hebben we een speciale verrassing voor je, Lenah.'

Ik keek hem na tot hij weg was en sloeg weer een boek open.

's Avonds trok ik me altijd terug. Ik negeerde het geklop op mijn deur en het roepen van mijn naam van onder aan de trap. Pas als de coven met andere dingen bezig was, kon ik denken aan de campus van Wickham. De bomen. Justins gezicht. Hoe mijn hart pijn deed. Hoe graag ik de ruiten in wilde slaan en weg wilde rennen over de velden tot ik niet meer kon. Ik probeerde weer over Rhode te dromen, maar die verschijning, of wat het ook was geweest, was eenmalig geweest. En van onschatbare waarde. Ik wist nu dat hij voor altijd verdwenen was.

Als ik alleen op mijn kamer was, oefende ik. Ik spreidde mijn vingers en dan stroomde het licht uit me in krachtige stralen. Een keer klapte ik per ongeluk in mijn handen. Er volgde zo'n lichtexplosie dat ik achterover viel, waarbij de spiegel op de kaptafel brak. Gelukkig waren de anderen niet thuis toen dat gebeurde.

Die avond had Vicken me een 'speciale verrassing' beloofd. Ik keek hoe de luxueuze auto waarin de coven zich verplaatste de oprijlaan afreed. Dit zag ik als mijn kans om in Rhodes kamer te gaan kijken, iets waar ik tot op dat moment nog niet toe in staat was geweest. Het zou een plek zijn geweest waar ik mijn concentratie niet had kunnen vasthouden, mijn gedachten niet had kunnen beheersen. Maar nu, nu de coven eropuit was getrokken, besteeg ik de trap naar de bovenste verdieping.

Het was de enige kamer op die verdieping, aan het einde van een lange gang. Ik liep verder, stap voor stap, en eindelijk stond ik voor de deur. Ik duwde er met mijn hand tegenaan tot hij op een kier stond. Op Rhodes ijzeren ledikant lag alleen een kale matras. De muren waren leeg en op de vloer lag slechts een oosters tapijt. Ik liep op mijn tenen naar binnen, alsof de rust in deze Spartaanse slaapkamer verstoord zou worden als ik een geluid maakte.

Ik ging op het matras zitten.

Maar hij had niets achtergelaten.

Kon hij zo dwaas zijn geweest dat hij de mogelijkheid niet had overwogen dat Vicken me zou vinden?

Aan de andere kant van de kamer was een kast. Er hingen alleen lege hangers aan de stang. Wacht even… er was wél iets in die kast. Er stond iets in het hout gekerfd, op de achterwand. Een afbeelding van een zon en een maan. Ik stond op en liep ernaartoe. Ik stapte in de open kast en bestudeerde de afbeelding van heel dichtbij. Ik wist dat de coven dit ook had gezien. Meteen zag ik voor me hoe Gavin en Heath hun handen over de wand lieten glijden. Ik bleef ernaar kijken, hoewel ik wist dat zij het al ontdekt zouden hebben als die afbeelding iets bijzonders betekende. Misschien was Rhodes geloof in de ware intentie ook hier van belang. Als het hun bedoeling was om het ritueel te vinden en te gebruiken – dan zouden ze het juist nooit vinden. Nog meer magie.

Instinctief hief ik mijn hand en klopte op de wand. Eerst op de zon. Die klonk solide. Net toen mijn huid het hout raakte, besefte ik dat Vicken ook op deze plek had gestaan om de afbeelding te bestuderen.

Blijf… zei een stem in mijn hoofd. Een stem die precies als die van Rhode klonk.

Weer klopte ik op de zon. Deze keer wipte de zon uit het hout omhoog, als een houten vormpje uit een kinderspel. Met mijn vingertoppen pakte ik het ronde stukje hout beet en probeerde het los te wrikken. Eén verkeerde beweging en het zou weer terugschieten in de wand en misschien niet meer loskomen. Eindelijk kreeg ik mijn vingernagels onder het houten vormpje en kwam het uit de wand glijden. De kleine zon met zijn stekelige omtrek lag in de palm van mijn hand. Daarachter, in de duistere holte in de wand, zag ik een stuk opgerold perkament, bijeengehouden met een rood lint.

Plotseling kreeg ik het griezelige gevoel dat de coven weer aanwezig was. Ze waren op de terugweg. Ik zag hen in mijn hoofd. Snel concentreerde ik me op het perkament. Ik rolde het uit en zag dat het twee pagina's waren. Op de eerste stond een recept.

INGREDIËNTEN:

Amber

Witte kaarsen

Bloed van een vampier die niet jonger is dan vijfhonderd jaar…

Ik las de rest van het recept. Ik zou allerlei kruiden nodig hebben, waaronder tijm, en een zilveren mes om het ritueel te volbrengen. Onderaan stond in blokletters in Rhodes handschrift: INTENTIE.

Op de tweede pagina stond een gedicht – nee, nu ik beter keek zag ik dat het een spreuk was. De spreuk die Rhode kennelijk had opgezegd toen hij het ritueel uitvoerde.

Ik verlos je_____ (naam van de vampier)
Nu moet de vampier de pols doorsnijden met een zilveren mes.
Ik verlos je_____
Ik zal je beschermen. Ik offer mijn wezen op aan jou.
De vampier moet nu toelaten dat de ander zijn levensbloed tot zich neemt.
Ik offer mijn leven. Neem dit bloed.
Heb vertrouwen… en wees vrij.

310

Onder de spreuk, die heel makkelijk was, stonden nog wat speciale instructies over de kaarsen en de kruiden die ik moest branden voor het ritueel. Onder aan de pagina stond nog een zin, en ik besefte dat Rhode me niet in de steek had gelaten.

Lenah, pas goed op jezelf.

Ik wist niet of het Rhodes bedoeling was geweest dat ik de woorden zou vinden, of dat het gewoon een gedachte was geweest die bij hem was opgekomen toen hij de instructies op het papier schreef. Ik hoopte maar dat de woorden voor mij bedoeld waren.
'Lenah!'
Heath riep me vanaf de benedenverdieping. Ik propte Rhodes papieren in mijn broekzak.
'Lenah!'
Ik antwoordde hem en liep de trap af.

27

'Kom mee,' beval Heath. We liepen door de lange gang naar de balzaal, waar ooit de Nederlandse vrouw was vermoord. De deur was dicht. In de gang hing een grauw licht, een grijs aura. Er waren geen lampen aan. Heath greep de deurknop beet, die nog steeds de vorm had van een dolk, met de punt omlaag. De deur ging open en daarachter was de balzaal donker, slechts verlicht door kaarsen in de wandkandelaars aan de pilaren. Rode kaarsen, die een flakkerend schijnsel wierpen op de glanzende parketvloer.

Midden in de zaal lag een klein meisje, opgerold als een egeltje. Een kind met haar in de kleur van zongebleekt duingras. De anderen stonden er in een halve kring omheen. Ze glimlachten naar me. Het kleine meisje lag helemaal opgekruld als een foetus op de vloer. Ik moest me uit alle macht beheersen, anders was ik naar haar toe gerend om haar aan mijn borst te drukken.

Vicken, Gavin en Song torenden boven haar uit. Ik slikte toen Heath de deur achter me sloot. Toen keek ik in Vickens donkere ogen; dit had hij met opzet gedaan. Vampierwoede welde in me op. Even werd mijn brein beneveld door verzengende, irrationele gedachten. Ik liep naar voren, wiegend met mijn heupen. Nonchalant drentelde ik naar het meisje. Dat beviel de anderen wel. Toen ik dichterbij kwam, zag ik dat het kind niet ouder was dan een jaar of zes. Ze had haar roze avondjurkje bevuild.

Ik wees naar haar en zei: 'Is dit mijn welkomstgeschenk?'

De anderen, inclusief Vicken, hieven zelfverzekerd hun kin.

'Vier maanden te laat,' beet ik hun toe.

Dit zorgde voor opschudding. Song hapte naar adem.

Ik lette ondertussen goed op dat ik mijn handen in mijn zakken hield.

'We wisten niet of je het wilde, Lenah,' probeerde Song. 'Je was zo afwezig.'

'Laat ons alleen,' commandeerde ik. De anderen verroerden zich niet.

Het kleine meisje hield haar handen voor haar ogen.

'Laat ons alleen!' schreeuwde ik, zodat ze me wel moesten gehoorzamen. Ik was hun schepper, hun koningin. Gehoorzaam draaiden ze zich om. Vicken was de laatste die vertrok. Ik draaide me naar hem toe, met opeengeklemde tanden. Ik wenste dat ik vuur kon spuwen.

'Ze is van mij,' grauwde ik, en ik ontblootte mijn hoektanden. 'En laat ik niet merken dat je bij de deur blijft hangen,' zei ik streng.

Ik wachtte tot ik hun voetstappen hoorde wegsterven, begeleid door hun gedempte gemopper. Alleen Gavin leek blij te zijn geweest met mijn plotselinge woede. Zodra ze allemaal echt naar boven waren verdwenen rende ik naar het meisje toe.

'Kijk me aan,' fluisterde ik. Het kind was zo hevig aan het trillen dat ik haar dicht tegen me aan drukte tot het iets afnam.

'Ik wil naar papa en mama,' huilde ze tegen mijn borst. Ik voelde hoe haar tranen mijn T-shirt doorweekten. Graag had ik hele rivieren met haar meegehuild. Ik legde een vinger onder haar kin en hief haar gezicht op. Toen ik in haar kleine blauwe ogen keek die mijn gezicht afspeurden, barstte ze opnieuw in tranen uit.

'Je ziet er gek uit,' huilde ze. 'Net als zij.'

'Hoe heet je?'

'Jennie.'

'Luister, Jennie. Ik ga je nu naar huis brengen.'

Haar ogen lichtten op, en even stopte ze met huilen. Ze hikte alleen nog een beetje na.

'In welke plaats woon je?' vroeg ik.

'Offerton.'

Geweldig. Dat was vlak bij mijn huis. Die idioten waren niet eens naar een andere graafschap gereden. Zodra ik dit kind meenam en er in de auto vandoor ging, zou duidelijk zijn wat ik had gedaan. Dan zou ik onomstotelijk bewijzen dat ik geen gewone vampier was. Eén handeling zou onthullen dat ik niet langer hun koningin was en dat ik mijn menselijkheid had behouden. Het zou mijn onmiddellijke dood betekenen.

Het deed er niet toe. Ik moest dit doen. Ik stond op en Jennie volgde me, haar rok optillend met haar handen. De hakjes van haar leren schoenen tikten op de vloer.

'Jennie, je moet me wel helpen. Als ik het zeg, moet je zo hard mogelijk gillen. Echt zo hard als je kunt. Alsof je bent gevallen in de speeltuin. Goed?' Ze knikte.

'Ik ga het raam breken, en dan sluipen we naar buiten.'

Weer knikte ze.

Ik pakte een metalen stoel die tegen de muur stond. Een van de vele stoelen die werden gebruikt tijdens Nuit Rouge.

'Klaar, Jennie? Als ik deze door het raam gooi, gil jij.'

Ik hoopte dat ze zouden denken dat ik haar aan het martelen was, volgens mijn oude methoden. Maar ik kon het alleen maar hopen. Ik pakte de stoel op en smeet hem tegen de dubbele ruit. Jennie gilde zo hard ze kon, en ik voelde dat de coven het allemaal belangstellend volgde. Ze waren al op weg terug vanaf de tweede verdieping naar de balzaal. Met het gordijn veegde ik de resten van het glas uit het raamkozijn. Het meisje sloeg haar benen om mijn middel en zo klauterden we naar buiten. Samen renden we de duistere nacht in.

'Waarom hebben die mannen me weggehaald bij mama en papa?'
We waren in het bos en liepen langs de rand van de grote weg. Jennie pakte mijn hand.
'Die mannen zijn gevaarlijk. Als je ze ooit weer ziet, moet je hard wegrennen.'
'Wat dachten ze dat jij ging doen?' vroeg ze. Ik gaf geen antwoord.
Onze stappen brachten ons aan het einde van de grote weg. Het was vier uur nadat ik was ontsnapt uit het landhuis. Toen we een bocht in de weg volgden, kwamen we bij een straat waarin een stuk of tien politieauto's voor een klein huisje stonden. Een man van middelbare leeftijd, in feestelijke kleding, liep op en neer voor het huis. Een vrouw, met net zulk blond haar als Jennie, zat op de grond heen en weer te wiegen, met opgetrokken knieën. Haar hoge hakken lagen op de grond bij de voordeur.
'Jennie, luister goed. Ga er maar snel heen. Maar wil je me eerst iets beloven?'
Ze knikte.
'Vertel niemand over mij, oké?'
'Waar ga jij heen?' vroeg ze. 'Terug naar dat huis?'
'Nee, ik denk niet dat ik daar ooit nog heen ga,' zei ik.
Ze omhelsde me, kuste me zachtjes op mijn wang en rende de

lange straat af. Haar jurk danste om haar heen terwijl ze steeds dichter bij haar huis kwam.

Een moment later gaf de vrouw op het gazon een schreeuw.

'Jennie!'

De politiemensen zwermden om Jennie en haar moeder heen, en ik draaide me weer om naar het bos. Ik liep het duister in, tussen het struikgewas en de bomen van het donkere woud. De politie zou de straat afzoeken, dus ik moest daar zo snel mogelijk weg. Ik liep nog dieper het bos in. Ik zou er uiteindelijk wel weer ergens uit komen. Het kon me niet veel schelen. Misschien vind ik Suleen, dacht ik. Toen klonk er geritsel aan mijn rechterkant, bij de weg.

Ik draaide me om. Daar, in de schaduw van de weelderig begroeide takken, stond Vicken. De bomen wierpen duistere schaduwen over zijn scherp gesneden kaak en zijn volle lippen. Zijn donkere haar en lange bakkebaarden waren zo zwart als teer. Ik zag dat hij pijn leed, aan de manier waarop hij zijn kaken op elkaar klemde.

'Wat ben jij?' beet hij me toe.

'Veranderd.'

'Wat is er gebeurd?'

'Ik heb mijn ziel behouden. Mijn vermogen om gevoelens en gedachten te hebben,' zei ik, omdat ik geen reden zag om te liegen. 'Ik voel geen pijn.'

'Wanneer?'

'Toen jij me weer tot vampier maakte.'

'Daarmee verspeel je je vampierleven,' zei hij kalm, zonder emotie.

'Ik ken de regels.'

Hij kwam een stap dichterbij, zodat we op ongeveer een meter

316

van elkaar stonden onder het dichte dak van takken en bladeren.

'Lenah, mijn liefde voor jou verhindert dat ik je pijn doe. Maar ik kan niet tegen de anderen liegen en ik kan je ook niet behoeden voor wat ze met je zullen doen. Je weet wat er gaat gebeuren. Ze moeten je wel doden.'

Flarden van Vickens gedachten flitsten door mijn hoofd: de Schotse kust, de helderblauwe japon die ik had gedragen op de avond dat ik hem transformeerde. Mijn profiel, verlicht door de maan, terwijl we onder de sterren lagen, bij duizenden verschillende gelegenheden.

Toen kwamen mijn eigen gedachten ertussendoor: Justin die naar me glimlachte bij de prom. Die andere avond, nadat we in de club waren geweest, zijn gespierde bovenarmen toen hij me optilde en de slaapkamer in droeg. Toen plotseling een nieuwe herinnering, een gevaarlijk beeld – het perkament in mijn zak met het ritueel, opgeschreven in Rhodes zwierige handschrift.

Ik schudde mijn hoofd en focuste me weer op Vickens ogen.

'Jij,' zei Vicken. Hij keek geschokt, en zijn kaak leek nog onverbiddelijker. 'Jij hebt het,' fluisterde hij. De donkere takken boven ons onttrokken de schoonheid van de nachtelijke hemel aan het zicht, maar ik zag de pijn van mijn verraad in Vickens ogen. De pijn die nooit door een mens begrepen zou kunnen worden.

Ik probeerde iets te zeggen, maar ik kon de juiste woorden niet vinden. Ik deed mijn lippen van elkaar, maar er kwam geen geluid. In plaats daarvan zag ik Justins gezicht weer voor me, en ik wist dat Vicken zou zien en voelen wat ik op dat moment ervoer.

Rode en blauwe flitsen van de politiewagens verlichtten Vickens gezicht. 'Het maakt niet uit of je het ritueel kent. Ik weet waar je heen gaat,' zei hij.

'Ik zou hoe dan ook vertrokken zijn,' antwoordde ik.

Ik kon aan de blik in zijn bruine ogen zien dat hij gebonden was aan de mannen in mijn landhuis. Een plek waarnaar ik nooit meer terug zou keren. Op dat moment wist ik waar ik heen zou gaan, waar ik waarschijnlijk sowieso heen zou zijn gegaan zodra ik was ontsnapt uit Hathersage.

'Dan kun je je maar beter voorbereiden,' zei Vicken. Ik wist niet of de volgende gedachten die bij me opkwamen die van Vicken of die van mij waren, maar het beeld van Justins brede borstkas, glinsterend in het zonlicht, drong zich bij me op. Bekende woorden echoden in mijn hoofd: *twintig minuten, anders gaat die jongen eraan.*

Misschien was Vicken van plan om Justin te doden. Maar ik weigerde om zijn leven op het spel te zetten. Dit was míjn strijd, niet die van Justin.

'Het is gebeurd,' zei Vicken. Hij gebruikte een zin die ik ooit had uitgesproken – die avond waarop ik hem in een vampier veranderde. Wat hij bedoelde was dat dit het begin van het einde was, de uitkomst van alle keuzes die ik had gemaakt en die me naar dit moment hadden geleid, hier in de bossen. Dat ik een klein meisje had laten gaan, omdat ik niet genoeg kwaadaardigheid bezat om haar te doden, was genoeg bewijs dat de verandering die in mij was opgetreden bij mijn tweede transformatie onomkeerbaar was.

Vicken liep weg en werd opgeslokt door de duisternis voor ik kon antwoorden.

Misschien heeft het zo moeten zijn, dacht ik. Een strijd op leven en dood.

318

Ik had geen moment te verliezen. Ik draaide me om en rende de duistere bossen in.

Het was laat in de middag in Lovers Bay, Massachusetts. Veertien uur nadat ik het bos in was gerend, weg van Vicken. Ik had de weg gevolgd en toen ik bij het vliegveld kwam, had ik de eerste vlucht genomen. Tegen de avond was ik terug op Wickham. Nu de coven toch al wist dat ik leefde, kon ik eindelijk gewoon mijn rekeningen gebruiken. Het kon me niet schelen dat ze zouden kunnen natrekken welke vlucht ik had genomen. Ze wisten zo ook wel waar ik was.

Ik stond voor de poort van Wickham. Ik zag de campus, de grasvelden en de vertrouwde rode bakstenen van de gebouwen. Alles werd overspoeld door het oranjeroze licht van de zonsondergang dat het gras en alles binnen in mij in vuur en vlam zette. Elke graspriet glom in het licht, en als de wind erdoor blies zag je een gouden golf. Als ik ooit in de hemel kom, dacht ik, ziet het er vast net zo uit.

Het was tijd, dus liep ik door de poort van Wickham. De ijzeren punten boven op de hekken priemden de hemel in. Ik moest goed opletten waar ik heen ging. Elke boom van Wickham was een goede schuilplek. Vampiers zijn van nature in staat om op te gaan in de omgeving, en de campus van Wickham bood meer dan voldoende gelegenheid.

Een paar uur gingen voorbij, en de sterren begonnen te schitteren in de blauwgrijze lucht. Er liepen leerlingen langs, maar ik keek ze niet aan. Ik was alleen op zoek naar Justin, niemand anders. Tegen tien uur 's avonds begon ik me zorgen te maken. Ik wist dat de coven me zou volgen. Ik kon hun gedachten niet horen, maar ik wist dat Vicken hun had verteld dat ik mijn menselijke aard had behouden. Dat was een overtreding van de regels van de coven, de regels die ik zelf had opgesteld. Ik was een onbetrouwbare vampier geworden en daarom moest ik sterven. Ik wist dat Vicken niet in staat was me te doden vanwege de liefdesband tussen ons, maar de andere covenleden konden dat wel en zouden het doen ook, zonder bedenkingen.

Ik liep langs de Union. Het gebouw was gesloten en in duister gehuld. Ik stak het verlichte voetpad over en liep het grasveld op tussen Quartz en de Union. Een aantal leerlingen uit de hoogste klas kwam op een kluitje langs rennen, in een poging nog voor twaalf uur binnen te zijn. Ik wachtte in de schaduw naast de Union.

Op deze manier vind ik Justin nooit, dacht ik.

Ik liep over het grasveld tot ik ongeveer een meter verwijderd was van het verlichte voetpad voor Quartz. Ik bleef staan op het gras, zodat ik aan het oog onttrokken was door het duister. Curtis Enos kwam door de poort naar buiten en stak een sigaret op. Hij haalde een mobiele telefoon tevoorschijn en toetste een nummer in. Toen hij in de richting van Seeker begon te lopen, naar de parkeerplaats van de leerlingen, volgde ik hem geruisloos.

'Hé, man,' zei Curtis tegen de persoon aan de andere kant van de lijn. 'Zitten jullie nog steeds in Lovers Bay Tav? Straks zijn jullie weer te laat terug.'

Hij bedoelde de Lovers Bay Taverna, een bar aan de andere kant van Main Street. Ik wist dat veel leerlingen uit de hogere klassen daar heen gingen om te drinken, als ze een vals identiteitsbewijs hadden. De rook van de sigaret kringelde omhoog van Curtis' linkerhand. Ik wist helemaal niet dat hij rookte. Ik vroeg me af wanneer hij daarmee begonnen was.

'Is die idiote broer van me daar nog?' vroeg Curtis. Op de parkeerplaats ging hij rechtsaf. Een paar leerlingen stapten uit een auto en liepen naar het voetpad dat naar Seeker leidde. Als er bekenden bij waren, wist ik niet hoe ik mijn nieuwe verschijning zou moeten verklaren. Het laatste wat ik Curtis hoorde zeggen was: 'Hij zit daar bijna elke avond tegenwoordig.' Ik liep weer terug naar de schaduwen onder de bomen.

In de stad was de donkere avond mijn vriend. Daardoor kon ik me makkelijk voortbewegen zonder gezien te worden. Ik bleef aan de rand van de menigte mensen op de stoep en sloop voort langs de stenen muren. Ik probeerde niet verdacht te lijken. Voor de mensen die me zagen zou ik er vooral nogal ongrijpbaar uitzien, als een schim. Ik had nu een witte huid en blauwe ogen die net knikkers leken. Ik liep langs de winkels en andere plekken waar ik zo aan gehecht was geraakt: de winkel met jurken, de snoepwinkel, de openbare bibliotheek. En eindelijk kwam ik helemaal aan het einde van de straat bij de Taverna. Ik speurde de straat af. Op een paar klanten van de Taverna na die stonden te roken was er niemand. Toen ze weer naar binnen gingen weerklonk er even een rocknummer in de stille straat. Nadat de deur weer was gesloten kwam ik uit de schaduwen tevoorschijn en stak de straat over.

Ik had de deurknop nog maar nauwelijks beetgepakt toen Justin naar buiten stormde. Ik deinsde achteruit. Ik rende de straat over en keek naar hem vanuit de duistere schaduwen onder de bomen. Rechts van me stond een straatlantaarn, maar wel zo ver weg dat het schijnsel me niet bereikte. Ik bleef kijken. Hij was zelfs nog groter dan de laatste keer dat ik hem had gezien. Zijn borstkas leek nog gespierder, maar hij had zich niet geschoren en zijn haar was niet geknipt en hing in warrige plukken om zijn hoofd en in zijn ogen. Geen spoor meer van de zelfverzekerde, opgewekte jongen die ik die winter had achtergelaten. Hij hield zijn handen tegen zijn buik, boog naar voren en gaf over in een hoekje vlak bij de ingang.

Justin ging voor de Taverna zitten met zijn benen voor zich uitgestrekt. Hij spuugde één keer op de grond naast hem, leunde achterover en liet zijn hoofd rusten tegen de stenen muur van het gebouw achter hem. Hij sloot zijn ogen. Ik stapte weer uit de schaduw en stak snel de straat over. Hij snufte een beetje, zodat zijn smalle neus rimpelde.

Vlak voor hem hurkte ik neer. Justin opende zijn ogen, maar zijn groene irissen draaiden omhoog. Hij probeerde zijn hoofd op te tillen, en toen hij daar eindelijk in slaagde, keken zijn ogen recht vooruit. Zijn blik viel op mij, en hij kneep zijn ogen samen. Er verscheen een frons tussen zijn wenkbrauwen. Hij stak zijn kin naar voren, in een poging het beter te kunnen zien. Zijn ogen werden groot en toen begon hij te lachen – hysterisch te lachen.

'Dit is echt grappig.' Hij wees naar me, lachte, en wees weer naar me.

Ik zat vlak voor hem; ik had zijn lippen kunnen likken, als ik had gewild.

'Wat is er zo grappig?' vroeg ik, met mijn hoofd schuin. De connectie tussen ons voelde als een gouden lichtstraal die ons verbond, als een gloeiende draad.

'Je bent hier. Maar ik weet dat je er niet bent,' giechelde hij, en hij leunde weer achterover tegen de muur. Hij lachte zo hard dat zijn wangen vuurrood werden.

'Goed. Kom maar mee,' zei ik, terwijl ik zijn armen beetpakte. In mijn vampierstaat was ik opmerkelijk sterk. Niet bovennatuurlijk, maar ik had wel behoorlijk veel kracht. Ik kreeg hem overeind. Hij zwaaide op zijn benen, maar ik hielp hem zijn evenwicht te bewaren.

'Roy. Dank je wel, man.' Justin kon bijna niet lopen, maar ik hield hem overeind. 'Luister man, ik ga weer kotsen.'

Hij strompelde de straat op en gaf weer over. Hij steunde met een hand op een auto en toen hij klaar was, liet hij zich op de grond zakken. Ik leunde tegen de motorkap en sloeg mijn armen over elkaar. Het was al heel laat en het kon me geen moer schelen wat iemand dacht van mijn nieuwe vampierverschijning. Justin was hier bij me, en de rest deed er niet toe.

Justin keek op en kneep zijn ogen een beetje samen.

'Roy, man… ik kan mijn ogen niet focussen. Maar je lijkt precies op Lenah.'

Ik tilde hem weer op van de grond, en enigszins wankel liepen we terug naar Wickham.

Justins kamer zag er nog precies hetzelfde uit. Overal slingerden lacrossesticks. Alleen de beste exemplaren waren nog steeds veilig opgeborgen achter in zijn kast. Tientallen sneakers lagen voor de kast op de vloer, allemaal door elkaar.

Elk leeg plekje werd verder ingenomen door sporttenues met grasvlekken en helmen. Ergens op de begane grond klonk muziek die door een open raam naar buiten galmde. Ik vroeg me af waar de assistenten waren die toezicht moesten houden op dit tijdstip. Ik keek op: er was ook iets nieuws. Justin had kleine sterretjes op het plafond geplakt die oplichtten in het donker. Ik keek naar het bed, waar Justin op lag. Hij sliep niet, maar hij lag wel stil. Hij legde zijn hand tegen zijn voorhoofd en kreunde. Zachtjes ging ik naast hem liggen, voorzichtig, zodat hij het niet zou merken. Maar hij draaide zich op zijn zij en opende zijn ogen. Tot mijn schrik zag ik tranen blinken. Ik wist dat hij het vreselijk zou vinden als ik hem zo zag, dus zei ik niets. Hij bestudeerde mijn gezicht, en de tranen biggelden over zijn wangen.

'Ik weet dat je er niet bent,' zei hij. 'Maar ik mis je.'

Ik stak mijn handen uit om ze tegen zijn wangen te leggen, maar trok ze snel weer terug.

'Lenah,' zei hij schor, een dronken gefluister. En de volgende seconde sliep hij.

28

De manier waarop de zon door de luxaflex naar binnen scheen in Quartz was totaal anders dan in Seeker. Quartz stond aan een groot grasveld, op flinke afstand van de andere gebouwen, dus het licht was er krachtig en helder. Ik zat in de vensterbank, met mijn knieën opgetrokken. Ik leunde met mijn hoofd achterover terwijl het licht de kamer binnen sijpelde. Het voelde goed. Als eindeloze velden met wuivend gras. Als zomerdagen in een appelboomgaard. Als Rhodes stem in mijn oor. Door het licht voelde ik me alsof ik thuis was.

Ik bleef de campus in de gaten houden, maar er was geen spoor van de coven te bekennen. Ik had maar één dag de tijd om Justin alles uit te leggen en hem te behoeden voor het gevaar. Ik wist absoluut zeker dat de coven al in Lovers Bay was. Ik wist alleen niet waar ze zich precies ophielden. Ook zij schermden hun gedachten af. Net toen ik dacht dat ik Justin maar wakker moest maken, bewoog hij.

'Urgh,' kreunde hij, en hij greep naar zijn hoofd. Moeizaam slingerde hij zijn benen over de bedrand. Hij plantte zijn ellebogen op zijn knieën en keek naar de vloer.

'Hoeveel heb je gisteravond gedronken?' vroeg ik, zonder mijn blik van hem af te wenden.

'Jezus!' Justin sprong op en wierp zich met zijn rug tegen de muur. De angstaanjagende waarheid drong nu eindelijk tot hem door.

Zijn mond viel open, hij lachte even en toen werd zijn gezicht compleet uitdrukkingsloos. Ik had het eerder niet opgemerkt, maar op het nachtkastje stond een klein flesje gevuld met heldere vloeistof. Hij haalde de kurk eruit en smeet het flesje naar mij toe, zodat het spul met kracht op de vloer spatte. Het flesje brak, en glassplinters vlogen in het rond.

'Ben je gek geworden?' vroeg ik. Ik keek naar de glasscherven en toen naar Justin. Hij rukte een crucifix van zijn nek en stak die naar me uit.

'Achteruit.'

'Ben je gek geworden?' vroeg ik nogmaals.

Het was als een lawine van vampierclichés. Hij boog zich naar links en draaide de luxaflex open zodat de zonnestralen de kamer binnenstroomden en ik baadde in het licht. Het voelde als een warm bad na een koude morgen. Hij gooide een teen knoflook naar me, die langs me heen suisde en tegen de muur knalde.

'Justin, hou op!'

Justin bleef staan met zijn rug tegen de muur gedrukt, zijn armen uitgespreid, zijn handen plat tegen de houten wand. Hij hijgde. Toen boog hij zich weer naar het nachtkastje, rommelde wat in het laatje en haalde nog zo'n flesje met heldere vloeistof tevoorschijn. Met beverige handen trok hij de kurk eruit, terwijl de ketting met de crucifix tussen zijn vingers bungelde. Weer wierp hij de inhoud van het flesje, deze keer in mijn gezicht. Ik veegde het spul langzaam weg met de rug van mijn hand en deed een stap naar achteren.

Justin stond op de punten van zijn tenen. 'Achteruit,' commandeerde hij.

'Was dat gewijd water? Dat helpt allemaal toch niets. Vampiers zijn ouder dan Christus.'

'Je zei dat je kwaadaardig zou zijn als je ooit weer vampier zou worden. Verdorven.'

326

Justin schuifelde op zijn tenen zijwaarts naar zijn deur, als een krab.

'Klopt. Dat heb ik gezegd. Maar ik ben anders.'

'Wat bedoel je?'

'Er is iets gebeurd tijdens de transformatie. Ik heb mijn menselijkheid behouden, mijn ziel.'

Justin bleef staan, maar hield zijn hand naar me uitgestrekt, met daarin de crucifix.

'Hoe kan dat?'

'Ik heb geen idee.'

Hij kneep zijn ogen samen en bestudeerde mijn gezicht.

'Ik zweer het,' zei ik. 'Je kunt niet anders dan me vertrouwen.'

We zwegen. De stemmen van een paar mensen die vroeg op waren gestaan klonken op de gang. Justin liet zijn handen naast zijn lichaam vallen.

'Je ziet er anders uit,' mompelde hij. Zijn ogen schoten van de vloer naar mij en toen weer naar de vloer.

'De poriën sluiten zich tijdens de transformatie. Net als de traanbuizen. Dat geeft ons een vreemde uitstraling, als een wassen beeld.'

De ochtendzon stroomde de kamer in, blonk op de houten vloer. Al Justins spullen leken gevangen in dat moment, bevroren.

'We hebben niet veel tijd, en ik moet je vertellen waarom ik hier ben,' zei ik, naar het bed gebarend.

Justin schuifelde langs de muur terug naar zijn bed, ging zitten en leunde achterover. Ik hield zo veel mogelijk afstand en ging aan de andere kant van het bed zitten. Ik zei nog niets.

'Ik heb er wel aan gedacht dat je misschien terug zou komen,' zei hij. 'Ik dacht soms ook dat ik alles maar had gedroomd. Maar andere mensen herinnerden zich jou ook, en ik wist dat niet iedereen op Wickham plotseling zijn verstand had verloren. Maar ik dacht wel dat ik het mijne misschien was kwijtgeraakt.'

'Dat is niet zo.'

'Ik wou dat het wel zo was.'

Dat stak.

'Die avond bij de winterprom...' begon ik.

'Ik begon net mijn leven weer een beetje op orde te krijgen,' onderbrak Justin me.

'Het was nooit mijn bedoeling om je leven te ruïneren,' fluisterde ik.

'Je afwezigheid heeft mijn leven geruïneerd.'

Schaamte brandde in mijn borstkas.

'Waar was je?'

'In Engeland.'

Er viel even een stilte, maar toen praatte ik verder.

'Ik ben hier met een reden. Het feit dat ik mijn ziel heb behouden is een beetje een probleem in de vampierwereld.'

Ik vertelde Justin over Vicken, over de coven, alles. Ik vertelde hem over het kleine meisje, en dat ik meteen was weggegaan toen Vicken eenmaal mijn ware aard had ontdekt.

'Door de coven is Vicken aan mij gebonden. Hij kan me niets doen.'

'Omdat jullie honderd jaar geleden van elkaar hielden?'

'Ja.'

'Maar jij kunt hem wel iets doen?'

Ik knikte. 'Toen ik eenmaal mens was geworden, waren die liefdesbanden verbroken.' Ik waagde het mijn hand op het bed te laten rusten, vlak bij Justins voet. Hij sprong niet opzij, dus liet ik hem daar liggen en vervolgde: 'Van mijn kant, dan. Als vampiers eenmaal verliefd worden, zijn ze gebonden. Voor altijd.'

'Ben je ook op die manier gebonden aan eh... mensen?' vroeg Justin. Een rode blos verscheen op zijn wangen.

'Nee. Alleen vampiers zijn vervloekt met die bijzondere magie.'

'Dus wij zijn niet gebonden.'

'Niet op die manier, nee.'

Justin drukte zijn vingertoppen tegen zijn slapen en wreef erover in kleine cirkeltjes.

'Wat een dag om een kater te hebben,' zei hij, en hij stond op van het bed. Hij keek uit het erkerraam naar de slaperige campus.

'Ik ben hier om je te beschermen,' legde ik uit.

'Dus ze komen hierheen? Om mij te pakken?' vroeg Justin. Zijn toon was zakelijk, niet angstig. Bijna luchtig.

'Nee, ze komen voor mij.'

'Ik snap het niet. Waarom komen ze hierheen?'

'Ik weet bijna zeker dat ik die avond van de winterprom jouw leven heb gered. Vicken zei dat je zou sterven, als ik niet met hem meeging. Een paar dagen geleden, op die avond waarop ze mijn ware aard ontdekten, zag hij mijn gedachten. Tenminste, dat denk ik. De eerste plek waar ik aan dacht was Wickham. Vicken weet dat ik alles doe om je te beschermen. Als ik niet was gekomen, waren ze hier toch wel opgedoken, om te checken of ik hier was. En dan zouden ze jou ook meteen gedood hebben. Je ziet, er is geen ontsnappen aan.'

Paniek blonk nu in Justins ogen. Hij slikte moeizaam.

'Oké,' zei hij. Hij pakte een lacrossestick achter uit de kast en begon te ijsberen. Onbewust hield hij de stick in zijn armen alsof er een bal in het net lag. 'Dus we hebben een plan nodig. Hoe kunnen we een vampier doden?' Hij zag er nu veel meer uit als de Justin die ik kende.

'Je kunt een vampier doden met zonlicht. De andere klassieke methoden zijn onthoofding of een houten staak door het hart.'

'Dat heb ik nooit begrepen. Van dat zonlicht.'

'Vampiers kunnen de zon niet verdragen omdat ze niet heel zijn. Zoals ik al zei, onze poriën zijn afgesloten om de magie binnen in ons af te schermen. Als er wit licht op onze huid valt, ontstaan er kleine vuurtjes. Het zonlicht brandt onze verzegelde poriën open en stelt zo de duistere magie bloot aan het heldere daglicht, waardoor die uitdooft, alsof ze nooit heeft bestaan. We zijn zo koud als ijs, geconserveerd in het duister. Het zonlicht breekt die verbindingen af.'

'Het klinkt zo klinisch allemaal.'

'We worden allemaal uit de aarde geboren. Het is juist logisch dat zoiets natuurlijks als zonlicht dodelijk is voor vampiers.'

'En hoe zit het met die knoflook en het slapen in doodskisten?'

'Schrijvers vinden het nou eenmaal leuk om allerlei rare dingen over vampiers te verzinnen,' legde ik uit. 'Alleen de natuurlijke elementen kunnen ons doden. En we kunnen elkaar doden.'

Weer zwegen we.

'Dus dit ben jij in je vampiervorm?' Justin kwam naast me zitten, met de lacrossestick nog in zijn handen. 'Ik vind het wel meevallen.'

In Justins ogen lag weer die twinkeling die hij altijd had als hij

330

zo zachtjes praatte. Hij stak zijn rechterhand uit en legde die op mijn linkerknie. Met de andere raakte hij mijn wang aan en wendde mijn gezicht naar het zijne. We keken elkaar aan, en ik voelde met mijn BZW en met mijn hart dat hij me wilde kussen. Hij boog zich naar voren, en ik ook. Net toen zijn lippen uit elkaar gingen, trok ik me terug.

'Dat kan niet,' zei ik, naar de vloer kijkend.

'Omdat je weer een vampier bent?'

'Daar komt het zo'n beetje op neer, ja.' Ik kwam overeind. 'Er is nog iets.' Ik keek hem nu recht aan. 'Nog iets wat je moet weten.'

Ik hield mijn handen voor me, met de palmen naar boven, waarbij de zijkanten van mijn handen elkaar raakten. Als ik de levenslijn van mijn linkerhand had doorgetrokken naar mijn rechterhand zou hij een perfecte verbinding hebben gevormd. Ik spande mijn handen aan tot mijn vingers beefden. Toen openden mijn poriën zich, met een soort zacht gezoem, en stroomde het licht naar buiten. Een zachte witte gloed werd al snel een krachtige lichtstraal die vanaf mijn handpalmen op het plafond scheen.

Ik zag kippenvel over Justins armen golven. Hij kwam overeind en tuurde naar mijn geopende handen. Zonder zijn blik af te wenden van het licht dat uit mijn handpalmen stroomde, zei hij: 'Ik dacht dat alle vampiers stierven in het zonlicht.'

Ik liet mijn armen weer naast mijn lichaam hangen, waardoor de connectie werd verbroken en de kamer alleen nog verlicht werd door de vroege ochtendzon.

'Dit is een heel bijzondere gave.'

Justin slikte en zei niets.

'Overdag ben je veilig,' legde ik uit, in een poging hem te kal-

meren. 'Vicken is de enige die sterk genoeg is om het zonlicht
te verdragen. Maar hij riskeert geen blootstelling op een plek
die hij niet goed kent. Als we om wat voor reden dan ook elkaar
kwijtraken, zorg er dan voor dat je uiterlijk om zes uur binnen
bent, in een afgesloten kamer.'

Weer zag ik het kippenvel op Justins armen verschijnen. Zijn
ogen vlogen naar het raam, naar de groene bomen die zijn uitzicht verfraaiden en die baadden in het zonlicht.

'Nu is het ochtend,' zei hij. 'En alles is anders.'

Dat was waar.

29

Het kostte me een uur om Justin ervan te overtuigen dat hij gewoon zijn dingen moest doen, alsof ik er niet was.

'Ik zie je bij de lacrossetraining. In het bos, tussen het veld en het strand. Kom daar maar heen, dan zie ik je daar.'

Toen ik die ochtend eindelijk zijn kamer verliet, probeerde ik zo min mogelijk op te vallen. Ik droeg een zwarte honkbalpet van Justin, een spijkerbroek en een zwart T-shirt. Om de paar seconden raakte ik even de buitenkant van mijn spijkerbroek aan, bij de zak, om te controleren of het ritueel daar nog steeds veilig opgeborgen was. Het was zes uur 's morgens, dus ik rekende erop dat de campus min of meer verlaten zou zijn.

Kersenbloesems dropen van de takken van de bomen die langs de voetpaden stonden. Madeliefjes en tulpen bloeiden op alle keurig onderhouden gazons en het gras was groener dan ooit. Ik liep langs de overvolle kas van Wickham, waar de planten bijna naar buiten barstten.

Terwijl Justin onder de douche ging en zich klaarmaakte voor zijn dag, had ik mijn eigen missie. De kunsttoren. Het was niet zo dat ik niet aan Tony had willen denken op Hathersage. Integendeel. Maar als ik aan hem had gedacht was mijn concentratie volledig verstoord geraakt en zou ik mijn ware bedoelingen aan de coven hebben onthuld. Het was al zo moeilijk geweest om niet aan Justin te denken, elke keer dat ik met mijn ogen knipperde.

Ik beklom de vertrouwde trappen naar het atelier. Ik liet mijn hand over de leuning van de houten wenteltrap glijden. Met een doffe pijn in mijn hart keek ik uit de kleine, vierkante raampjes. Gestaag beklom ik tree na tree. Ik wist dat ik een leuning onder mijn hand had, maar ik kon de groeven in het hout niet voelen, net zo min als de koelte van de lucht in de toren. Ik voelde alleen dat er lucht in het trappenhuis was en dat die mijn lichaam binnendrong en weer verliet.

Eindelijk was ik boven aan de trap en ik stapte het atelier binnen. Daar, aan de andere kant van de ruimte, op dezelfde plek als in de winter, hing mijn portret. Ik liep erheen en bleef ervoor staan. Vroeger was mijn reukzin beperkt gebleven tot bloed en vlees en af en toe een kruid. Nu werd elke geur versterkt. Zo kon ik elk afzonderlijk bestanddeel van de verf ruiken. Door de geur in te ademen kon ik bepalen welke kleuren waren gebruikt. In de dennengroene verf zat meer ammoniak dan in de rode. De kwasten roken schoon, naar zeep. Er zaten om precies te zijn 5564 barstjes in het hout op de wand achter het schilderij. Maar nu, in mijn tweede vampierbestaan, waren die superscherpe blik en reuk te overweldigend. Weer een kwelling die ik moest zien te verdragen.

Ik keek naar het portret. Het was ongelooflijk hoe nauwkeurig Tony de spieren in mijn rug en de exacte welving van mijn mond had geschilderd. Net als de tatoeage op mijn rug. Tony had zelfs Rhodes handschrift precies getroffen. En mijn wimpers en de gouden gloed op mijn huid.

Bonk bonk bonk bonk. Er kwam iemand de trap naar het atelier op. Door de licht slepende tred wist ik dat het gewicht aan de rechterkant van het lichaam zwaarder was dan aan de linkerkant, en ik herinnerde me Tony's laarzen, die verschillend waren. Hij verscheen in de deuropening.

Tony hapte naar adem. Ik bleef met mijn rug naar hem toe staan, maar ik draaide mijn gezicht naar hem toe, zodat hij kon zien dat ik het inderdaad was. Toen wendde ik me weer naar het portret. Hij bleef naar mijn rug staren. Ik voelde hoe intens zijn blik was. Hoewel normale mensen het aura van een vampier niet kunnen zien, kunnen ze het wel voelen.

Alles was stil. Het enige geluid kwam van een windvlaag die door de open ramen naar binnen drong. Een zacht geritsel, toen weer stilte.

'Rhode Lewin,' zei ik.

Tony verroerde zich niet.

'Hij was een vampier in de 14de eeuw.' Ik staarde naar mijn gelaatstrekken op het portret. 'Lid van de Orde van de Kousenband. Een ridderkring, onder Edward de Derde.'

Tony liep naar me toe. Een moment later stond hij naast me en staarden we beiden naar het portret. We keken elkaar niet aan.

'Hij bedacht het motto "Kwaadaardig is alleen hij die kwaadaardig denkt". Hij is die man op de gravure en op de foto. Hij is in september gestorven.'

Ik keek naar rechts en ontmoette Tony's blik. Zijn ogen werden groter terwijl hij mijn gezicht bestudeerde. Mijn vampieruiterlijk moest hem beangstigd hebben, de verzegelde huid, het stralende aura. Ik was als een glanzende geest. Mijn blauwe ogen leken van glas gemaakt – hard en vlak. Tony slikte moeizaam en bleef me aankijken. In deze situatie, in een schemerige ruimte, waren mijn pupillen bijna helemaal gesloten, als die van een kat in het heldere zonlicht.

Ik bekeek Tony's gezicht voor het eerst in vier maanden, sinds ik hem had zien schuifelen met Tracy bij de winterprom. Hij zag er hetzelfde uit, alleen was zijn haar korter en had hij dikkere ringen in zijn oor, waardoor zijn oorlellen nog verder werden opgerekt.

Ik keek weer naar het portret, en deze keer viel mijn schouder me op. Tony had die precies goed geschilderd, met dat kleine kuiltje bij het schoudergewricht. Ik voelde de energie van Tony af stralen, de hitte, de plotselinge veranderingen in zijn lichaam. Ik maakte hem helemaal niet bang; hij was vooral nieuwsgierig.

'Rhode heeft me ooit verteld dat wij vampiers helemaal in het begin eigenlijk niet meer waren dan een lijk gevuld met bloed. Betoverd door een of andere zwarte magie die ons in zijn ban had.' Ik pauzeerde en keek Tony aan. 'Maar we hebben ons ontwikkeld, zoals dat met alles gaat.' We wisselden een kort, geruststellend lachje. Even viel er een stilte, terwijl ik het gezicht van mijn voormalige menselijke ik bestudeerde. Toen ik me omdraaide om weg te gaan, zei ik: 'Waarom oordeelt iedereen toch zo hard over ons, de vervloekten?'

'Dus dat was dat? Nu vertrek je gewoon weer?' riep Tony me na.

Ik keerde me weer naar hem om.

'Ik kwam je de waarheid vertellen, iets wat ik maanden geleden al had moeten doen.'

'Was je toen een vampier?'

'Nee. Die avond in december, toen ik verdween, ben ik opnieuw tot vampier gemaakt.'

Tony slikte. Ik liep naar hem toe, maar ik merkte dat hij nu eindelijk toch bang werd, nu ik zo dichtbij was. Hij stapte achteruit, maar ik legde allebei mijn handen op zijn schouders en keek hem recht aan.

'Kijk naar me,' fluisterde ik, en ik liet toe dat mijn hoektanden omlaag kwamen. Ze waren niet lang; klein maar dodelijk.

Tony keek naar de vloer.

336

'Kijk naar me,' herhaalde ik.

Tony's ogen dwaalden van mijn laarzen naar de vloer, een fractie van een seconde naar mijn ogen en toen weer naar de vloer.

'Je verdiende de waarheid. Over mij, over Rhode, over alles.'

Tony's ogen, die bruine ogen die me zo vriendelijk hadden aangekeken op momenten waarop ik dat nodig had gehad, zagen eruit alsof de tranen er elk moment uit konden stromen.

'Je ziet er zo anders uit,' was alles wat hij kon uitbrengen. Hij trok een grimas, alsof hij probeerde zijn tranen te bedwingen. Hij klemde zijn kaken op elkaar en sperde zijn neusvleugels open.

'Ik weet het,' zei ik met een zucht.

'Waarom heb je het me niet eerder verteld?' vroeg hij.

'Ik wist niet wat er dan zou gebeuren. Je leek er zo op gebrand de waarheid te achterhalen. Het leek me te gevaarlijk.'

'Blijf je hier?'

'Nee. Ik moet vertrekken zodra het veilig is.'

'Waar ga je heen? Dan kom ik je opzoeken.'

Een golf van paniek sloeg door me heen.

'Nee. Nee, Tony. Ik wou dat het kon. Maar je moet me beloven dat je niet naar me op zoek gaat. Als je contact met me houdt wordt dat je dood. Dat risico wil ik niet nemen.'

'Ik wil je helpen. Ik wil je beschermen,' zei hij, en een traan wist over zijn wang te ontsnappen.

Dit had ik verwacht. Ik pakte Tony's schouders beet. Niet hard, net stevig genoeg om ervoor te zorgen dat hij zijn mond hield.

'Begrijp je het dan niet? Moet ik nog duidelijker zijn? Ik ben hier om Justin te beschermen,' zei ik vol overtuiging. 'En mezelf.'

'Waarom?'

'Ik hoorde bij een coven, een vampierkring. Ze hebben me samen met Justin gezien bij de winterprom. Ik heb hen verraden, en nu zijn ze op weg hierheen om me te zoeken.'

'Hierheen?' Tony's stem sloeg over. 'Naar Wickham?'

'Ja. Op dit moment.'

Het plotselinge beeld van Tony, liggend op de vloer, vol beten, al het bloed uit hem weggezogen, bracht me even van mijn stuk. Ik nam de tijd om voorzichtig de juiste woorden te zoeken.

'Het is onmogelijk je tegen hen te beschermen, Tony. Je zult gedood worden en je dood zal... O, ik kan er niet eens over nadenken...'

De woorden leken in mijn keel te blijven steken. De tranen, de banvloek, alles kwam nu opwellen vanuit de diepte van mijn ziel. Maar in plaats van tranen waren het helse vlammen die oprezen in mijn lichaam. De verlossende tranen zouden nooit meer over mijn wangen stromen. Ik liet Tony's schouders los en boog me voorover. Ik omklemde mijn buik, vanwege de pijn. Dat was de vloek van de vampier. De straf als je ook maar iets meer verlangde dan totale wanhoop.

Toen de pijnaanval voorbij was, rechtte ik mijn rug weer. Tony veegde met zijn vingertoppen de tranen van zijn wangen. Ik voelde een enorme drang om hem te beschermen. Er waren zo veel dingen aan hem waar ik van hield: dat zijn vingers altijd vol zaten met verf en houtskool, zijn luchtige gevoel voor humor, dat hij loyaal was tot het bittere eind – terwijl ik zo vaak tegen hem had gelogen. Hij perste zijn lippen op elkaar, waardoor zijn hoge, uitstekende jukbeenderen nog meer benadrukt werden.

'Deze keer probeer ik niet een of ander geheim voor je te ver-

338

bergen,' zei ik. 'Het gaat om gevaarlijke mannen die hier tegen de avond zullen zijn met maar één doel: mij vermoorden. Ik wil niet dat jij daarin verstrikt raakt.'

'Wat ga je eraan doen? Hoe ga je ze tegenhouden?'

'Ik heb een paar trucjes achter de hand,' zei ik, en ik keek omhoog naar het raam toen een streep licht over de donkere houten vloer schoof. 'Ik moet nu weg,' zei ik.

'Maar het is nog heel vroeg.' Hij keek ook naar het raam.

'De zonsopkomst is het begin van de zonsondergang. Zodra we geboren worden, beginnen we te sterven. Het hele leven is een cyclus, Tony. Als je beseft dat vampiers buiten het natuurlijke leven staan, zul je het begrijpen. Het spijt me, maar ik moet weg.'

'Ik begrijp het niet. Blijf alsjeblieft…'

'Ik beloof je dat ik naar je toe kom om je alles te vertellen. Over mijn geboorte, mijn dood en hoe ik op Wickham verzeild raakte. Als jij belooft dat je je niet zult bemoeien met wat er vanavond gaat gebeuren.'

'Wanneer kom je terug?'

'Als je oud genoeg bent om te geloven dat je je dit misschien allemaal hebt ingebeeld.'

'Ik zal dit nooit vergeten,' zei hij. 'Ik zal jou nooit vergeten.'

Ik keek Tony nog even aan, en net toen ik me omdraaide om te vertrekken, vroeg hij: 'Deed het pijn? Toen je weer tot vampier werd gemaakt?'

'Dit doet meer pijn.'

Tony's mondhoeken trokken omlaag en de tranen rolden weer over zijn wangen. Ik wilde zijn handen vastpakken, met hem naar buiten rennen en plotseling weer in mijn mensenleven zijn.

'Je blijft mijn beste vriendin, Lenah. Wat er ook gebeurt.'

'Ik zal je iets bekennen,' zei ik. 'Ik heb deze woorden niet eens tegen mezelf gezegd, geloof ik. Maar jou kan ik het vertellen. Omdat jij bent wie je bent.' Ik glimlachte, een fractie van een seconde. De stilte schonk me kracht, dreef mijn woorden naar buiten. 'Ik wou dat ik die avond niet de boomgaard in was gelopen.' Ik haalde diep adem, om moed te putten voor de volgende woorden. 'Ik wou dat ik was gestorven in de 15de eeuw, zoals de bedoeling was. Maar in plaats daarvan probeer ik hier te redden wat er te redden valt.'

Tony zou nooit begrijpen wat mijn woorden betekenden, maar dat maakte niet uit. Het deed er niet toe dat hij niet wist hoe ik ooit tot vampier was gemaakt. Tony begreep me, en daarom had ik het gezegd. Ik bleef hem aankijken, zo lang als mogelijk was zonder te vervallen in nietszeggende opmerkingen. Toen draaide ik me om, liep de houten wenteltrap af en stapte de wereld weer in.

30

'Rozemarijn,' zei ik tegen de vrouw van de bloemen- en kruidenstal. Ik was op Main Street, en het was een uur of één 's middags.

Ze pakte een bosje rozemarijn bij elkaar en bond het strak samen met een rood lint. Ik nam het aan en liep in de schaduw van de bomen over Main Street verder. Mensen passeerden me, en niemand besefte dat ik anders was. Of in elk geval lieten ze dat niet merken. Ik had de honkbalpet op en hield mijn blik op de grond gericht.

Nadat ik de boerenmarkt had verlaten bekeek ik nogmaals de stand van de zon, om te checken of ik genoeg tijd had voordat de coven opdook. Ik liet de winkels van Main Street achter me en ging op weg naar de begraafplaats van Lovers Bay. Het bosje rozemarijn hield ik in mijn linkerhand. Ik omklemde het nog wat steviger, stak de straat over en liep de begraafplaats op.

Het was erg stil, hoewel er achter me auto's voorbijreden. Sommige grafstenen waren voorzien van krullerige letters, andere waren juist strak en modern. Ik zocht mijn weg over de met gras begroeide paden. Mijn gedachten dwaalden langs Justins gezicht, Tony's belofte en mijn hoop dat ik kon terugkeren, nu ik het ritueel in mijn zak had. Misschien…

Hoewel ik Rhodes grafsteen al had laten maken vóór mijn haastige vertrek in de winter, had ik hem nog niet zelf gezien. Langzaam liep ik naar het einde van de rij grafzerken. Daar bevond zich een granieten plaat, aan de rand van het glooiende terrein van de begraafplaats. Hij lag plat op de grond, stond niet rechtop zoals de andere grafstenen eromheen. Rechts ervan was een eikenbosje, de bomen heel dicht op elkaar. Sommige takken staken zo ver uit dat ze boven de steen hingen – alsof ze hem beschermden tegen de regen of misschien tegen het felle zonlicht.

RHODE LEWIN
Sterfdatum: 1 september 2009
Kwaadaardig is alleen hij die kwaadaardig denkt

De vogels tjilpten en een lichte bries liet mijn haren rond mijn gezicht wapperen. Mijn ogen focusten zich op Rhodes naam. Plotseling stierven de geluiden op een onheilspellende manier weg, en ik wist dat er een vampier in de buurt was. Die angstaanjagende stilte. Dat instinctieve besef dat er iets oerouds in de buurt was, iets doods. Langzaam liet ik mijn blik over de begraafplaats gaan. Ik hield mijn handen angstvallig in mijn zakken, zodat ik mijn nieuwe kracht niet zou verraden. Ik verkende het eikenbosje voor me.

Vanuit het dichte struikgewas, een wal van groen, kwam Vicken tevoorschijn. Hoewel ik hem in Hathersage in moderne kleren had gezien, was ik nu verrast door zijn hedendaagse verschijning in Lovers Bay. Hij paste helemaal in de omgeving, met zijn donkere zonnebril en T-shirt met lange mouwen. Hoe de omstandigheden ook waren, zijn krachtige schouders en gespierde lichaam maakten hem onweerstaanbaar. Ik richtte mijn blik weer op de grafsteen alsof Vickens aanwezigheid geen verschil maakte. Zwijgend kwam hij naar me toe en ging rechts van me staan. Even keken we samen neer op Rhodes grafsteen.

De enige geluiden waren het gekwetter van de vogels en het geritsel van de bladeren in de wind. Toen zei hij: 'Goed. Je

342

bent dus hierheen gekomen om die jongen te beschermen.'
Ik bestudeerde de letters op de grafsteen en zei niets. Vicken
draaide zijn hoofd naar me toe en keek naar me. 'Dat is ongelooflijk stom van je.'
Weer gaf ik geen antwoord.
'Je weet net zo goed als ik dat ik je niet kan doden, al zou ik
het nog zo graag willen. Maar de coven is gekomen om dat wel
te doen.'
Ik keerde me naar hem toe en keek hem aan. 'Dan zit je wel
een beetje in een patstelling,' zei ik koeltjes.
Vicken keek me tandenknarsend aan. 'Vraag je me mijn coven
te verraden?'
'Jouw coven? Jóúw coven? Nee, ondankbare die je bent,'
schreeuwde ik. 'Het is míjn coven, geboren uit de meest duistere ideeën, de meest verwerpelijke overtuigingen. En uit
angst.'
'Ze zullen je afslachten, snap je dat dan niet? Zie je niet wat
je me aandoet? Wat je me een paar dagen geleden hebt aangedaan, met dat kind? Misschien heeft Rhodes voodoo jou bevrijd van onze band, maar mij niet!'
'Dat kan me niet schelen.'
Nu was het Vicken die begon te schreeuwen. 'Ze zullen je doden, en ik zal gedwongen zijn om toe te kijken!' Vickens stem
galmde over het stille, zonnige kerkhof. 'Als je me zo'n marteling toewenst, ben je nog steeds even kwaadaardig als eerst.'
Ik zei niets. Hij had gelijk, in alles wat hij zei.
'Ooit,' vervolgde hij, 'zei je dat je bij me zou blijven. Voor altijd,
zei je. Maar dat was je heel snel vergeten, toen Rhode eenmaal
was teruggekeerd. Ik zat daar maar. Te wachten tot je zou ontwaken.'

Ik knikte, heel snel. Ik zag mijn weerspiegeling in het zilver van zijn zonnebril.

'Wat kom je doen?' vroeg ik. 'Het is heel moedig van je, dat je het zonlicht trotseert.'

'Daarvoor ben ik niet bang meer,' zei Vicken.

'En de coven?'

'Je weet dat zij de zon niet kunnen verdragen.'

Ik voelde even opluchting toen ik besefte dat Vickens aanwezigheid op het kerkhof betekende dat hij in elk geval niet bij Justin was.

'Als ze me toch zullen doden,' vroeg ik, 'wat kom jij hier dan doen?'

'Je hebt twee opties. Je kunt de hand aan jezelf slaan, of zij vermoorden je,' zei Vicken kalm.

Ik keek weer naar Rhodes grafsteen; nog steeds met mijn nieuwe, krachtige handen in mijn zakken. 'Fijn dat ik een keuze heb,' zei ik, elke syllabe druipend van het sarcasme.

'Ik probeer een deal met je te sluiten, Lenah.'

'Vampiers sluiten geen deals,' snauwde ik.

'Gebruik het ritueel. Maak me menselijk en sterf door je eigen toedoen. Anders doodt de coven jou en die jongen. Je dood is onvermijdelijk. Je kunt niet terugkeren naar de vampierwereld.'

Ik voelde de hitte van het vuur binnen in me, het witte licht dat nu huisde in mijn ziel, en de liefde die ik voelde voor Rhode en Justin. De liefde die ik ooit ook voor Vicken had gevoeld. Ik haalde diep adem. Ik zou niet toelaten dat ze Justin iets aandeden. Vicken schoof zijn zonnebril omhoog en ik keek in zijn koperkleurige ogen. De waarheid die ik in zijn blik las kwam me bekend voor, en op dat moment begreep ik Vicken volkomen. We hadden op het veld bij Hathersage kunnen staan. Ik had Rhode kunnen zijn.

'De menselijkheid die jij verlangt kan ik je niet schenken. Weet je nog wat ik je verteld heb? Het ritueel vereist dat de vampier die het uitvoert minstens vijfhonderd jaar oud is.'

'Maar jij bent machtig. Misschien werkt het.'

'Dat denk ik niet,' antwoordde ik.

'Probeer het toch maar.'

'Voor iemand die van me beweert te houden zet je mijn leven wel heel nonchalant op het spel.'

'Ze zullen je hoe dan ook doden.'

'Rhode is hiervoor gestorven!' schreeuwde ik. We zwegen weer.

'Het ritueel draait om totale zelfopoffering,' legde ik uit. 'Weet je wat dat betekent?'

'Ooit waren we minnaars.' Vicken keek me aan. Ergens in de duistere schaduwen was mijn coven zich aan het voorbereiden op de strijd. De strijd met mij.

'Waarom wil je dit?' vroeg ik.

Vicken keek me vorsend aan. 'Voor jou ben ik een monster geworden. Maar je bent verdwenen. Ik ben hoe dan ook gedwongen te houden van een schim van jou.'

'Dus ik sterf en dan ben jij geheel van mij verlost?'

'Ik verdien het, Lenah. Vind je niet?'

'Ja, dat is zo… maar het ritueel is duidelijk. Het gaat niet alleen om mijn leeftijd en mijn bloed. De persoon die het ritueel uitvoert moet bereid zijn te sterven, de dood oprecht wensen. Maar dat kan ik je niet geven, die liefde. Mijn hart is in te veel stukken gebroken.'

Vicken keek me verslagen aan. Die donkere ogen, die vertrouwde blik die zei dat hij me haatte en me tegelijk begeerde.

Hij zette zijn zonnebril weer op.

'Dan kun je maar beter afscheid gaan nemen,' zei hij. Hij draaide zich op zijn hakken om en verdween tussen de bomen.

Ik overwoog hem na te roepen, zodat mijn stem zou galmen door die wildernis van takken en bloeiende planten waarvan ik wist dat ze zo heerlijk roken. Als dit anders was, als dit was zoals ik het zou hebben gewild, dan zou ik hier zijn gaan zitten met Vicken, als vrienden, en hem hebben verteld hoe de aarde in Lovers Bay mijn voeten had geliefkoosd op een manier die ik nooit eerder had meegemaakt. Maar dat kon ik niet.

Tot mijn grote verbazing riep hij nog iets naar me. 'Ga voort,' zei hij, ergens vanuit het bos, 'in licht en in duisternis.'

Het lacrosseveld baadde in de zachtroze zonnestralen, het soort middaglicht waardoor het veld leek te gloeien. Ik keek toe vanuit de schaduwen tussen de bomen. De bladeren beschermden me, en hoewel ik niet bang was voor de zon vond ik het te riskant om het licht direct op me te laten schijnen. Ik keek omhoog naar de stukjes hemel die in geometrische patronen zichtbaar waren, gevormd door de bladeren. Aan de stand van de zon kon ik zien dat het bijna vier uur 's middags was. Ik leunde achterover tegen de stam van een grote eik. Na mijn gesprek met Vicken was me duidelijk wat voor gevecht dit ging worden. Song zou proberen me fysiek te overwinnen, Gavin zou een poging doen me aan zijn mes te rijgen, Heath zou zijn woorden gebruiken om me af te leiden. Maar het was Vicken die zou toekijken – verlamd door de band tussen ons. Het licht was het antwoord, het enige antwoord.

Ik richtte mijn aandacht weer op het veld.

Justin zweette onder zijn helm en ik zag kleine druppeltjes

parelen op zijn bovenlip. Hij hield zijn armen hoog in de lucht, zodat zijn bicepsen zich aanspanden en bijna uit de korte mouwen van zijn lacrosseshirt barstten. Een rij meisjes, onder wie de originele Three Piece, zat op bankjes naar de training te kijken. Een brandende steek van jaloezie schoot door me heen, maar snel schudde ik mijn hoofd. Dat was nu volkomen onbelangrijk.

Voorbij het veld, achter een voetpad, zag ik de kas. Ik vroeg me af of ik in een andere, magische wereld daar naar binnen zou kunnen lopen om me te verstoppen en te slapen tussen de waterkers en de rozen. Toen doorkruiste Justin mijn blikveld. Hij droeg niet het schooltenue, maar een T-shirt met schoudervullingen. Justin ving de bal, dook tussen andere spelers door en scoorde uiteindelijk in het doel van de tegenpartij. Terwijl hij opgetogen op en neer sprong omdat hij gewonnen had, blies de coach op zijn fluitje om aan te geven dat de training was afgelopen.

Justin nam zijn helm af, ondertussen naar de bomen kijkend. Toen draafde hij het veld over met zijn lacrosse-uitrusting over zijn schouder. Hij bleef staan bij de rand van het bosje dat grensde aan het speelveld. Rechts van me was nog meer bos, en daarachter lag het strand.

Hij liep het bosje in, en terwijl het zonlicht tussen de bladeren door op de grond dwarrelde, dacht ik terug aan de eerste keer dat ik hem had gezien. De bootrace, het strand, hoe hij had geglansd in de zon. Nu glansde hij ook, maar ik maakte geen deel meer uit van zijn wereld. Zodra hij een paar passen tussen de struiken had gezet, zag hij me tegen een eik geleund staan.

'Het is tijd,' zei ik.

'Wat is het plan?' vroeg hij. 'Wat heb je de hele dag gedaan?'

347

'Heb je je boot hier? Ik wil voor anker gaan, vlak voor Wickham.'

'Waarom?'

'Om de campus in de gaten te houden. Op die manier kunnen we ze een stap voor blijven, hoop ik. Maar ik leg je straks alles uit. Nu moeten we gaan. Het komt nu echt op de timing aan.'

Ik zette een paar stappen tussen de bomen door, in de richting van het lacrosseveld.

'Ik eh…' zei Justin, die bij de eik bleef staan en de uitrusting die hij meedroeg even verschoof op zijn schouder. Er lag een aarzeling in zijn ogen. 'Ik heb honger,' bekende hij.

'O, natuurlijk. Helemaal vergeten...' zei ik. Ik voelde me ongelooflijk stom.

'Ik zal heel snel zijn,' onderbrak hij me, en hij gebaarde met zijn hoofd naar rechts. Ik keek, en zag dat hij doelde op de Union. 'Ik haal wel even snel een sandwich.'

'De zon gaat om acht uur onder, dus we moeten op jouw boot zitten om...'

'Ik weet het, ik zal opschieten, Lenah,' zei hij glimlachend.

Hoe kon hij zo naar me glimlachen? Ik was een monster.

'Goed,' zei ik, en ik liep naar de bosrand. 'Kom mee dan.'

31

'Deze kant op,' zei Justin.

Weer keek ik naar de stand van de zon; hij was nu dieporanje en hing al vlak boven de horizon, dus het was bijna zes uur. Over een uur zou de zon ondergaan, en voor die tijd wilde ik al een flink eind de zee op zijn. Zodra de schemering inviel zou de coven op jacht gaan. Ik stapte uit de auto. Justin deed hem op slot en stopte de sleutels in zijn zak. Het grind knarste onder de stevige zolen van mijn laarzen. We liepen naar de steigers.

'Dus hij wil menselijk worden?' vroeg Justin. Hij had het over Vicken.

'Dat willen de meeste vampiers,' legde ik uit. 'Terugkeren. Om weer te kunnen voelen, ruiken, aanraken. Om rationeel te kunnen denken. Maar de tijd verstrijkt, en iedereen van wie ze hielden in hun mensenbestaan sterft uiteindelijk. Dan neemt het verlangen om weer mens te worden af. En slaat de waanzin toe.'

'Wat gebeurt er als een vampier gek wordt?'

'Als ik je ga uitleggen hoe die vampiers zijn, wordt het veel te eng voor je. Ik heb het er liever niet over.'

Justin vroeg niets meer. We haastten ons over de steiger naar Justins boot, waar hij wat drankjes voor zichzelf in een kleine koelbox stopte. Terwijl hij de contactsleutel omdraaide en de motoren tot leven wekte, daalde ik af in het veilige binnenste van de boot. We waren het erover eens dat de haven vlak bij Wickham de beste plek was om de school in de gaten te houden, terwijl ik op veilige afstand van de coven bleef. Ze zouden nooit aan de haven denken. Ik hoopte dat ik ze uit de verte zou kunnen zien en ze steeds een stap voor kon blijven.

Ik liep langs de hutten naar het slaapvertrek achterin. Daar ging ik op de rand van het bed zitten. Het was allemaal nog precies hetzelfde als de vorige keer. Het enige wat anders was, was mijn spiegelbeeld in de spiegel boven het kleine wasbakje. Ik voelde het wiegen van het water onder de boot en keek omlaag naar mijn voeten. Er zat een kleine vlek op het blauwe tapijt, waardoor de kleur op die plek wat donkerder was. Het was de vlek van de zonnebrandlotion. De olie had de zachte vezels van het tapijt bezoedeld.

Boven nam Justin gas terug, zodat het gebrul van de motoren overging in een zacht gepruttel.

'We zijn er,' riep Justin. Ik hoorde dat hij het luik opende en het anker liet zakken. Ik ging weer aan dek.

We waren op de plek waar we ook hadden gelegen toen we gingen snorkelen. Met mijn vampierblik keek ik naar alle details van het strand van Wickham, de vonkjes van de glinsterende zandkorrels in die goudgele vlakte en de weggegooide frisdrankflesjes die uit de vuilnisbak naast het voetpad puilden. Nauwkeurig verkende ik de campus.

Ik bleef geduldig wachten tot de leden van de coven uit hun schuilplaats tevoorschijn zouden komen, waar die ook mocht zijn. Er ging een uur voorbij, maar er gebeurde niets. Ik wist dat Vicken nu ergens liep te ijsberen. Ik wist dat hij het moment afwachtte waarop de coven op jacht zou gaan naar Justin en mij. Als ik mijn ogen sloot en probeerde in contact te komen met Vicken zou de band tussen ons ervoor zorgen dat ik precies kon zien waar hij was. Door die krachtige magie zou hij gedwongen zijn zichzelf te tonen. Maar het contact werkte twee kanten op, dus ik waagde me er niet aan.

Justin ging op de voorplecht zitten, en ik speurde nog een keer de campus af, zo ver als ik kon zien. Ik zag de toegangspoort, waar niemand was, en de auto's van de bewaking die over de campus patrouilleerden. De meeste grasvelden en voetpaden waren verlaten, hoewel hier en daar nog wat leerlingen naar hun studentenhuis of naar de bibliotheek liepen. Ik besloot dat ik wel even bij Justin kon gaan zitten, zolang ik de campus maar in het oog hield. Ik liep naar hem toe. Het water was kalm, de boot bewoog bijna niet. Ik kon de geur van Justins vlees ruiken, tot in de kleinste details.

'Waarom zijn we nou eigenlijk hier?' vroeg hij.

'Het is bijna onmogelijk voor ze om ons op het water op te sporen,' legde ik uit. 'We moeten ze verrassen. Ze verwachten nooit dat we vanaf het strand komen. En ik moet je voorbereiden op wat er gaat gebeuren als we eenmaal aan land gaan.'

Justin keek op. De maan trok een weifelend lichtspoor over het water. 'Wat ben je dan van plan?' vroeg hij.

Ik aarzelde, toen vertelde ik het hem.

'We volgen ze en lokken ze mee naar een afgesloten ruimte. Ik dacht aan de sportzaal. Als wij de leiding nemen bij de jacht hebben we meer kans om ze te krijgen waar we ze hebben willen.'

'Oké, maar als dat is gelukt, wat dan? Wat gebeurt er dan met jou?'

Ik keek even naar het deinende water.

'Ik weet niet wat er met mij gebeurt.'

Ik dacht even na over wat dit voor Justin betekende – ik voelde zijn blik op me rusten.

'Weet je,' zei ik. 'Ik dacht dat ik een kans zou hebben om hier terug te keren. Maar nu zie ik dat het niet mogelijk is.'

351

'Terugkeren? Hoe dan?'

'Met het ritueel,' zei ik.

Justins ogen werden groot toen hij zich herinnerde wat het ritueel inhield. 'Weet Vicken dat je het hebt?'

Ik knikte. 'Het doet er niet toe. Ik moet ze allemaal doden,' zei ik. 'Zelfs Vicken.'

'Maar je zei dat je gebonden was.'

'Die verbintenis is aan mijn kant verbroken. Maar omdat Vicken een vampier is, zit hij voor eeuwig aan die verbintenis vast.'

'Heeft hij even mazzel,' zei Justin. Ik glimlachte, heel vluchtig, en mijn lach stierf weg in de stilte die volgde. 'Dus we gaan ze allemaal tegelijk bevechten?' vroeg Justin.

'We?'

Justin keek me recht aan. 'Ja, natuurlijk. Je denkt toch niet dat ik een beetje ga staan toekijken terwijl jij je verdedigt tegen dat stel psychopaten.'

Ik glimlachte. 'Zoals ik je al heb laten zien in je kamer ben ik niet bepaald ongewapend.'

Ik liet mijn wijsvinger over de metalen reling van de boot glijden en trok een gloeiend lichtspoor.

'Het licht?' vroeg Justin.

'Eén felle flits zou genoeg moeten zijn.'

Justin strekte zijn hand naar me uit, en ik voelde zijn hitte uitstralen aan de rechterkant van mijn lichaam. Zijn vingers trilden, en hij aarzelde een milliseconde voor hij mijn hand van de reling pakte en in de zijne nam.

'Warm,' fluisterde hij, met iets van verbazing in zijn stem.

Hij bracht mijn handen naar zijn ogen en onderzocht ze nauwkeurig. Zijn blik was ontspannen, troostrijk. Toen deed hij iets wat ik absoluut niet had verwacht – hij drukte mijn middelvinger en wijsvinger tegen zijn lippen en kuste mijn vingertoppen. Een martelend verdriet stroomde door mijn lichaam. Mijn spieren verkrampten en mijn zenuwen verstrakten. Justin liet mijn hand los en legde zijn handen om mijn wangen. Ik sloot mijn ogen. Ik kon maar nauwelijks verdragen dat hij mijn vampierverschijning zo aandachtig onderzocht.

'Je bent nog steeds jezelf,' fluisterde hij, alsof hij mijn gedachten kon lezen. Eindelijk opende ik mijn ogen en ik zag dat de tranen over zijn wangen liepen. Misschien was hij bang dat die tranen hem minder mannelijk zouden maken, maar hij was de beste mens die ik ooit had gekend. Zijn onderlip trilde en zijn neusvleugels sperden zich een beetje open.

'Ik wil dat je terugkomt,' zei hij, met onvaste stem. 'Ik heb je nodig.'

Toen gleden zijn handen door mijn haar.

Hoewel ik het niet kon voelen, gaf ik me over aan die vertrouwde aanrakingen waarvan ik zo had genoten. Zelfs in mijn huidige staat hield ik meer van Justin dan ik ooit in woorden zou kunnen uitdrukken. Hij pakte mijn achterhoofd beet en drukte zijn mond op de mijne. Zijn tong dreef mijn lippen uit elkaar, en we vonden elkaar in een perfect ritme – totdat een schreeuw over de campus van Wickham galmde.

Met Justin aan het roer raceten we naar het strand van Wickham.

Gebruik je verstand, vermaande ik mezelf. Mijn gedachten tolden door mijn hoofd. Waar was het slachtoffer? Mijn eigen plan keerde zich nu tegen me. Ik wist dat het een lokaas was. Ze lokten me naar het slachtoffer, zodat ik de volgende zou zijn. Zodra de boot naast de steiger gleed, sprong ik over de reling

353

en begon te rennen.

'Justin! Je moet bij me blijven! Ik mag je niet uit het oog verliezen!' riep ik.

'Lenah!'

Er was geen tijd om te antwoorden. De strijd was losgebarsten. Justin wierp nog een touw om een steigerpaal om de boot goed vast te leggen. Ik keek om en was voor eventjes gerustgesteld omdat ik Justin achter me aan zag komen. Hij zou me zo wel inhalen. Als vampier hoefde ik me niet druk te maken over mijn bonkende hart of mijn hijgende ademhaling. Razendsnel rende ik het pad af, langs het exacte-vakkengebouw, langs de kas, het grasveld op. Justin rende naast me, ging precies gelijk met me op. Ik rende zo hard ik kon. Zware voeten hadden het gras vertrapt. Ik strekte mijn hand uit om het gras te verlichten. Met mijn vampierzicht zag ik de omtrekken van Songs voeten.

Ik rende naar het Hopper-gebouw, omdat mijn instinct me dat opdroeg. Toen ik de deur van Hopper bereikte, rukte ik hem open en we stapten naar binnen. Met een doffe klap viel de deur achter ons dicht.

De hal was donker. Alleen een paar spotjes aan het plafond wierpen een vaag schijnsel. Justin stond te hijgen en probeerde op adem te komen.

'Hoe…' zei hij, tussen twee ademhalingen door, 'hoe weet je dat het hier is gebeurd?'

'Dat weet ik gewoon,' zei ik kortaf. Ik speurde de lange gang af. Ik wist absoluut zeker dat de coven zich aan het einde van die gang bevond. Toen werd ik overvallen door een duister gevoel. Angst.

O nee…

354

Nee. Nee. Nee. Nee. Niet boven. Maar de coven stond me toe het te zien. Ze lieten toe, nee, ze stonden erop dat ik wist dat ze iemand in het atelier hadden vermoord. Iemand van wie ik hield.

Ik keek omhoog, naar de bovenste verdieping. Ik wist dat ik naar boven moest, want de snijdende pijn in elke vezel van mijn wezen vertelde me dat Tony zich daar boven aan die trap bevond.

Twintig minuten, dan gaat die jongen eraan.

Hoe kon ik zo stom zijn geweest? Hadden ze al die tijd al op Tony gedoeld? Niet op Justin?

Stap voor stap gingen we omhoog. Ik reikte naar achteren, en Justin pakte mijn hand. Toen rook ik die metalige geur die mijn vampierziel in vuur en vlam zette. Mijn hoektanden kwamen omlaag. Ik schudde mijn hoofd om die overweldigende geur van vers bloed kwijt te raken.

O, domme, domme jongen, dacht ik. Laat het alsjeblieft iemand anders zijn.

'Nee!' riep ik.

Tony strompelde door het atelier. Hij struikelde over zijn eigen voeten en viel tegen de muur bij de berghokjes aan. Hij was bedekt met bloed. Van top tot teen. Zijn blauwe katoenen shirt was plakkerig rood. Het hing open, waardoor je zijn bovenlichaam kon zien. Het was bezaaid met gaatjes.

'Lenah!' schreeuwde hij, zijn ogen groot van opluchting nu hij me zag. Hij hoestte bloed op, stootte een ezel om en viel op zijn knieën.

Ik vloog naar hem toe. Tony lag op zijn rug, zoals ik hem zo vaak had zien doen als hij in de zon lag. Die dwaze jongen hield een crucifix in zijn hand geklemd. Waarom was ik vergeten hem te waarschuwen dat dat niets hielp?

Ik draaide me om naar Justin.

'Blijf daar staan. Kom hier niet binnen.'

'Lenah! Tony is mijn vriend...'

'Als ze hier je vingerafdrukken vinden, word jij als de dader gezien. Blijf daar.'

Ik keek omlaag. Tony ademde nog maar nauwelijks. Zijn borstkas kwam iets omhoog en beefde toen hij probeerde uit te ademen. Hij zat vol met tandafdrukken. Overal. Op zijn ribben, zijn armen en zijn prachtige vingers. Hij kuchte zo hard dat er nog meer golfjes stroperig bloed uit zijn mond kwamen, die over zijn hals en borstkas omlaag stroomden. Ze hadden geen vampier van hem gemaakt. Die gedachte was even bij me opgekomen. Maar iemand tot vampier maken, dat was een hele transformatie, met rituelen – dan zouden ze hem hebben meegenomen.

Dit was duidelijk simpelweg een moord – speciaal voor mij. De coven had zich op Tony gestort en hem vernietigd. Ze waren alleen gestopt omdat ik was gekomen. Ik tilde zijn hoofd op en schoof mijn lichaam eronder, zodat het op mijn schoot rustte.

'Len...'

'Nee.' Ik legde mijn vingers op zijn lippen.

'Ik...' Er sijpelde wat bloed uit zijn nek op mijn broek. 'Ik dacht dat ik je kon helpen om ze te bestrijden, maar ze waren me te snel af.'

'Je bent heel moedig geweest,' zei ik.

Ik begroef mijn handen onder zijn rug en drukte zijn stervende lichaam dicht tegen me aan. Ik hoorde iemand snikken in de deuropening en wist dat Justin stond te kijken. Tony hikte, en bloed golfde uit zijn mond over zijn kin. Stroompjes bloed dropen uit de beten in zijn hals. Dit was het einde.

'Ik heb het zo koud, Lenah,' fluisterde hij, en hij duwde zijn hoofd nog wat dichter tegen me aan. Hij was nu hevig aan het trillen.

Ik legde mijn vingers op zijn ogen en de warmte uit mijn binnenste kwam naar buiten en verwarmde zijn hoofd. Dat was het enige wat ik kon doen om hem bij te staan in deze laatste momenten van zijn leven. En bij zijn allerlaatste, beverige ademhaling werden zijn ogen groot en rond. Hij keek me aan, opende zijn mond om iets te zeggen en toen... toen was hij weg.

Ik had zo veel maanden naar het ritueel gezocht. Zodat ik zelf kon terugkeren. Terwijl ik had moeten bedenken hoe ik mijn dierbaren kon beschermen tegen de coven. Mijn coven. Waarom was ik alleen maar bezig geweest met mijn eigen terugkeer? Weer zo'n egocentrische actie. Weer was er iemand dood van wie ik hield.

Ik boog me over Tony heen en kuste zijn hoofd.

'*Gratias tibi ago, amice,*' zei ik, en ik wreef met mijn duim over zijn voorhoofd. In het Latijn betekende dat: dank je, vriend.

Heel even liet ik mijn hoofd op Tony's borstkas rusten. Ik wist dat ik geen hartslag zou horen. Toch legde ik mijn wang even op die soepele spieren, die al zo snel zouden verkrampen, zouden verstijven. En dan zou hij niet meer als Tony voelen.

'Is hij dood?' fluisterde Justin geschokt. Hij stond in de deuropening.

Daar, in die stilte, in die tochtige kunsttoren, met alleen het gezoem van de machines in de kelders van het gebouw, met de vage geluiden van het schoolleven op Wickham, begon een vampier genaamd Vicken Clough maniakaal te lachen. Het ge-

357

lach galmde door de gang van Hopper, wervelde langs de wenteltrap omhoog zodat ik het luid en zeer duidelijk kon horen. Tony's dood was een rimpeling van opluchting in zijn eindeloze zee van pijn.

De vampier in mij kwam brullend tot leven. Ik schoot overeind, mijn rug strak en recht. Ik legde Tony's lichaam op de vloer, en mijn hoofd ging met een ruk omhoog. En toen de woede naar buiten stroomde kwamen mijn hoektanden zo snel omlaag dat Justins ogen wijd open gingen en hij zijn rug tegen de muur drukte.

'Kom mee,' zei ik, mijn blik scherper dan ooit. Ik zag de kleine krijtvlekjes op de vloer, vlak bij het schoolbord. Losse haren op de grond. Justins poriën in de huid die over zijn botten spande. Ik was dodelijk.

'Lenah, we kunnen hem niet zo laten liggen.'

'Het kan niet anders,' antwoordde ik. Ik was de deur al uit en vloog de wenteltrap af. Ik stapte van de laatste trede en begon de brede gang in te lopen. De coven was dichtbij, dat voelde ik.

'Wat gebeurt er nu, Lenah?' vroeg Justin.

Midden in de gang bleef ik staan.

'Sst,' zei ik zachtjes tegen Justin, en toen haalde ik diep adem zodat ik mijn stem kon verheffen. 'Zo'n jonge jongen,' riep ik de duistere gang in. 'Alleen en weerloos. Goh, jullie durven wel.' Ik daagde ze opzettelijk uit. Ik voelde hun respons, hun bewegingen. Ze waren op weg naar me toe. Ik kon nog steeds niet precies voelen of ze in het Hopper-gebouw waren. Hun gedachten waren abstract, ik wist alleen dat ze me wilden vinden, opsporen. En dat zouden ze ook doen.

'Kom mee,' zei ik tegen Justin. Ik pakte zijn hand beet, omdat ik zijn warmte meer dan ooit nodig had.

'Maar je wilde toch naar een afgesloten ruimte?' vroeg Justin, om me te herinneren aan mijn plan. Maar dat was niet nodig. De sportzaal was aan het einde van de gang, en dat was de perfecte plek. Ik keek achter ons, de lange gang in. Die was leeg, maar ze waren dichtbij. Of ik was dicht bij hen. Ik opende de deuren van de sportzaal, keek naar binnen en duwde Justin voor me uit de zaal in.

'Ga naar het midden.' Er brandde geen licht, op een rij spotjes aan het plafond na die de zaal in een doffe gloed hulden. De sportzaal was een grote, vierkante ruimte met tribunes aan weerskanten van een basketbalveld. Een rij ramen bood uitzicht op het strand van Wickham. Zowel links als rechts hingen spiegels aan de muren, achter de tribunes. Als er geen wedstrijd werd gespeeld, gebruikte het dansteam de spiegels om te oefenen. Dat was precies wat ik nodig had.

'Druk je rug tegen de mijne,' commandeerde ik.

Zo stonden we daar rug aan rug, mijn handen op zijn heupen, die van hem op de mijne. Onze ogen speurden in het rond, wachtend tot de jacht werd geopend.

'Beloof me dat je luistert naar wat ik zeg, wat ik verder ook doe,' zei ik, voortdurend om me heen spiedend.

'Dat beloof ik,' zei Justin, maar ik hoorde dat zijn stem even trilde. 'Lenah,' zei hij, en we draaiden ons naar elkaar toe. 'Ik moet dit zeggen. Ik hou meer van jou dan van wie dan ook. Als ik het vanavond niet overleef, als een van ons sterft...'

Justin nam me in zijn armen. Onze monden vonden elkaar en zijn lippen drukten tegen de mijne. Zijn tong gleed mijn mond binnen, en onze kus was perfect, ons ritme volmaakt. Justin smaakte naar tranen en zweet en dat alles verloste me voor heel even van mijn pijn. Ik zou Tony's gezicht voor me blijven zien zolang ik op deze aarde verkeerde. Maar op dat moment bestonden alleen Justin en ik. Kon ik alleen denken aan hoe hij me had gered, hoe hij me had getoond wat leven was. Toen was er dat wegsterven van geluid, gevolgd door doodse stilte, en ik wist...

'Justin?' fluisterde ik. Onze lippen raakten elkaar nog.

'Ja?' antwoordde hij, zijn ogen gesloten. Het was zo stil.

'Ze zijn er.'

Hij draaide zich met een ruk om en duwde zijn rug weer tegen de mijne.

Vicken, Gavin, Heath en Song stonden voor ons in de vorm van een halve maan. Ze waren door de ramen naar binnen gekomen. Hoe of waarom, dat zou ik nooit weten. Ze waren in het zwart gekleed, de een in leer, de ander in een zwart hemd. Maar daar waren ze dan, de leden van mijn machtige coven. Gavin, met zijn zwarte haren en groene ogen. Song, met zijn gedrongen lichaam en gespierde bouw. De prachtige blonde Heath, die met zijn armen over elkaar stond en me iets toe siste in het Latijn. Vicken stond helemaal links.

'Dwaas,' zei Gavin, en hij wierp een mes langs mijn hoofd. Het lemmet was net geslepen, en ik zag de vlijmscherpe punt vlak langs mijn ogen flitsen. Het gebeurde zo snel en krachtig dat het mes in de deur achter Justin bleef steken, natrillend in het hout.

'Je wist dat dit zou gebeuren,' zei Vicken. 'Je bent gebonden aan je lot, we moesten je wel komen zoeken. Dat wist je. De magie van de coven is heilig.'

Song deed een stap naar voren. Nu was het moment aangebroken. Zoals ik hun had geleerd kwamen ze heel langzaam naar

360

voren. De bedoeling was om ons in een hoek te drijven. Maar ik had de spiegels aan de muren nodig. Ik kon niet toelaten dat ze me in een hoek dreven. Ik moest in het midden van de zaal blijven.

'*Malus sit ille qui maligne putet*,' zei Heath. Wat hij zei was het motto op mijn rug.

Gavin giechelde en Song kroop naar voren, als een spin. Dit was het, het moment vlak voor de aanval. Justin raakte in paniek, ik kon zijn angst voelen.

'Geef het op, hoogheid,' fluisterde Gavin.

'Wat, moet ik dit alles opgeven?' zei ik sarcastisch, maar ik was kalm en vastberaden. Ik moest me concentreren, de krachten binnen in me oproepen. Het licht laten komen.

We waren omsingeld en onze tijd was op.

'Sla je arm om mijn middel,' fluisterde ik, hoewel ik wist dat de coven elk woord kon verstaan.

'O jee, is ze iets van plan?' sarde Gavin.

'*Quid consilium capis, domina?*' siste Heath.

Vicken deed een stap naar voren, en ik liep achteruit, met Justin achter me. Ik strekte mijn handen voor me uit en het zonlicht stroomde uit elke porie. De stralen weerkaatsten op de gezichten van de coven. Ze deinsden allemaal achteruit, schermden hun ogen af en hielden hun armen dicht tegen hun lichaam.

Vickens ogen werden groot.

'Wat is dat voor duistere magie?' beet hij me toe. Hij wapperde met een van zijn handen, die kennelijk verbrand was.

'Zonlicht,' zei ik. Mijn ogen vlogen van Vicken naar Gavin naar Heath en naar Song, en weer terug.

'Hoe kan dat?' snauwde Vicken.

Song wierp zich naar voren, sprong hoog in de lucht op mij en Justin af. Zijn handen waren net klauwen en zijn hoektanden waren ontbloot. Ik hief mijn handen weer en drukte het licht eruit. De straal was zo krachtig dat Song tegen een van de ramen werd geslingerd. Maar toen doofde de lichtstraal, onverwacht.

Heath en Gavin deden een stap naar voren. Ik perste de hitte uit mijn handen. Weer scheen de zon uit mijn handpalmen waardoor ze achteruit moesten deinzen, en weer doofde het licht, als een nachtkaars die uitging – een flakkering, toen niets meer.

'Dat ga je niet lang volhouden, Lenah,' zei Vicken.

Song hield zijn hoofd schuin. Hij ging weer aanvallen. Gavin ging bijna onmerkbaar met zijn rechterhand naar zijn zak. Een mes zou mij niet doden, maar zijn nauwkeurige worp zou wel het einde van Justin betekenen. Ik moest het zonlicht in één explosie tevoorschijn laten komen. Ik sloot mijn ogen en concentreerde me, zoals ik ook al die avonden in Hathersage had gedaan.

Ik haalde diep adem terwijl de gloeiende hitte zich in me opbouwde. Allerlei beelden dwarrelden door mijn hoofd: de eerste dag op Wickham, de grazende herten in de verte, Tony's glimlach, terwijl hij zijn ijs at.

Plotseling hoorde ik Vickens woorden weer, en ik voelde dat de hitte mijn handen deed beven.

Gebruik het ritueel. Maak me menselijk.

Nu kwamen de beelden weer terug, en mijn handpalmen begonnen licht uit te stralen. Ik voelde het branden aan de zijkant van mijn dijbenen.

Ik keek Vicken in zijn ogen. De verbazing en woede in zijn blik vormden een mengeling die ik maar al te goed kende.

Ik verdien het, Lenah. Vind je niet?

Ik sloot mijn ogen om Vickens gedachten te verdrijven.

Nu verlichtte Rhodes gezicht de duisternis in mijn geest.

Rhode op de heuvel in die dromerige weide, met zijn hoge hoed. Rhodes dood.

Ik voelde Justins handen op mijn heupen en mijn liefde voor hem stroomde door mijn lichaam. Ik was bijna zo ver... de kracht raasde nu door me heen.

'Lenah,' zei Justin, om me te waarschuwen. De coven was al zo dichtbij. Ik opende mijn ogen en richtte mijn blik op Gavins hand.

Hij hief zijn hand, het mes in de aanslag...

Ik keek op, ving Vickens blik weer en zei: 'Je kunt maar beter bukken.'

Ik hief mijn armen tot boven mijn hoofd en sloeg mijn handen zo oorverdovend hard tegen elkaar dat een explosie van wit licht door de zaal golfde. De schok veroorzaakte duizenden barsten in de vloer, de ramen implodeerden en een stofwolk steeg omhoog.

En toen was het stil.

32

'Lenah?' Justins stem klonk schor.

'Hier ben ik,' zei ik.

De zaal was gevuld met rook. Ik lag op mijn buik op de vloer. Toen ik mijn hoofd optilde, zag ik dat die rookwolk in feite uit stof bestond. Duizenden stofdeeltjes die de zaal vulden zodat ik nauwelijks iets kon zien. De ramen aan de achterkant van de zaal waren eruit gevlogen en het stof wervelde rond op de bries die nu naar binnen kwam.

In een hoek kreunde een man. Ik keek naar links.

Ik zag een paar benen in zwarte laarzen, de enkels over elkaar, onder de tribune uitsteken. Vicken Clough had het overleefd. Ik wapperde met mijn hand de stofdeeltjes weg voor mijn gezicht, zodat ik wat kon zien. Ergens begon een alarm te loeien. Ik hield mijn hoofd schuin om te luisteren en besefte dat het geluid uit Hopper zelf kwam.

Toen zag ik wat er zich midden in de zaal bevond.

'Haal Vicken,' zei ik tegen Justin.

'Vicken? Wat?'

Ik wees.

'Ik dacht dat je hem ging doden...'

'Doe het nou, alsjeblieft,' smeekte ik. Justin rende naar de tribune.

Het alarm loeide door. Algauw zouden de leerlingen wakker worden en zouden de autoriteiten zich melden. Met enkele lange passen liep ik naar het midden van de zaal en keek omlaag. Daar lagen drie hoopjes as op de plekken waar Heath, Gavin en Song hadden gestaan. Alleen glommen ze niet, zoals de restanten van Rhode hadden gedaan. Het was gewone as, net zoals as in de open haard. En toen hoorde ik een stem…

Hathersage, Engeland
31 oktober 1899

'Lenah!' riep Song naar me. De zon was net onder de horizon gedoken. Vanuit de lange gang zag ik mijn coven bij de voordeur staan. Song was geheel in het zwart gekleed. Vicken zag er patent uit met zijn zwarte laarzen, grijsgroene jas en zwarte hoge hoed. Dat was de mode, eind 19de eeuw. En we hadden genoeg geld om erin rond te lopen.

Een fotograaf stond voor de open deur. Hij had net een camera opgesteld die eruitzag als een kistje op drie lange poten. Hij wachtte tot we op onze plek stonden voor de foto. Ondertussen hield hij de camera tussen zijn beide handen en keek door een buis bovenop, de zoeker. Ik slenterde door de gang naar de voordeur. Daar stonden Song, Heath, Gavin en natuurlijk Vicken te wachten.

Vicken had een bokaal in zijn hand. De rode inhoud klotste in het glas toen hij hem aangaf. 'Een uitstekende Engelse rode,' zei hij met een glimlach.

Mijn ogen gingen even naar de fotograaf.

'Zijn jullie klaar?' vroeg de man. 'Straks is het licht weg.'

Ik hief mijn bokaal in de lucht…

'Lenah!' Justins stem brak door mijn herinnering, en mijn ogen focusten zich weer op de hoopjes as. 'We moeten gaan!' Ik draaide me om en zag dat Justin Vicken overeind hield. Vicken was nog helemaal verdoofd van de klap en zijn knieën begaven het steeds. Dit had ik nog nooit gezien, bij een vampier.

Het alarm bleef gillen. Ergens niet zo heel ver weg klonken politiesirenes.

We liepen naar de kapotte ramen.

Ik nam een slok uit de bokaal en liet de vloeistof rondwalsen in mijn mond. Gavin, Heath, Vicken en Song stonden in een cirkel om me heen.

'Die foto is om onze band te eren en te vieren. Hij staat voor alle eenzame, pathetische zielen die aan onze voeten liggen.'

Ik ging tussen Vicken en Song in staan. Heath en Gavin gingen aan de andere kant naast me staan. We hingen over elkaar heen als slangen in de hitte, bungelend aan boomtakken.

Ik sloeg mijn arm om Songs rug, terwijl de fotograaf de camera klaarmaakte. Ik hield de bokaal in mijn linkerhand, tilde hem de lucht in en nam nog een slokje voor ik hem wegzette zodat de foto kon worden gemaakt. Met een laagje bloed op mijn voortanden nam ik mijn positie tussen Vicken en Song weer in.

'Kwaadaardig is alleen hij die kwaadaardig denkt,' zei ik, met mijn kin in de lucht. 'Laat ze dat niet vergeten.'

'Schiet op!' riep Justin, toen we eenmaal buiten waren. Terwijl ik door het raam klauterde keek ik nog één keer om naar de hoopjes as midden op de vloer. De coven was weg, mijn broeders waren verdwenen. Ik hield Vicken vast onder zijn schouder, terwijl Justin hem aan de andere kant overeind hield. We renden het bos in dat het strand van de campus scheidde. Vicken probeerde zijn voeten op te tillen, maar elke keer als hij een stap zette, knikten zijn knieën. Hij bleef naar de grond staren alsof hij de kracht niet had om zijn hoofd op te tillen.

'Niet naar de boot!' zei Justin.

'Waarom niet? We moeten hier weg,' zei ik, terwijl ik probeerde Vicken omhoog te houden.

'Nee, we moeten op de campus blijven. Als we de boot nemen, horen de agenten de motoren. We laten hem gewoon hier. Mensen leggen hier zo vaak hun boot neer.'

Ik zag het strand al, maar Justin had gelijk.

'Seeker,' zei ik, en we liepen naar het voetpad. Door de bomen zagen we mensen vanuit de studentenhuizen de campus op zwermen, dus we moesten heel voorzichtig naar Seeker sluipen.

'Lenah,' fluisterde Vicken. 'Er is iets mis. Mijn borst.'

'Stop,' zei ik tegen Justin.

'Dat kan niet. Kijk,' zei Justin, en hij wees. Politiewagens kwamen met gierende banden tot stilstand voor de sportzaal. In de nabijgelegen studentenhuizen floepten de lampen aan en de campusbewakers stapten al uit hun auto. 'We moeten zo snel mogelijk naar Seeker.'

Plotseling voelde ik een vreemd trekkerig gevoel. Het leek of mijn maag zich binnenstebuiten keerde, en ik moest Vicken even loslaten. Terwijl ik naar mijn buik greep, besefte ik wat er mis was.

Het was het verlies. Het verlies van de coven. De magie werd verbroken.

'Alles goed?' vroeg Justin, terwijl hij Vicken vasthield.

'Ja,' zei ik, en ik nam mijn positie weer in om de helft van Vickens gewicht te dragen.

Toen keek ik diep het bos in, in de buurt van waar de kapel stond. Daar zag ik Suleen, in zijn traditionele Indiase gewaad. Hij hief zijn handpalm naar me op en legde hem toen tegen zijn hart.

'Lenah, ben je er nog?' fluisterde Vicken.

Ik keek even omlaag, naar Vicken. Toen ik mijn blik weer op Suleen richtte, was hij verdwenen. Ik had geen tijd om me af te vragen waarom hij daar was, en hoe hij daar was gekomen. Ik wilde hem zo veel vragen stellen, maar er was geen spoor meer te bekennen van de vampier in het wit.

Justin begon weer te lopen en we staken een voetpad over. Achter het exacte-vakkengebouw langs zochten we onze weg naar Seeker.

'Lenah?' vroeg Vicken.

'Ja,' zei ik. 'Ik ben er nog.'

Toen we eenmaal ver genoeg het voetpad op waren, keek ik om naar Hopper. De ritmisch flitsende rode en blauwe lampen van de ambulances en de politieauto's verlichtten de duisternis.

Iemand zou Tony nu wel gevonden hebben. Ik vroeg me af wie zijn familie zou bellen.

Mijn hart deed pijn.

Nadat we via de dienstingang Seeker waren binnengeslopen hielp ik Justin om Vicken omhoog te dragen naar mijn kamer. Terwijl we hem trede voor trede omhoog hielpen, besefte ik waarom ik hem had gered. Hij was net als ik. Een slachtoffer, gedwongen van iemand te houden die niet langer beschikbaar was. Hij leefde in een eeuwigdurende hel, en dat kon ik niet langer toelaten.

Onderweg naar boven had Justin me steeds snelle blikken toegeworpen. Nu stonden we bij de slaapkamerdeur, met Vicken tussen ons in. Justin reikte voor hem langs en pakte mijn linkerhand stevig vast. 'Vertel me wat je denkt,' fluisterde hij.

Vicken kreunde. Onze blikken vlogen zijn kant op. Beneden

ons hoorden we leerlingen de trappen af rennen, nieuwsgierig naar wat er allemaal aan de hand was.

'Lenah,' zei Justin en hij kneep in mijn hand om mijn aandacht te trekken. 'Ik moet weten wat je denkt.'

Ik keek in Justins liefhebbende ogen en zei: 'Hoe zou jij je voelen als je net je familie had gedood?'

Samen legden we Vicken op mijn bed.

'Lenah…' riep hij, maar hij bedekte zijn ogen met zijn armen. Ik sloot de deur achter me en Justin en ik gingen op de bank zitten. Ik legde mijn hoofd in mijn handen. Algauw wreef Justins sterke hand over mijn rug, omhoog en omlaag. Ik keek naar hem op, en hij glimlachte warm. Ik boog me naar hem toe en legde mijn hoofd tegen zijn borstkas. Het was al minstens twee uur 's nachts.

Justin dronk wat water, en ik staarde naar het gordijn voor de balkondeur. Met mijn hoofd nog tegen zijn schouder dacht ik aan die ochtend toen Rhode was gestorven, hoe het gordijn toen opgebold had in de windvlagen, in en uit, alsof het ademde.

'Wat moeten we nu met Vicken?' vroeg Justin.

Ik schudde mijn hoofd. 'Hij heeft alleen mij nog. En hij wil het ritueel zo graag,' zei ik.

'Maar je zei dat je minstens vijfhonderd jaar oud moest zijn, omdat het anders niet werkt. En het werd Rhodes dood.'

'De intentie, dat is in feite het belangrijkste aspect aan het ritueel.'

'Wat bedoel je daarmee, de intentie?'

'Ik bedoel,' zei ik, terwijl ik de ring met de onyx ronddraaide om mijn vinger, 'dat ik moet willen dat Vicken als mens kan leven. En dat ik moet willen sterven, op mijn beurt.'

Ik keek naar de ring en besefte dat ik al tijdenlang was vergeten dat ik hem om had. Dit voorwerp was mijn talisman geweest, het enige wat ik altijd bij me droeg, behalve Rhodes as dan.

'En wil je dat?' vroeg Justin. 'Wil je sterven?'

'Ik wil dat er een eind komt aan de cyclus. En dat is in zekere zin ook gebeurd,' zei ik.

Op dat moment wist ik wat ik moest doen. Net als die avond van de winterprom, toen ik Justin in de feestzaal had achtergelaten. Misschien zou ik sterven, dat was volgens Rhode goed mogelijk. Of misschien zou het niet werken. Maar Vicken kon geen vampier blijven en ik ook niet. Misschien had ik het altijd al geweten, waarom ik was teruggekeerd naar Wickham, waarom ik zo lang had gezocht naar het ritueel.

'Je moet iets voor me doen,' zei ik, en ik keek Justin aan. Hij zag er verfomfaaid uit. Zijn blonde haar was nat van het zweet en zijn gezicht was besmeurd met as, de as van dode vampiers.

'Natuurlijk,' zei hij, en hij streek mijn haar naar achteren met zijn hand.

'Kun je gaan kijken of ze Tony's lichaam hebben weggehaald? Ik kan het niet doen, maar ik moet het weten.'

'Natuurlijk,' zei hij en hij kuste mijn voorhoofd. 'Ik ben zo terug.'

Nadat de deur weer achter hem was gesloten deed ik de balkondeur open zodat de lucht onder het gordijn door het appartement in kon waaien. Ik ging de keuken in en bleef staan voor de zwarte blikjes die op het aanrecht stonden, de blikjes met kruiden en specerijen.

Ik rolde het perkament met het ritueel uit, dat al die tijd in mijn zak had gezeten. Ik pakte wat tijm, voor de wedergeboorte van de ziel. Ik liep terug naar de kamer, ging op mijn tenen staan en haalde een witte kaars uit een van de ijzeren wandkandelaars.

Toen opende ik de slaapkamerdeur.

Vicken lag op het bed, met zijn armen over zijn ogen. Ik sloot de deur achter me en drukte mijn rug ertegenaan.

Na een moment zei hij: 'Ik voel me alsof ik verscheurd ben, in duizend stukjes. Ik voel me gevierendeeld.'

'Dat gaat over,' zei ik.

'Is dat alles wat ik voor je was?' Langzaam ging hij rechtop zitten. Om zijn ogen lagen donkere kringen en zijn huid was bleek. Hij had bloed nodig, en snel ook. Hij leunde tegen de kussens. 'Gewoon een slachtoffer uit je duistere periode?'

Ik ging naast het bed staan, legde de kruiden op het nachtkastje en zette de kaars in een kandelaar. Ik probeerde me te concentreren en weigerde mijn slaapkamer te bekijken, dat restant van het leven dat ik in december had achtergelaten.

'Ik zie je niet als slachtoffer,' zei ik.

Vicken lachte, maar toen zakte hij een beetje opzij, dronken van de dorst.

'Wat doen we nu?' vroeg hij. 'Gaan we terug naar Hathersage? Terug naar ons leven daar? Ik voel me verschrikkelijk.'

Ik hief een hand en hield mijn handpalm een paar centimeter boven de lont van de witte kaars. Met het licht dat uit me straalde stak ik hem aan. Vicken keek naar de kaars en toen naar mij. Ik trok de la van mijn nachtkastje open en pakte mijn zilveren briefopener. Geen mes, maar ik moest het er maar mee doen.

'Ik verlos je, Vicken Clough.'

Vickens ogen werden groot.

'Nee,' zei hij, terwijl hij overeind schoot. 'Ik was in de war. Gestoord. Lenah...'

Ik hief de briefopener hoog in de lucht en stak hem toen zo hard in mijn pols dat een gapende wond zich opende. Het bloed begon eruit te stromen, maar zoals ik al had verwacht voelde ik geen pijn. Vicken staarde naar mijn pols en likte aan zijn lippen, hoewel hij ondertussen zijn hoofd schudde. 'Dit wil ik niet.'

'Ik verlos je.'

'Nee...' zei hij, hoewel ik mijn pols al naar hem uitstak.

Dit was wat ik wilde. Ik wilde al die honderden jaren van pijn en lijden terugnemen, ongedaan maken. Ik wilde eindelijk eens iets goeds doen. De schade herstellen. Zodat Vicken kon leven, en Justin ook. Als Vicken een vampier bleef, zou ik hem tot in de eeuwigheid moeten bestrijden. Hij verdiende iets beters. Dat verdiende hij al in de 19de eeuw, toen ik hem iets beloofde wat ik hem nooit kon geven.

Dankzij Justin Enos was ik tot leven gekomen. Die vrijheid had hij me geschonken. Ik had met duizenden mensen gedanst, de liefde bedreven, vrienden gekend. Ik was een volledig mens geweest, en dat had ik te danken aan Justin en Tony. Ik was Vicken diezelfde kans verschuldigd, en ik was Justin de vrijheid verschuldigd om mij te laten gaan.

'Ik zal je beschermen.' Met het licht uit mijn rechterhand stak ik de kruiden aan. Vicken nam mijn pols en drukte hem tegen zijn mond.

'Heb vertrouwen... en wees vrij.' De rook kringelde omhoog vanaf de kruiden op het nachtkastje. Ik sloot mijn ogen en deed wat ik doen moest. En op dat moment, terwijl ik Justins gezicht voor me zag, wist ik dat het goed was.

372

33

Ik strompelde door de slaapkamer. Ik viel naar achteren, totdat mijn rug tegen de muur rustte. Ik deed mijn hoofd achterover met mijn ogen dicht. Ik was zwak, zwakker dan ik me ooit had kunnen voorstellen. Het meeste bloed uit mijn lichaam was verdwenen. Ik was zo uitgeput dat de kamer om me heen leek te draaien en ik mijn ogen niet kon focussen.

Rechts van me was de woonkamer en daarbuiten de deur naar het balkon. De dageraad was aangebroken en het zonlicht piepte onder het gordijn door. Vicken lag in de diepste slaap die hij ooit zou meemaken. Als hij wakker werd, zou hij Vicken weer zijn. Niet de zieloze, woedende vampier die ik had gecreëerd.

De voordeur ging open.

Justin kwam de kamer binnen. Zijn prachtige lippen wezen omlaag, de energie in zijn ogen was uitgeblust. Eerst zei hij niets. Er was alleen dat geluid dat de stilte maakt en dat je nooit helemaal kunt verklaren.

'Ze hebben zijn lichaam meegenomen,' zei Justin toen. 'De politie.'

Eindelijk keek hij op, en zijn ogen gingen naar mijn rechterhand die mijn bloedende linkerpols omklemde. Hij hapte naar adem en stak zijn armen naar me uit, maar ik deed mijn linkerhand omhoog en hij stopte.

'Zeg me dat je niet hebt gedaan wat ik denk dat je hebt gedaan. Zeg me alsjeblieft dat je het eerst aan mij zou hebben gevraagd, Lenah.'

'Dat kan ik niet.'

'Lenah...' Tranen rolden uit Justins prachtige groene ogen. Zijn jonge gezicht vertrok van de pijn, en schuldgevoel laaide in me op. Zijn hart zou breken van verdriet, en ik was daar verantwoordelijk voor.

Hij liep naar me toe, maar ik hiled mijn hand om mijn pols in een poging het laatste bloed binnen te houden. Mijn lichaam zou geen nieuw bloed meer maken, het was allemaal aan het wegvloeien en het zou niet lang meer duren voordat ik helemaal leeg was. Justin strekte zijn handen naar me uit, maar ik hiled mijn handen dicht bij mijn lichaam. Blijf wakker, dacht ik, en ik concentreerde me zodat ik mijn bewustzijn niet zou verliezen.

Hij kuste me innig. Ik trok me terug en zonder een woord liet ik de ring met de onyx van mijn vinger glijden en legde hem in Justins hand. Hij staarde ernaar, even van zijn stuk gebracht, en keek me toen weer aan.

'Snap je het dan niet?' zei ik, terwijl ik hem bleef aankijken. Zijn groene ogen waren waterig van de tranen. 'Ik hou van je,' vervolgde ik. Mijn knieën begaven het, maar Justin was daar, om me op te vangen. Hij slikte moeizaam en weer rolde er een traan uit zijn oog. Hij veegde hem weg. Ik begon al dubbel te zien. Mijn tijd was bijna om.

'Lenah...' Justin huilde nu voluit.

Ik schuifelde naar rechts, naar de balkondeur.

'Doe dit niet,' zei hij, alsof ik er iets aan kon veranderen.

'Daarnet...' Ik wees naar de slaapkamerdeur. Terwijl ik stierf, was de vampier in Vicken aan het verdampen, zijn lichaam aan het ontvluchten. 'Daarnet was jij de intentie. Ik wilde jou beschermen en bevrijden. Dat is alles wat ik wil, dat jij veilig bent. Morgen zul je zonder angst wakker worden. Het stopt nu met mij.'

Bloed sijpelde tussen mijn vingers door, die nog steeds mijn pols omklemden.

'Ga nu, alsjeblieft,' fluisterde ik. 'Ik wil niet dat je dit ziet.'

'Ik ga helemaal nergens heen,' zei Justin, en hij klemde zijn kaken op elkaar. 'Ik wacht hier.'

Als ik had kunnen huilen, had ik het gedaan. Maar ik had geen tranen in me. Ik was niets meer dan een karkas. 'Beloof me dat je hier bent als hij ontwaakt. Dat duurt twee dagen. Vertel hem mijn hele verhaal. Hij weet wat hij doen moet.'

'Dat beloof ik,' zei Justin. Op dat moment voelde ik onder mijn hielen de drempel van de deur naar het balkon.

Ik glimlachte, mijn handen beefden.

'Jij wekte me tot leven.'

Voor hij iets kon terugzeggen, draaide ik me om naar de deur.

Ik dacht dat ik iets hoorde, voor ik de dageraad in stapte. Ik denk dat het Justins knieën waren die de vloer raakten. Ik trok het gordijn opzij, en het licht van de ochtendzon viel vol op mijn gezicht. Ik hief mijn handen.

Ik zou je willen vertellen dat ik een verzengend vuur voelde, een helse pijn. Dat zou de enige rechtvaardige straf zijn geweest voor al die meedogenloze moorden tijdens mijn vampierleven.

Maar dat was niet zo.

Ik voelde alleen schitterende gouden diamanten van licht.

375

DANKBETUIGING

Graag wil ik de onovertroffen Michael Sugar bedanken. Zonder jouw geloof in mij zou dit nooit zijn gebeurd. Je gulheid doet me altijd weer versteld staan.

Ik wil Anna DeRoy bedanken, die vanaf het begin zo enthousiast was over Lenah en haar verhaal.

Van het team van St. Martin wil ik speciaal Jennifer Weis en Anne Bensson bedanken voor hun hulp bij het realiseren van deze geweldige trilogie. Jullie toewijding en ijver zijn uitzonderlijk.

Speciale dank voor Rebecca McNally van Macmillian Children's Books, vanwege je uitstekende redactionele adviezen. Je hebt me in staat gesteld een beter boek te schrijven.

Dank, dank, dank aan mijn niet te evenaren agent, Matt Hudson. Je bent geduldig, toegewijd en briljant. Zonder jou zou dit boek niet zijn wat het is. (Ik hang nu vast met je aan de telefoon...)

Dank aan de 'CCW's': Mariellen Langworthy, Judith Gamble, Laura Backman, Rebecca DeMetrick, Macall Robertson en Maggie Hayes. Jullie commentaar was heel waardevol.

Graag wil ik nog de volgende mensen bedanken die hebben geholpen bij de totstandkoming van *Eeuwig verbond*: de getalenteerde Monika Bustamante, Amanda Leathers (de allereerste lezer), Alex Dressler (Latijn-expert), Corrine Clapper, Amanda DiSanto, Tom Barclay, geschiedkundig bibliothecaris van de Carnegie Library (de meest behulpzame bibliothecaris in Schotland), Joshua Corin en Karen Boren, die me de liefde voor fictie heeft bijgebracht.

En natuurlijk dank aan Henoch Maizel en Sylvia Raiken, die de schoonheid van woorden begrepen. Konden jullie dit maar zien.